インド人ジャーナリストが
体感した
禅とトイレと温泉と

# 日本でわたしも考えた

Pallavi Aiyar
パーラヴィ・アイヤール
笠井亮平＝訳

白水社

# 日本でわたしも考えた——インド人ジャーナリストが体感した禅とトイレと温泉と

ORIENTING
by Pallavi Aiyar

ジャン＝ピエール・レーマンへ

日本でわたしも考えた　―インド人ジャーナリストが体感した禅とトイレと温泉と

# 目次

## 凡例

＊原著者による注は（1）（2）と番号を振り、「原注」として巻末にまとめた。

＊訳者による注は本文中の〔　〕内に割注で記した。

＊本文中の書名については邦訳のあるものは邦題のみを、ないものは逐語訳に原題を初出時のみ併記した。

# 日本語版への序文

日本からスペインに引っ越して一年になる。両国は多くの点で対極にある。スペイン人はあけっぴろげな性格で、おしゃべりな上に話し声も大きい。インド人にとっては、スペインはより「故郷」に近い存在に感じられるだろう。しかし、これ以上ないほど予測不可能な日々の中で、わたしはもう一つの故郷である日本を恋しく思っている。昨年の春にマドリードの自宅近くで藤の花が咲き始めたとき、わたしの心は東京に引き戻された。

そんなわたしの耳元で、松尾芭蕉の俳句が聞こえた気がした。

草臥れて宿かる比や藤の花

わたし以上に日本を懐かしんでいるのは子どもたちだ。九歳になったニコラスは、大きくなったら宇宙物理学者になってＪＡＸＡに勤めたいと言っている。長男のほうはと言えば、リタイアした後は軽井沢で暮らしたいそうだ。彼らが抱く日本への深い愛着はどれだけ続くのだろうか？　子どもというのは変わっていくものだ。それでも、わたしたちはみな、東京で過ごした日々をこれからも忘れずにいることだろう――自分たちが今後どう変わっていっても、透明な着物をずっと羽織っているようなものかもしれない。

この一年、日本での情勢の変化を驚きと既視感の両方を覚えながらずっとフォローしてきた。最大のサプライズは、安倍晋三首相が任期半ばにして辞任したことになるだろう。日本の政治における存在感ゆえに、本人も自分の基盤は富士山のごとく盤石だと感じていたであろうことを踏まえると、なおさらその思いを強くした。

だが、その後何が起きるかについては予想がついた。だいたい誰も似通っていて、驚くほど目立たない首相が次々と入れ替わるという展開だ。菅氏であれ岸田氏であれ、安倍政権から劇的に方向性を変えることはない。新型コロナウイルスが拡大と減少を繰り返すなか、オリンピックは無観客で開催され、大半の人は大騒ぎすることも怒りを爆発させることもなく、忍耐強い日本人のスタイルを遺憾なく発揮して日々を乗り越えていったのだ。

ある意味で、日本は「物事が変われば変わるほど、本質はずっと元のままでいる」〔ボン・ジョヴィの曲の一節〕という古典的な例だと言える。

しかし、日本の文脈でとらえると、政治とはおそらくもっとも興味をそそらないショーなのだろうということを少し前にあらためて認識した。日本人が情熱を注ぐのは、スペインからインドまで、各国の人びとを魅了するソフトパワーの深淵なる世界なのだ。

マドリード中心部では、たったの数百メートル歩いただけでも、すし店や和食とペルー料理をフュージョンさせたレストランに出くわさないということはないほどだ。わたしは先日、マドリードのブックフェアに行ってみたが、圧倒的に多くの客が集まっていたのは、マンガを売っているブースだった。自宅近くにあるユニクロは、この一年でコロナの感染が広がっていた時期でもたくさんの買い物客でにぎわっていた。

どの旅人にとっても、アフター・コロナの最初の旅行で必ず行きたい場所として入っているのは、どうやら日本のようだ。

二〇二一年八月にインドで本書が刊行されると、すぐにアマゾンの旅行本カテゴリーで売れ行きランキング上位につけ、一時は第一位の座を占めていた。これは、本書のクオリティもさることながら（もちろんそちらについても自信を持っておすすめできる）、日本というテーマがあってこそだったと思っている。

わたしのもとにミレニアル世代の若い読者――多くはインドの外に出たことがない――からたくさんのメールが届き、どれだけ日本に行きたいと願っているか教えてくれたことに驚いている。彼らが言うには、前から行きたくてうずうずしているところだったのが、本書によってその思いがいっそう強まったということだ。

こうしたことを踏まえ、日本が今後、こうしたあふれんばかりの善意や関心を何らかの具体的なかたちに導いてくれることを願っている。日本は数十年ものあいだ待機状態に置かれたままで、生来のリスク回避体質によって台頭を阻まれているが、そうした姿勢は柔軟性とスピードへの要求がますます高まりつつある世界においては十分に機能しているとは言えない。

日本が内なる鶴を解き放つことを期待しています！

二〇二一年十月　スペイン・マドリードにて

パーラヴィ・アイヤール

# プロローグ

早朝の淡い光が差すなか、わたしたち一家はジャカルタからの夜行便で東京に到着した。日本に来たのはこのときが初めてだった。夫ジュリオの転勤先である欧州連合（ＥＵ）駐日代表部が、空港まで出迎えの車を差し向けてくれていた。わたしたちを乗せた車は、吊り橋を渡り、人でごった返す道を通っていった。脇には新幹線がぼんやりと見えた。実感はまったくわいてこなかったが、この感覚は多くの国での到着当初の日々で経験済みだった。ふわふわとして、夢心地で新たな場所に降り立ち、まるで指を上に向けて、空気がゴムのように伸びる、あの感覚だ。

過去二〇年、わたしはこの気持ちを繰り返し感じてきた。二〇〇〇年にジュリオと出会って以来、英国、中国、ベルギー、インドネシアで彼と一緒に暮らしてきた。わたしたちは自分の足で世界各地を回ることにかけては経験を積んでいたとはいえ、いざ一つの国から別の国へと場所が変われば、それがものを言うことはめったになかった。新しい国に行くたびに、自分たちがいかに無知であることをすぐに気づかされることだけははっきりとわかっていた。

ジュリオは外交官で、わたしは作家だ。ともに過ごした歳月の中で、カラメルとトーフという二匹の猫を飼うようになり、そしてイシャーンとニコラスという二人の子どもが生まれ、家族のメンバーが増えていった。ジュリオとわたしは五つの言語を用いて会話をし、もう何言語かを交ぜて使うこともある。わたし本人としては、アジア人であることを自認している。生まれ育ったのはインドで、一九九〇年代に押し寄せた経済自由化初期の波を体感した。その後、二〇〇〇年代の多くの時期を中国で過ごし、北京が共産主義の残滓を捨ててオリンピックを開催するにふさわしい都市へと変貌するのをこの目で見てきた。二〇一二年からはインドネシアで暮らし、アイデンティティがばらばらな多様性の国においていかに国家統合を図るかという試練——インドも含め旧植民地が直面する大きな課題——について論考を書いてきた。

しかし、二〇一六年初めにジュリオの次の任地が東京で、その年の夏に家族で引っ越すことがわかると、日本についてはほとんど何も知らなかったということもあり、自分がこれまでアジアというジグソーパズルの中で欠かすことのできないワンピースのことを考えてこなかったという事実に向き合うことになった。

民主制から独裁まで、この地域の政治情勢に関する起伏については承知しているつもりだったが、わたしがこれまで知っていたアジアの国はさまざまな背景を持ちながらも、人びとやビジネスが右肩上がりに成長しているという共通点があった。デリー、北京、ジャカルタはいずれも騒々しく混沌の中にあるダイナミックなメガロポリスで、相矛盾する複数の目標の中でもがいていた。どの都市も急成長を遂げつつあり、それぞれのサクセスストーリーからは、哀愁漂う秋ではなく、明るい展望をもたらす春——空気は汚れているのだが——の雰囲気が伝わってきた。

日本は例外的な国だ。ユーラシア大陸の東端という地理上の位置は、他のアジア諸国とは別の存在であることを暗に示しているかのようだ。豊かで静か。長い歴史を持ち、時間に厳しい。かつての植民地ではなく、植民者の側だった。抜け道を探そうと躍起になるのではなく、ルールを遵守することにこだわる、といった具合に。

　引っ越してくるまで、わたしにとって日本は多くの点で、中国以上に不可解で実感の伴わない国だった。中国では、少なくともインド人が好む炒麵（焼きそば）と宮保鶏丁（鶏肉とナッツの炒め物）があった。しかし、インド人にとっては朝食で生魚が出たら食欲はわかないだろうし、理解不能な事態とすら言える。

　日本についてわたしが知っていたのは、刀剣やウォークマンといった断片的で中途半端な情報でしかなかった。日本のことを意識するポップスがときおり登場することはあった。「Big in Japan」（ドイツのバンド、アルファビルのデビューシングル）には「ぼくのカメラはニコン製、写真を撮ってみたいな」という一節があった。バングルス（アメリカの女性バンド）の「エジプシャン」には「日本人はみんな円を持っている、パーティーボーイズはクレムリンに電話をかける」という一節も。東京では自動販売機で若い女性の使用済み下着を買えるという話を誰かが教えてくれたことがあった。村上春樹の小説は何冊も読んできたが、だからといって現地の事情を知るという点ではほとんど役に立たなかった。二〇一六年の夏に東京に引っ越すことになるとジュリオから聞かされた時点で、わたしが日本関連で知っている文化方面の知識は全体でもこの程度でしかなかった。

　そこで、ＳＮＳの集合知に頼ることにしたわたしはおすすめの本を教えてほしいと書き込んだところ、「当然、谷崎でしょ」とか「漱石がいいけど、『こころ』から読み始めるべき」といった返答がいくつも寄せられた。わたしはリーディングリストを作り、そのうち何冊かは実際に購入したのだが、ジャカルタでの生活を終えるに際しての雑務に忙殺されてしまい、実際には一冊たりとも読む時間が確保できなかった。

　ただし、日本語のレッスンを始めることだけはした。中国語はかなりうまく話せるまでになったし、インドネシア語も自分の意思を伝えられる程度にはできた。日本語はどのくらい難しいのだろう？

——わたしはそう考えた。すぐに判明するのだが、「ものすごく」難しいというのが答えだった。礼儀正しさを表すこと以上に特別な意味がないにもかかわらず、やたらと長い表現が数え切れないほどあった。

中国語で「thanks」は「謝謝」、それで終わりだ。日本語では、「ありがとう」というインフォーマルな表現に加えて、フォーマルな「ありがとうございます」、謝意を強く示す「どうもありがとうございます」、恐縮しながら謝意を示したいときの「どうもすみません、ありがとうございます」といった言い回しがある。さらに、「よろしくお願いします」という言葉があることを知った。「これってどんな意味ですか?」と日本語の先生に尋ねてみた。「それはね、『thank you』ということです」と答えが返ってきた。普通だと、一カ月間日本語を習っても「thank you」の言い方を覚えるだけで終わってしまうということになりかねないのだ。

長男の友人の母親でジャカルタ在住のコヤマさんという日本人女性とランチをともにしたとき、わたしは日本語の文法が細かすぎることに毒づいた。「動詞の活用を全部覚えるなんて、できるかどうか自信がないです」と弱音を吐いた。コヤマさんはまばたきせずにわたしを見据えて、こう返した。「パーラヴィ、わたしが思うにあなたが気をつけたほうがいいのは、ソフトな話し方を身につけることかもしれませんね」

それからの数年で、わたしは彼女の忠告が痛いほど身にしみる経験を何度もしていくのだった。

第1章
# 落とし物、必ず見つかります

どんなときでも、引っ越しには独特の試練がついて回るものだ。引っ越し先の国にまつわる試練もあれば、引っ越しする本人に由来する試練もある。単身赴任か、家族を帯同していくか。複数の言語を操ることができるか、一つの言語しか話せないか。自分の機嫌がいいか、それとも反発するような気分か。赴任する国では公害があるか。気候は寒いか。腕のいい歯医者がたくさんいるか——といったように。

住む場所が変わるたびに感じる第一印象は、こうした問いの答えが交錯する中からわき出てくるものだ。ロンドンに留学していたときには、長い冬のあいだは日光がなくなることに慣れるのがいちばん大変だった。ロサンゼルスでは公共交通機関が整備されていないことに難儀させられたし、北京では自分の下手な中国語のせいで砂糖が欲しかったのにスープを注文してしまうことがしょっちゅうだった（両方とも「タン」と発音されるが、声調が異なる）。ジャカルタの大渋滞にイライラがやむことはなかったし、巨大なドブネズミを見つけるといつも身が固まってしまったものだ。

東京の場合はどうだろう？　日本で最初に直面したハードルは、重要だが予想外のものだった——携帯電話の入手である。携帯がないということは、電話の着信やフェイスブックの「いいね」の通知を受け取ることができないという、苦痛な宙ぶらりん状態の中をさまようようなものだ。この二十一世紀ほど、デカルトの有名な言葉をアップデートする必要に迫られているときはない。ノキアに始まりアップルに至るまでの過去二〇年で、「我思う、故に我あり」は間違いなく「我携帯を持つ、故に我あり《コギト・エルゴ・スム ハベオ・ア・フォン、エルゴ・スム》」によって脇に追いやられてしまったのだ。だが、「我携帯を持つ、故に我あり」が真だとすれば、携帯がない人間はいかなる存在なのだろうか？

　どんなものであれ日本についての考えをまとめようとするには、なんと言っても携帯電話が必要だった。ところが、それは簡単でもなければ安価に入手できるというわけでもなかった。携帯電話サービスは寡占状態にあって、端末購入に加えて最短でも期間は二年、基本料金が約七〇ドルという契約をセットにしなくてはならない仕組みになっていることがわかった（わたしの母国インドでは、携帯のデータ通信プランは二セント。世界最安なのだ[1]）。

　廉価で制約の少ない料金プランがあるサービスをようやく見つけたのは、日本に行くのが一〇日後くらいに迫っていたときのことだった。しかしそのサービスを契約するには運転免許証が必要で、交渉の余地はなかった。わたしは運転免許を持っていなかった。

　その後わかったのは、銀行口座の開設に比べれば携帯電話の調達は日本庭園の散策並みに込み入ったプロセスをたどるということだった。ジュリオの職場からは、三井住友信託銀行の「プレスティア」で口座を開設するようにとの指示があった。英語対応サービスがあり、「外国人」対応を専門にしているからというのが理由だった。口座開設手続きには約三時間を要した——それほどまで時間をかける必然性はなさそうだったのだが。わたしたちは「反社会勢力」——つまり日本のヤクザを意味する言葉——のメンバーではないという申告書も含め、記入した書類を応対した行員が舌打ちしながら細かくチェックするなかで、わたしたちは我慢強く座って待たなくてはならなかった。応接ブースから待合室に移動しなくてはならないことも何度かあった。

手続きのさなか、クレジットカードを作れないかについても尋ねてみた。この日銀行で過ごすことになった時間を最大限活用すべきではないかと考えてのことだった。「当行でクレジットカードの発行を申請されるのはおすすめいたしません」。ピンヒールのように細い身体の女性行員が、わたしたちの質問にそう答えた。「お客さま側のお手続きが非常に面倒になってしまいます。外国発行のものをお作りになるがよろしいかと存じます」。このように言われては、議論の余地はなかった。

それで終わりではなかった。書類記入というトンネルの先に口座開設手続き完了という光が視界に入ってきたまさにそのとき、日本では共同口座という制度はないことを知らされたのだ。それゆえに《エルゴ》——これほどのことを経て、わたしたちが出来たのは夫のほうのみ銀行口座を開設することだけだった。銀行側はわたし用の口座開設手続きを別途行いましょうかと言ってきたが、日を改めますと伝えてお断りすることにした。結局のところ、再来店することはなかった。あの三時間をもう一度繰り返すことは、鮮度のすっかり落ちてしまったすしを食べるときのように気乗りのしないことだった。この結果、日本はこれまで世界各地で住んだなかで唯一銀行口座を作ることのない国になった。

直前まで住んでいた発展途上国のインドネシアも含め他の国では取るに足らない作業が日本で新生活を始めるに当たってもっともハードルが高かったとは、衝撃的だった。ジャカルタは膨張が続き、道路は渋滞し、むき出し下水管が連なる大都市だったが、躍動的でテクノロジー面で革新的な場所でもあった。新しく開発されたアプリが毎日のようにスタートアップを育む土壌から次々と生まれ、バイクタクシーの廃車サービスからモバイル決済まで、あらゆることが可能になっていった。

それとは対照的に日本はいまなお一九八〇年代のポップチャートの世界にいるかのように、時代遅れに感じられた。わたしの日本についてのイメージは明らかに不十分な情報に基づいたもので、ネオンやロボット、高速鉄道、ビデオゲーム機といった最先端のクールな側面で染まっていた。ところが、2016年に遭遇した日本ではたしかにネオンが輝いていたが、それ以外の多くの点では時代錯誤的だった。

お隣の中国では、物乞いですら施しをキャッシュレス決済で受け取るようになっていた。[2] それが日本では、レストランで食事をした後でお店がクレジットカード払いに対応していないことを知るという事態が一度や二度ではなかった。ウェイターはお仕着せの制服や燕尾服に身を包んでいることが多かったが、いざ決済処理端末の不具合に直面すると（カード決済に対応している場合の話だが）、難解な衛星通信機器を手にしたかのように無言で呆然とするのみだった。タクシー運転手は白い手袋をはめていて、最上級の美辞麗句で乗客にお礼を言ってくれるが、「ジャパン・タクシー」アプリは世界でもっとも複雑かつもっともコストパフォーマンスの悪いサービスだった。

日本は歴史小説に登場する上流階級の「オールドミス」のような存在だった。マナーは申し分なく、リネンのナプキンで口元を押さえている一方で、内心では新興勢力――今日で言えば中国人――の粗野な食事マナーに舌打ちをする、といった具合に。

海洋汚染から話すときの大声、歩きながらアイスクリームを食べることやリサイクル用のごみ箱にプラスチック製品を捨てることまで、日本人は問題があると、何から何まで中国人のせいにしようとする。ひと言で言えば、中国人はマナーに欠けているということで、これは日本では極めて厳しい指摘なのだ。東京で暮らした四年間で、花見の仕方から温泉に入る前の準備まで、あらゆることについての「マナーガイド」を手渡されたものだ。メトロ車内でのポスターは、「あなたのマナー、どうですか？」と厳しく問いかけていた。共通認識は、中国人のマナーは満足のいくレベルではないということだった。

（わたしが思ったのは、日本人は明らかにインド人と接していないのではないかということだった。[3] それはある意味微笑ましいことで、汚さに晒されたことがなく、公共意識の欠如がどこまで強烈かを知らないということなのだから。車の窓からポテトチップスの空き袋をごみとして投げ捨てるとか、公衆トイレのすぐ隣で用を足す男性とか、住宅街でスピーカーから一晩中大音量で宗教音楽を流す寺院を想像できるだろうか。）

しかし、話題が中国人旅行客のマナーの悪さになると人びとは日本人らしからぬ様子で積極的になるものの、彼の国の台頭に関わる本質的な問題を論じることについては奇妙なほどに寡黙だった。わたしが北京に七年住んでいたことがあると言うと、もっとも多かったのはぽかんとした表情をするだけで、よくてもそっとため息をついて同情を示すくらいだった。

過去に滞在した国ではどこでも、中国について質問攻めに遭った。あの経済成長は持続可能なのか？　中国人は犬を食べるって本当？　中国の対アフリカ投資はどのような意味を持っているのか？　といった具合だ。その一方、一般的な日本人が興味を抱くのは国際社会の成長株たる中国よりも、インド――ヨガやボリウッド映画、サリー、カレー――やベルギー――ワッフルにチョコレート、ユーロスター――のように見えた。

とはいえ、中国と日本ほど密接につながっている国はそうない。日中間の貿易額は数千億ドルにも達する。海上では緊迫した国境をめぐる対立関係にある。両国は戦略的ライバルであると同時に地理面では隣国なのだ。

日中関係の浮き沈みをフォローするなかで、わたしが何度かインタビューをする機会があった相手に、中国研究が専門の川島真・東京大学教授がいる。彼が言うには、日本人の対中観は世代によって分かれるという。強大な中国が現実に存在する状況で育ったミレニアル世代は、巨大な隣国に対してポジティブな印象を抱いている。それ以外の世代にとっては、中国の成長は日本の停滞を実感させる、不安な要素なのだ。日本がバブルの繁栄を謳歌している一方で中国は後進的な農業国として苦闘していた時代を覚えている者は、豊かで台頭し、戦略地政学的な要素を支配する能力を持つに至った中国による「ニューノーマル」から切り離されたような感覚を抱くことが少なくない。彼らはこの違和感に向き合うのではなく、納得できない状況に直面したときの日本人に見られる定番の現実逃避的な対応を取る傾向があった。「見なかったことにして、これまでどおりに続けていく」のである。

　しかしこの見方では、日中双方を知る者からすれば万里の長城と同じくらい無視することが困難な側面を説明できていなかった。それは、日本文化のかなりの部分が中国からもたらされたという事実である。言語や宗教、美意識、建築、文学、それに社会規範の多くは、その源流を日本海の向こうにある中国大陸にたどることができる。中国からもたらされたこうした文化のさまざまな側面を日本が受け入れ、洗練し、より深みのあるものにしたことは確かだが、その基盤は中国文化にある。

　こうした思考は初めての国での生活に適応するべく苦闘している者にとっては腑に落ちるものだが、そんな境地に至るのはまだ先のことだ。二〇一六年のあの時期にフェイスブックに投稿した感想を読み返すと、万華鏡のように多彩な印象やセレンディピティを感じさせる会話、目的意識を持った読書から理解を深めようと、あれこれ考えを巡らしていたことがわかる。このプロセスこそが、新たな土地での振る舞いを身につけていくためのレッスンだったのだ。

八月二十八日

「雨」を説明するときの日本語のオノマトペ。
「しとしと」は、雨が一定の状態で降り続けている様子を指す。
「ざあざあ」は、急に降り出した土砂降りの雨で、台風の時のような激しさ。

降り始めの雨を現すのは「ぽつぽつ」。雲行きが怪しくなるなかでの最初の数滴。この時点の雨には「ぱらぱら」という呼び方もあるが、こちらはじょうろで植物へ気ままに水やりをするときのような、あまり一定ではないさまを示している。

（わたしたちは雨が非常に多い時期に日本に到着した。この投降はその三日後に書かれたもの）

八月三十日

さて、さらに魅力的な発見を紹介しましょう。今回の話を教えてくれたのは、ハシ・ユージローさんという方です。日本語で「三国」が「全世界」を意味していた時代がありました。それにしたがえば、「あなたは全世界でいちばんの美人です」というところを、「あなたは三国一の美人です」と言い、同じことを意味していたのです。魅力的なのは、この「三国」というのは日本自身、中国、そしてインドを指しているということです。この三か国が、かつての日本人が思い浮かべる地図では世界のすべてだったということ。この言い回し（現在では古めかしく感じられますが）は、「三国一の○○」[4]という使われ方をします。「三国一の花嫁」という言い方は、現在でも結婚式で使われているのです。

九月二日

東京メトロ表参道駅の案内板にあった言葉――「この場所を通り過ぎる際には譲り合いましょう」。「世界平和への近道ですね」というわたしのコメントも添えられていました。

九月十四日

あるフランス料理店のメニューで目に留まったもの――「Salad（Backet+drink）1,500yen」。「この『backet（バケツ）』が『baguette（バゲット）』のことだとわかるまで少し時間を要しました」というコメントも添えられていました。

九月十九日
深夜の俳句鑑賞。
「やがて来る者に晩秋の椅子一つ」有馬朗人

九月二十一日
買ったばかりの芳香剤についてのコメント――「グーグルの翻訳アプリによると、この芳香剤は『さわやかなナチス』の香りとのこと。そんなはずがあるわけないでしょう！」

九月二十五日
日本では各地域に子どものための児童館があります。工作を楽しめたり、図書館、スポーツ、音楽の設備があったりします。これが全部無料とのこと。わたしたちも、マンションのすぐ裏にある児童館で利用登録を済ませました。

これまでの経験から、あらゆることが目に入ってくるのは日本に来て最初の半年くらいであることを知っていた。地下鉄では実際にポスターや広告の文章を全部読んでみた。他人の会話に耳をそばだてることもした。話の意味がつかめない場合でも、イントネーションを理解しようとするために。ボディーランゲージもわかるようになった。笑う前に手を口元に持っていくときのしぐさや、麺をすする食べ方、すしを食べるときに醤油をガリにつけてネタにたらす方法といった具合だ。マンホールのふたにも目を向けた。

だが、やんちゃな盛りの幼い男の子たち（当時五歳と七歳）を持つ母親の身としては、引っ越し荷物の整理や学校の手配といった作業があり、それ以外の中身がある作業をする時間を確保しようと悪戦苦闘していた。不満に感じたのは、学校にはスクールバスがなかったため、わたしが子どもたちの送り迎えをしなくてはならなかったことだ。子どもたちを入れたインターナショナルスクールは高い学費を取るのになぜバスがないのかと尋ねたところ、返事はこうだった。「当校の生徒の大半は徒歩か自転車、あるいは公共交通機関を利用して通学しています」

東京についてまだ二日目というタイミングで、六歳くらいの小さな子どもが自分の身体と同じくらいの大きさのランドセルを背負って、人通りの多い東京の通りを一人で歩いているのを見た。わたしは男の子が何かの理由で親とはぐれて迷子になってしまったと思い、ならばもちろん助けてあげなくてはと走り出した。ところが、わたしが追いつく前に男の子はポケットからメトロの定期券を取り出し、不安などない元気な様子で、東京で最大級の地下鉄駅の奥へと消えていった。

小学生がバスに乗り込み、地下鉄駅で乗り換えをし、大通りを歩いて行く――何人かと一緒というときもあるが、多くの場合は一人で――という通学風景がわたしにとって当たり前のものになるには数カ月かかった。これまで住んだ大都市ではどこでも（ニューデリー、ロンドン、ロサンゼルス、北京、ジャカルタ）、そんなことは考えられなかった。しかし、日本では、清潔な公衆トイレと並んで特段珍しいことではないのだ。

天使のように愛らしく、大人の腰くらいの身長でしかない小学生が一人で地下鉄を待っている様子を撮影した写真をフェイスブックに投稿したことがあった。すると数時間で、友人から驚きと羨望が交じったコメントがいくつもついた。「デリーじゃ、うちの十三歳の子どもですら七分で着くバスの停留所に行くときだって送っているよ」とある人がコメントすれば、こんなコメントが届いた。「うちの子を公園に行かせるときは、必ず『ガードマン』を何人も付けるね」と別の友人が記した。するともう一人からは、「そもそもなんだけど、子どもたちを公園に行かせること自体もうしてないの。本来あるべき姿を考えると、悲しくてフェアじゃないって気持ちになるけどね」

日本では、子どもたちは小学一年生、つまり六歳そこそこから自分で通学するようになるということがわかった。自宅近くにある公立校に行く場合には、徒歩での通学になる。私立校に入学した生徒となると、学校の所在地が都市の中で遠い場所にあることも少なくないため、地下鉄かバス、あるいは両方を使って通うことになる。

こうした通学に向けた練習は、子どもたちが幼稚園の頃から始まる。年長のきょうだいがいれば、その通学の様子を観察しましょうということになる。親は道路の横断方法を教え、トラブルが起きたときに助けを求められる場所を指し示す。「安全な場所」に選ばれるのはコンビニエンス・ストア——日本では「コンビニ」と略される——だ。

日本にはセブンイレブンやファミリーマートをはじめとするコンビニが五万五〇〇〇店以上あり、一つの文章に無数のカンマがあるように点在している。[5] 迷子になったり困ったことが起きてしまったりした子どもは、コンビニで電話を使わせてくださいと頼み、親が迎えに来るまで店内で待たせてもらうことができるのだ。

日本は世界でもっとも安全な国ランキングの首位をずっと占めていた。[6] 警察庁によると、二〇一六年の犯罪件数は第二次世界大戦以降で最小レベルだったという。約一億二七〇〇万というかなりの人口規模にもかかわらず、二〇一九年に報告された殺人事件はわずか九五〇件、強盗は一五一一件しかなかった。[7]

もう一つある。公共交通機関がとにかく優れているのだ。電車は定期的な間隔かつ、驚くほどの厳密さで定刻どおりに運行されている。鉄道会社は、電車が早く――と言ってもわずか数秒間――発車する事態が生じただけでも、厳正に対処するほどなのだ（二〇一七年十一月には、東京とつくばを結ぶ特急電車が午前九時四四分四〇秒ではなく、二〇秒早い九時四四分二〇秒に発車してしまったというニュースがメディアをにぎわせた。鉄道会社は、運転士が「発車時刻をしっかりと確認せずに発車の操作を行った」として、「心から」お詫びすると発表した[8]）。

だが、日本の子どもたちがこれほど単独で行動するのを可能ならしめている最大の要素は、大都市ではなく村の文化を思わせる、コミュニティに対する共通の信頼感だろう。このテーマについて調べていくなかで、『アトランティック』誌に掲載された記事を見つけた。そこでは、文化人類学者のドウェイン・ディクソンによる次の発言が引用されていた。「（日本の）子どもは、コミュニティのメンバーに対して何かを頼んだり人を助けてくれるようお願いしたりしてもいいということを小さい頃から学ぶのである[9]」

学校は一年生向けに特別な黄色のワッペンを配布して、制服の上に付けさせることもしている。子どもたちが街中での通学を始めて間もないことがわかるようにするためだ。大人はこうしたシートを付けた子どもたちにはとくに目を配るようにしている。退職者がボランティアで通学中の子どもが安全に道路を横断できるよう見守ることもある。コンビニと同様に、どこの子どもでも困ったときには支援を提供するというステッカーを示してある家もある。

わたしの上の息子も、自分より年少の子どもたちが慣れた様子で闊歩するのを目の当たりにしてから数週間して、一人で通学させてほしいと訴えるようになった。わたしは乗り気ではなかった。というのも、当時の彼は日本語がまったくできなかったからだ。しかし、滞日生活が二年を経たとき、折れることにした。その頃には上の息子は十歳になっていたので、公共交通機関を使って一人で学校から帰宅するのを許しただけでなく、七歳の弟が投稿する際の付き添いもまかせることにしたのだ。もしインドネシア時代の自分がこのシナリオについて説明を受けたとしたら、人口三〇〇〇万の大都市を子どもたちだけで移動することよりも、翼が生えて家まで飛んで帰ってくると言われたほうが現実味を感じたことだろう。「事実は小説より奇なり」――日本での生活ではこう感じることが多かった。

　単独でバス通学をする子どもたちに降りかかる最悪の事態――これがまたよく起きるのだが――は、弁当箱を置いていってしまうことだ。どんな国でもこれが続けば、替えの弁当箱を買うために親の財布から現金が弁当箱業者に流れていくことを意味する。ところが、日本は「なくしものが必ず見つかる」国なのだ。

　子どもたちが弁当箱をバスに置き忘れていくたびに、バス会社の忘れ物係から電話がかかってきて、都合のいいときに忘れ物を取りに来るよう案内してくれたものだった（こんなこともあろうと、弁当箱の内側に付いていたラベルにわたしの電話番号をあらかじめ書いておいたのだ）。事務所に受け取りに行くと、だいたいその場にいる職員がわたしを見ただけで喜んで招き入れてくれた。

「ああよかったです、お越しになって」。職員は弁当箱を渡す前からやさしく語りかけ、その間ずっと弁当箱の中で潰れていたサンドイッチの食べ残しを捨てて洗っておいたことを詫びるのだった。こちらが謝意を意味する言葉を知っている限り繰り出すなか、わたしたちは互いに何度も――本当に何度も――お辞儀をした。わたしが謝意を表する。すると謝意を表してくれたことについて先方が謝意を表する。わたしは彼らの心遣いに謝意を表する――といった具合に、延々と続いていくのだ。

日本で過ごした歳月で、夫は京都のタクシーでｉＰｈｏｎｅを忘れ、わたしの兄は北海道のホテルのロビーでパスポートを忘れ、わたしも羽田空港に向かうモノレールでデータをバックアップしていなかったラップトップＰＣを置いてしまったことがあった。これ以外にも、わたしたちは傘やジャケット、帽子を「なくしてしまう」ことがよくあった。

どの落とし物も、必ず戻ってきた。ジャケットの件は、わたしがスーパーから自転車で帰宅する途中で籠《かご》から落ちてしまったのだが、見ず知らずの通りかかった方が丁寧に折りたたんで道路脇に置いてくださっていた。家の近所（明らかに高級住宅街だ）を歩いていると、子どもの人形からジュエリー、鞄《かばん》まで、さまざまな物が目に留まることがよくあった。これらはどれも、配慮が行き届いたかたちで——芸術的とすら言えるときもあった——道の脇に置かれ、歩行者や自転車に踏みつけられないようにしてあった。そうして所有者が物を落としたことに気づき、来た道を戻って取りに来てくれるのを静かに待つのだった。

警視庁の「遺失物取扱状況」によると、二〇一八年に善意の人から管内の警察に届けられた落とし物の件数は四一〇万件以上にのぼる。こうした拾得届の件数は、遺失届の約四倍にもなっていた。[10]

傘の忘れ物はとてつもなく多い（警視庁は二〇一八年だけで三四万三七二五本の傘を落とし物として扱った）[11]のだが、拾得物として届出がされる物はほかにもある。警察に届出があった現金は驚くべき額に達している。二〇一八年には東京だけで、三八億円（約三五〇〇万米ドル）が見つけられ、届出が行われたのだ。遺失届件数に対する拾得物件数の割合に基づくと、日本ではお金を落としても八七・五パーセントの確率で戻ってくるということになる。[12]

日本に着いて二度目の月曜日、わたしは時計のアラームが鳴るなかで目を覚ました。その日は新学期初日で、子どもたちを早めに連れていって落ち着いて過ごせるよう手助けをしたいと思っていた。わたしたちは大急ぎで朝食を済ませ、制服にシワが寄っていないかチェックした。わたしはハンドバッグをつかみ、財布を探そうと中をあさった。地下鉄の切符を買うのに十分な小銭があることを確かめておきたかったのだ。

　わたしは手を伸ばしてゆったりとしたバッグの中を探した。手指消毒液、ティッシュペーパー、ペンが何本か、イブプロフェン、リップペンシル、サングラス、染み落とし、切り傷のための消毒用軟膏、ヘアブラシ、名刺入れが入っているのはわかった。しかし、財布だけは見当たらなかった。財布をなくしたときに、それを自分が意識する前に生じるあの冷たい瞬間を描写する表現があってしかるべきなのではないだろうか。

　日本語にはほかのことについてはあらゆる表現が用意されている。ベッドサイドに未読の本を積み上げておくのは「積ん読」。「森林浴」は、直訳すれば「森での入浴」だが、これは自らを森に浸す、という意味だ。「もののあわれ」は、存在のはかなさにおける美と哀愁の感覚を表している。幼児の側で一緒に寝るという一種独特な体感的行為は、「添い寝」と呼ばれる。財布をなくしたことに気づく瞬間についても、ぜひともふさわしい表現を付けてほしいものだ。かといって、この感情に名前が付いたところでトラウマが軽減されるわけでもないのだが。

　わたしの財布には米ドルと日本円で現金が少し入っていた。これは諦めることにもなっても仕方がない。しかし、異なる三つの国の銀行で発行されたクレジットカードも入っていて、こちらは利用停止手続きを取ると、発行国内のＡＴＭで新しい初期設定用暗証番号を入力しない限り、カードが再発行されてもアクティベートできなくなる。東京で対応できる話ではなくなってしまうのである。もっとも深刻な問題は、財布には日本の外国人登録証も入れていたことだった。再発行時の官僚的な書類処理作業の煩雑さから、絶対になくさないようにと注意を受けていた貴重品だ。

子どもたちは夫が送っていくことになり、わたしは家中をひっくり返して財布を捜し回った。わたしは泣いていた。まったく初めての国で新生活をスタートさせるのは、それだけで大変な作業だ。いまわたしは、消費者としては脇に追いやられ、文字どおり「身分」を持たない荒れ果てた未来を覚悟していた。

わたしは必死に記憶をさかのぼり、最後に財布を見たときのことを思い出そうとした。その結果、それは二日前の土曜日、友人を訪ねるため市内を移動したときのことだという否定できない結論に至った。自分が通った道をたどって、使った二つの地下鉄駅で落とし物係に訊いてみたが、徒労に終わった。わたしは家の近くをあてどもなく歩き、凝視することで財布が浮かび上がってくるかのように地面を見つめていた。

ついに諦めてわたしは家に帰った。打ちのめされた気分でソファですすり泣きをしていると、電話が鳴った。プリーティからだった。二〇年近く東京に住むインド人だ。彼女のきょうだいがインドネシア時代からの友人で、プリーティを紹介してくれたのだ。わたしの様子はどうだろうかと電話をかけてくれたのだが、親切心ゆえのことだったが、気の毒なことに彼女はそれを後悔したはずだ。内輪の話の代わりに、彼女は気が動転して早口で繰り出されるわたしの苦境話を散々聞かされることになる。

プリーティは交番に届出をしてはどうかとアドバイスしてくれた。当時のわたしには、これは少々不可思議な提案に見えた。何かをなくしたときに警察に行く？ どうしてまたそんなことを？ インドで警察と言えば、賄賂を渡して自分に関わらないようお願いする存在だ。中国の警察官は感情を表に出さない官僚的なタイプだった。彼らとは、不明瞭な規則に違反した角で——飼い猫の登録手続きを怠ったとか、記者証を常時携行していないとか、政府の許可なしに北京の外に出たといった具合だ——自己批判の書類に記入させられる際に関わりを持った。

ブリュッセルでは、現地に到着して最初の経験の一つが警察との無意味なやりとりだった。[13] わたしたちは中国からの深夜便で来たため、時差ぼけ状態で「ヨーロッパの首都」に到着したのだが、到着ロビーでラップトップのパソコンやハンドバッグ、その他の貴重品を盗まれてしまった――わたしたちは警察官ブースの真向かいに立っていたにもかかわらず、だ。

この結果、わたしはベルギー生活の最初の二時間を、空港警察の事務所で太鼓腹の係官の向かいに座り、盗難届の記入のために費やす羽目なった。彼はわたしの窮状をこちらが嫌になるほど面白がり、事件の詳細を聞くことよりもいかにインド料理が自分の口に合わないか（スパイシーすぎるとのことだった）という話のほうに時間をかけた。ようやく彼からパソコンで清書された被害届の写しが渡されたとき、事情聴取の中でこちらの連絡先については一切訊かれなかったことに気づいた。「あの、わたしの電話番号はお伝えしたほうがよろしいでしょうか？」とわたしは尋ねてみた。「どうしてまた？」本当に当惑した様子で彼が答えた。「わたしたちがなくしたものが見つかったとき、そちらからご連絡いただく際に必要と思いまして」。しっかりと伝わるよう、意識的に一語一語明瞭に発音して答えた（この頃には彼が十分に優秀な警察官だという確信が持てなくなっていたのだ）。彼はまるでわたしが非常に珍しい種類のインドの昆虫であるかのようなまなざしで、こちらがしたのと同じようにゆっくりとした口調でこう言った。「数日後に空港の遺失物管理所に電話をかければいいんです。こちらで何か見つかりましたら、そこに保管しておくことになっていますから」

東京での話に戻ろう。夫とわたしはプリーティのアドバイスを受け入れ、最寄りの派出所――日本では「交番」と呼ばれる――まで行くことにした。そうすることでうまくいくと考えたからではなかった。何かしらできることがこれだったというだけで、どんなことであれ財布をなくしてしまうという自分の愚かさに思いを巡らすだけよりましだと考えたのだ。

交番はマンションから二〇〇メートル離れた場所にあり、片方に公園、もう片方に高級テニスクラブがある道を歩いて行った。そこは一〇平方メートル程度のこぢんまりとした場所で、椅子が二脚にテーブルが一台、それに電話が置かれているだけだった。ここを担当していたのは、不安を感じるほどよく似ており、濃紺の制服に身を包み、汗をかいていた二人の若い警察官だった。わたしたちが来るのを見た彼らの反応は、歓迎と緊張が入り交じったもののように見えた。「歓迎」と思ったのはその日はそれほど仕事がなさそうに見えたからで、「緊張」と思ったのはわたしたちが外国人だったからだ。外国人に接するときに日本人の多くが示す反応は、英語を話しそうな相手とコミュニケーションをとらないといけないことを予期して、恐怖で震え上がってしまうというものだった。

しかしジュリオは二〇年以上前に大学で半期間、日本語を学んだことがあり、果敢にもブロークンジャパニーズで事情を説明しようと試みた。夫のよくわからない言葉に対し、警官は「ウォレット」という単語をキャッチするまで、礼儀正しく表情を変えずに耳を傾けてくれた。彼らがこの単語を理解したことは明白だった。そして遺失物対応となれば、彼らの超得意分野だ。警官はヒーローのマントをまとっているかのように見えた。すぐさまわたしたちに椅子を勧め、数々の項目が並ぶ用紙に最後に財布を見たときのことやなくなった財布がどうなったと思うか、それに——ベルギーとは違って——連絡先をすべて記入してほしいと言ってきた。

警官の一人が記入を済ませた用紙を手に取り、とくに説明することなく何件も電話をかけ始めた。わたしは帰る用意ができていたが、外はあまりに湿度が高かったので、椅子に座ったままでいようという気分だった。惨めさにやられすっかり元気を失っていたわたしは、「ああ、そ——う」という警官の声をぼんやりと聞いていた。彼がどこに電話をかけているのかはもちろん、何について話しているのかも見当がつかなかったが、聞こえてくる音は八月の東京に響き渡っていたセミの鳴き声と同じくらい気だるいものに感じられた。

　こんな状態だったので、「ああ、そ――う」がより力のこもった「ね―――え」に変わり、ジュリオが気分を高揚させて会話に耳を傾けているのに気づくまで、どれくらいの時間が経っていたのかはわからない。「どうなったの?」と訊いても、夫は静かに、とわたしを黙らせるだけだった（かなりぞんざいな扱いだった）。

　わたしは口を閉じ、警官の話す言葉に神経を集中しようとしたが、意味が理解できる単語は一つも聞き取ることができなかった。警官はひとしきり話をした後に電話を切り、ジュリオに向かって日本語で話を始めた。わたしは彼の表情から情報を読み取ろうとしたが、何一つ変化はなかった。

　ジュリオがわたしのほうを見た。「どうしたって?」わたしは叫びたい衝動をこらえながら尋ねた。何もわからないままでいるのが嫌だったのだ。「どうやら」ジュリオがゆっくりと言った。「警察がきみの財布、見つけてくれたみたいなんだよ」。わたしは息を切らせながら笑った。うちの夫、なんてことだろう! 彼の日本語は、わたしが思っていた以上にひどいレベルに違いない。「ねえあなた、この人はい、仮に財布が見つかったとしたら、わたしたちに知らせてくれるって言ったんだと思う。日本語のレッスン、すぐにでも始めたほうが絶対にいいわ」。わたしはそう言って、パートナーに愛情のこもった視線を投げかけた。

「いや」と、断固とした口調でジュリオが言った。「ぼくたちはここに書いてある、別の警察署に行かなくちゃならないんだよ」。交番の警官はジュリオに地図を渡し、いまいる場所からおよそ一キロ離れたところにある場所を指さしていた。ぼおっとした状態で、いま起きていることに十分な確信を持っていたわけではなかったが、わたしたちは指示された場所に向かって歩いて行った。

　二〇分後、わたしたちは六本木にある大きな警察署の前にいた。この界隈は東京の中でも、いかがわしい飲み屋とスタイリッシュなショッピングモールという、相反する要素が混在するエリアだ。わたしたちは階段を上って広々としたオフィスまで行き、交番の警官が作成した紙をきびきびとした女性警官に手渡した。彼女は紙を一瞥すると、踵《きびす》を返してスチール製のロッカーが並ぶ方へと進んでいき、そのうちの一つの鍵を開けてトレイを引き出した。そこにあったのは、濃いオレンジ色のわたしの財布だった――それも奇跡的に無傷の状態で。わたしたちは中身を確認するよう指示された。現金からクレジットカードまで、すべてが元のままだった。

五分後、わたしは外に出て午後の照りつける日差しの下で、この顛末のとてつもない特異さに呆然とした気持ちを抱いていた――二日前になくした財布が、警察に届出をしてから一時間以内に戻ってきたのだから。具体的に財布がどうやって見つかったのかまでは会話の中で理解できなかったが、どなたかが路上で拾って届けてくださったことだけは把握できた。

このような顛末だったのだが、この奇跡はどうやってもたらされたのだろうか？　世界のほかの人びとと比べて、日本人が道徳的に優れたＤＮＡを持っているというわけだろうか？　この説を程度の差こそあれ過激にしたかたちで持ち出す日本人は大勢いるが、この件に限らず、わたしは遺伝学による決定論的なロジックには以前から与《くみ》していなかった。そこで、ほかの理由を考えてみることにした。すしをたくさん食べることで人格的に優れた人間になれるだろうか？　禅宗による文化的影響だろうか？　落とし物が戻ってくる割合が高いのは、単にどこでも交番が簡単に見つかり、拾った人が届けやすいというだけではないだろうか？[14]

日本滞在中の歳月で到達した結論はこうだ――信頼は信頼を生み、善《よ》き行いは別の善《よ》き行いをもたらす、と。自分が落とした貴重品を誰かがわざわざ警察まで届けてくれたら、将来誰かのために同じことをしてあげようという気持ちがきわめて強くなるだろう。つまり、市民が正しく行動していることの結果というわけだ。

この「正しい行動」は、世界最大級の大都市のジャングルの中でありながら、村にあるようなタイプの公共性に対する信頼のたまものと言える。日本人は年少の頃から学校と家庭で、「他者が心地よくいられ、必要なものが満たされていることは自分自身と同等か、それ以上に大切なものだ」という価値の上下関係をたたき込まれる。公衆の場で大声で話すことを戒めるのはこのためだ。そのようなことをすれば、同じ空間にいる他者に迷惑をかけてしまうかもしれない。日本人のサッカーサポーターが重要な試合の後に自分たちが出したごみはおろか、他人のごみまで片づけるのは有名だが、それもこれが理由だ。常に約束の時間に遅れないのもこのためだ。遅刻は相手の時間を無駄にしてしまう、失礼な行為なのである。

学校では、教室やトイレの清掃をそのためのスタッフに任せるのではなく、子どもたちが交替で行う。工事現場で働く作業員は、その日の仕事を始める前に地域の体操に参加する。そうした活動を一緒に行うことで、「お互いさま」や「公共空間の共有」、「市民としての行いの大切さ」という意識が育まれるのだ。

公共の場での振る舞いについて定めたルールは膨大な数にのぼり、自然発生的なものもあれば制度化されているものもある。マナー違反をした者には、それを許すまじとする人からとりわけ厳しい視線が投げかけられる。公共交通機関での飲食からエスカレーターで右側に立つことまで、マナー違反とされる事項のリストは長大だ。社会でのルール徹底は、さまざまな行為を明確に禁止する注意書きによって強化されている。走らないでください、飛び上がらないでください、おしゃべりをしないでください、お手を触れないでください、登らないでください――といった具合だ。

日本の社会規範には、安全や信頼、清潔さ、時間に対する几帳面さといったように、ユートピア的な側面がある。しかしコインの裏側には個性や自発性に対する抑圧といった、ディストピア的側面がある。日本人は笑うときに口を手で隠すことすらあるが、これはまるで喜びを自分の中から飛び出さないようにしているかのようだ。

わたしは外国人だったので、前者の恩恵に与《あずか》る一方で、後者によってがんじがらめにならずに済んだ。「ガイジン」は逸脱したことをしても許されるのだ。だが、わたしはヨーロッパ人の夫がいて高級住宅街に住所があったので、外国人の中でもとくに恵まれていたと思う。社会階層の下部に位置づけられ、ブルーカラーの仕事に従事する外国人労働者にとって、人種差別を受けることは珍しくない。これについては本書であらためて取り上げるが、そもそも経済先進国としては、日本では外国からの移民はきわめて少ないということを指摘しておきたい。

二〇一九年に日本が受け入れた難民の数は四四人だった（申請件数は一万三七五件）。在住外国人の数は二五〇万人ほどで、総人口の約二パーセントだ。[15]これについてはインドでさえ高い結果になっていて、二〇一五年に居住する移民の数は約五二〇万人にのぼった。[16]外国で出生した者の数は、アメリカが四六七〇万人（総人口の約一四パーセント）、ドイツが一二〇〇万人（同一五パーセント）、ロシアが一一六〇万人（同八パーセント）だった。東京で暮らした歳月の中で、日本政府は移民政策を段階的に緩和していったが、これは少子化と高齢化の挟み撃ちによる人口減少を受けてのことだった。[17]だが、移民の数は依然として少ないままで、政策論争が続いている。

多くの日本人が外国人移民受け入れ拡大に反対するのは、街の安全や清潔さを維持してきた社会的な結束力や信頼が失われかねないことへの恐怖感が一因だ。外国人は犯罪者で汚れた存在ではないかという見方から垣間見える人種差別的感情に対して、国内の議論で異議が唱えられることはめったにない。わたしのリベラルな感覚からすれば愕然とさせられるものだが、しかし、時間が経っていくと当のわたしが子どもたちに「銀座（人混みの多い商業地区だ）では気をつけるのよ、あそこには外国人がたくさんいるから」などと言うようになっていたのだ。わたし自身について言えば、自分たちが外国人だという事実が完全に消え去っていなかったことは皮肉だったが、子どもたちは自転車に鍵をかけず、鞄を置きっぱなしにすることがすっかり当たり前になり、弁当箱を「なくしたら」ずっと「なくなったまま」になることもあるという事実などとっくの昔に忘れていた。子どもたちには、観光客にはもっと気をつけるよう、あらためて注意しておかなくてはと思ったのだ。

偏見をめぐる話はここまでにしておくとして、階層や人種に関する相対的な単一性は、高度に進化した日本人の行動という謎を解き明かす複雑なパズルの一ピースだ。カーストや階層、民族、地域、宗教による断層は、わたしがよく知る国々――インドやインドネシア、ベルギーに中国――では非常に深刻だったが、日本ではわずかに感じられる程度でしかなかった。そうした断層が存在しないと言っているのではない。東京のいくつかの公園の片隅では、間に合わせの掘っ立て小屋からうつろなまなざしで外を眺めるホームレスがいる。在日韓国人や中国人は、三世になっても社会や就職で系統立った差別に直面している。そして女性は、いまなお多種多様なかたちで闘いを続けている。

世界の大半の国に比べて日本の犯罪率は低いものの、連続殺人犯や気の狂ったレイプ犯による事件はこれまで以上に頻繁にニュースで報じられている。一〇〇万を超える人びとが「ひきこもり」と見なされ、社会との関わりを絶って自室や自宅から出ていない状態が何年も続いている。[18]「死ぬほど働く」という表現は誇張ではなく、日本語には過剰労働による死亡を意味する「過労死」という言葉があるほどだ。[19] あらゆる分野で高度に進化した社会的振る舞いの一方で、毎晩身体を壊すほど酒浸りになる日本人も少なくない。日本のパブは「居酒屋」と呼ばれるが、初めてそうした店に行ったとき、わたしの隣の席にいた若い会社員が酔って意識を失い、救急車が呼ばれるという一幕があった。

日本にはいくつもの「層」があることは間違いない。それをすべてめくって確かめるという作業は、おそらく一生分の時間が必要になるだろう。だが日本に着いてすぐに、ここは特別な所だということがわかった。これほどまでに先進国の快適さと、人類学的な魅力にあふれる西洋化の度合いが低い社会の複雑性が共存する国をわたしは知らない。日本はヨーロッパでもなければ完全にアジア的というわけでもない。このことは間違いなくはっきり確認することができるが、その一方で非常に混乱させられるものでもある。多くの日本人も含め、数々の「専門家」が一見ユニークに見える日本の特徴について研究書を何冊も著してきた[20]。わたしはそうした「罠《わな》」にも、それが称揚する熱狂的愛国主義にもとらわれたくはない。どの国もユニークだし、それはとどのつまり、本当の意味でユニークな国というのはどこにもないということでもある。だが、日本はあらゆる意味で特別な国というわけではないかもしれないにせよ、気になって仕方がないほどそれに近い存在ではある。そして、そのような国に四年間住むことができたのは、間違いなく特別で恵まれた経験だった。

第2章

# 「割れ」と「癒やし」

「傷とは、光が自分の中に入ってくるときに通る場所のことだ」――十三世紀のペルシャ詩人、ルミの言葉が東京西部の小さなカフェで陶器の器を凝視するわたしの頭の中で響いた。質素な器は、クモの巣のように広がるヒビが金で詰められていて、光輝く骨董品に昇華していた。

「金継《きんつ》ぎ」と呼ばれる、日本における陶器の修復技法について初めて耳にしたのは、東京に引っ越す数年前のことだった。フェイスブック上では、蛇行する金色の支流が走る灰色の器の画像が広まっていったが、そこには次のような説明が添えられていた。「日本人は壊れた陶器を直すのに金属粉を用いますが、それは不完全さを隠すためではなく、際立たせるためなのです」

当時わたしはどうも情緒不安定で、不安障害と診断されたばかりだった。次々に押し寄せる不合理でぞっとするパニックにまいってしまったわたしは薬物治療を受けることになり、場合によってはそれが一生続く可能性もあった。金継ぎの話は、眠ろうとしても眠れない長い夜に脳裏にとどまり続けた。頭の中のすべての穴が光を発して、きらめいている様子を想像した。「金継ぎ」という言葉を口の中で何度も繰り返し、舌が修理不可能になるのではというほど腫れ上がってもやめなかった。

東京に引っ越す頃にはわたしの状態はひとまずよくなっており、金継ぎのことに思いを馳せることは何カ月もなかった。だが、新居への引っ越しが「完了」したことを実感し、子どもたちは新しい学校生活に慣れていき、わたしはわたしでそれまで数年にわたり取り組んでいた本の原稿を書き終えたとき、「そのとき」がやってきた。いまこそ日本について書くときだ、と。ただ、何について書けばいいのだろうか？　ここには北京やジャカルタのようなダイナミズムは感じられなかった。ブリュッセル時代にジャーナリストとしての関心から追い続けたユーロ危機に相当するような事件があるわけでもなかった。そのときだった。割れた器がわたしの意識の中にゆらゆらと揺れながら戻ってきた。これしかないでしょう――わたしは確信した。金継ぎをやろう、と。

　このテーマについて取材を受けてくれそうな職人を探し始めたが、そう簡単なことではないことがわかった。日本の伝統工芸の中心は「関西」と呼ばれる西部で、なかでも京都が最大の拠点だった。東京は「関東」と呼ばれる東部にあったのだ。その後、ナカムラクニオという人物に関する記事がインターネットで見つかった。テレビの元プロデューサーで、東京西部のカフェで金継ぎ教室を定期的にやっているという。わたしは彼のツイッターアカウントを調べ、何度かやりとりを経て、直接会いに行く手はずを整えた。

　わたしは約束の時間に遅れてしまった。新宿駅で電車を乗り換えようとした際、迷ってしまって右も左もわからない状態になったためだった。後から振り返ると、こうなることは十分予想可能だった。新宿は、ギネスブックで「世界でもっとも利用客の多い駅」――毎日三五〇万人以上がこの駅を行き交う――として登録されているからだ[21]。わたしは利用客の歩く勢いにたじろぎ、間違った通路のほうに追いやられ、正しいホームを見つけようと助けを求めるなかでジェスチャーのスキルが試されることになった。しかしそうは言っても、遅刻の責任は間違いなくわたし自身にあったし、自分がインド人にありがちな行動をとってしまっていることを自覚していた。

カフェは狭い階段を上った先にあり、店のドアをノックする頃にはわたしは息が切れていた。対応してくれたのは、まとまりのない髪型で、しゃべっていないときでもほほ笑みを感じさせる唇をした男性だった。これがナカムラさんだった。遅刻を詫びるわたしに彼は落ち着いた所作でお茶を一杯勧めてくださり、こちらの呼吸が落ち着くまで茶を飲む様子を眺めていた。

次いで、彼はさまざまな陶器が雑然と置かれた木製の長テーブルの前に座るようわたしに促した。わたしはあることに気がついた。延々と話し続けるわたしを前に、彼はひと言も言葉を発していない——これもまた、インド人の長広舌と日本人の寡黙さが出会うときの典型的なケースだ。

しかし、金継ぎの説明が始まるやいなや、ナカムラさんが口を開いた。天然の強力な粘着剤になる漆の樹液を金粉と混ぜ合わせる方法について説明しながら、彼はいびつなかたちの壺を手に取り、それがあたかもお気に入りのペットであるかのようになでた。溶接や接着のようなほかの修理法とは違って、金継ぎの力は、対象物の壊れた部分を隠そうとしないことにあるのです——彼はそう言った。壊れているものを新品と同じにしようとするのではなく、ひびを活かして対象物を異なるものに生まれ変わらせ、多くの場合、価値も高くなるという。

わたしたちは、さまざまな陶器を一つひとつじっくりと見ていった。湯気の立つお茶がもう一杯出され、いただくことにした。古い陶器や色のついたガラスの破片がはめ込まれてふたたび器として完成品になったものがあった。金粉を混ぜ合わせた漆《うるし》を割れた部分に詰めていく伝統的な技法を用いたものもあった。

「キン」は「金」、「ツギ」は「つなげる」という意味だ。しかしナカムラさんにとって金継ぎとは、単なる実務的な作業などではない——もちろん、対象物の寿命を長くしていることは疑いのない事実だが。それは人間の直感レベルからもたらされる、一つの哲学なのだ。「わびさび」の概念を具現化したものだと言える。

日本について深く探求していく際に必ず直面することになる難解な概念があるが、「わびさび」はその一つだ。それは日本の自己認識の基礎をなす概念であり、禅と不可分の関係にあることで、言語化による説明を困難にしていると言えるかもしれない。理性的というよりは直感的で、理解するのではなく感じることを重んじる——禅は謎めいた教えに満ちている。

外国人が日本の禅に出会うとき、その多くは『禅と日本文化』から入ってきた。一九八三年初版の、鈴木大拙博士による金字塔的作品だ。わたしも例外ではなかった。さまざまな国で暮らすなかでこの本はずっと本棚に置かれていたのだが、実際に読み始めたのは東京に越してきてからだった。それは興奮に満ちた読書体験だったが、同時にフラストレーションがたまるものでもあった。明解な記述に大きな刺激を感じたと思えば、それを突き詰めて考えようとした瞬間にはもう流れ去っていくのだから。一二ページにはこう記されている。

禅とは何か？
わたしにはわからない。
禅とは何か？

絹の扇子はじゅうぶんな涼しい風を送ってくれる。
禅とは何か？
それが禅だ。[22]

「紀元一世紀に中国思想がインド仏教と出会ったことでもたらされたもの」――本の冒頭で、鈴木は禅についてこう説明している。禅とは、「実践的な」中国人の気質に合わせるかたちで、インド仏教をより実践的かつ哲学的ではないものにしたものというのだ。[23]

以前からわたしは、インドと中国の共通性を示すものとして仏教を強調することは、両文明に存在する根本的な違いをかえってわかりにくくすることになると主張してきた。[24] 仏教を含むインドの宗教は存在論や認識論がその核にあることからわかるように、形而上学にどっぷりと浸かっている。魂とは何か？ 何かが真実であるということは、どうやってわかるのか？ 帰納法と演繹法を比較して論じるにはどうすればよいか？ こうした問いに対する解答の探求が、さまざまな学派間で活発な討論を可能にし、インド文化に議論の伝統を根づかせていった。インドの自己イメージにとって、領土の一体性や帝国に関する概念は、形而上学的思考ほどに重要視されてこなかった。その結果、インド文明は地理的な実体というよりは概念的な存在だったのである。

これに対し、中国は領域をめぐり一貫した姿勢を持ち続けていた。中華帝国を支えていたのは、形而上学よりも実践的で、法や政治に重点を置く傾向がある儒教のような哲学だった。中国では、仏教の世俗を超越した性格や執着を捨てることとの強調といった側面は、儒教が重視する世俗性と合一した。この結果生まれたのが禅宗だ（「禅」のことを日本では「ぜん」と読むが、中国語では「チャン」と発音する）。

十二世紀後半、禅宗は東進し、日本列島で根を張っていく。日本では禅宗の実践的な側面がさらに強調されることになった。禅宗の僧侶は誰もが肉体労働――しかも単純作業――をしなくてはならない。薪を集めたり、茶葉を摘んだり、畑を耕したり、寺院を清掃したり、というように。鈴木大拙は、過去に経験した次のような公案（喩え話としての問答）を紹介している。禅の導師が来世について問われた際、こう答えたという。「馬かロバになって、村人のために働きたいものです[25]」。これはインドの僧院とは対照的だ。インドでは、何世紀にもわたり僧は労働を禁じられ、近隣の一般社会の善意によって物的な支援を受けていたのである。

　東方仏教で労働の実践が広がっていったことは、長期にわたる社会的影響をもたらした。わたしは中国滞在記『煙と鏡（*Smoke and Mirrors*）』で、この決定的な違いがインドと中国が異なる軌道を歩むことになった大きな要因だったと指摘した[26]。わたしがインドで幼少期を過ごしていた頃、家にはトイレ掃除のためだけに「トイレ清掃婦」が一人雇われていた。彼女が属するカースト以外の人間は誰もやりたがらない仕事だ。それに対し中国では、わたしが住んでいた家のオーナーは新興成金だが古風なタイプの人で、しょっちゅう壊れるトイレを彼自身が直しに来てくれていた。日本の場合はどうかと言うと、東京の自宅のトイレはそもそも修理が必要になるような事態が一度もなかったばかりか、正真正銘の芸術品でもあったのだ。

　これはあたかも、インドと中国と日本が形而上学、政治学、美学からなるアジアの巨大な三角形をなしているかのようだった。この見方は、それぞれの文化の中でどのような哲学者が尊ばれているかを検証することで補強される。インドはブッダを生み、中国は孔子を生んだが、日本でもっとも引き合いに出される思想家は千利休ではないだろうか。十六世紀の茶人だ。

　日本を知るに当たって茶会について理解を深めることは、中国理解に際して『論語』を読むのと同じほど重要なことだ。茶道にこそ日本の哲学的鼓動が鳴り響いているからである。茶会には複雑な決まりごとがあり、その多くはきわめて微細なもののため、素人の目には判別することができない。茶の湯を眺めたり器を適切に持ったりするときの微妙な所作。茶を飲むという経験をより味わい深いものにする、古典文学や季節に合わせた詩に折に触れて話題にすること。茶器の手触りやそのほかの道具の質について自信を持って批評できるだけの陶器についての知識――これらすべてが茶道において重要な要素なのだ。

しかしその一方で、茶道を極めた先人たちは禅の精神に基づいて、茶会は茶を飲むこと――香りをかぎ、味わい、飲み込む――にすぎず、特別なものであるというとらえ方を否定してきた。茶という概念の総体をなすのは茶そのもの《ティーネス》であって、それを取り巻く茶会ではないと考えるのだ。それにもかかわらず、何年も時間をかけて必要な所作を学び、習ったことが身体に染みわたり、意識する必要がなくなる段階まで続けていかなくてはならない。わたしはフランスの批評家、ジョルジュ・デュテュイが禅の影響を受けて描いた絵について記した言葉を思い出した。「竹を一〇年育て、自らが竹になり、絵を描いているときは竹のことをすべて忘れる[27]」。

禅の導師は秘伝的で不合理という点で優れた哲学者ではないかもしれないが、彼らはみな芸術家だった。これは、日本思想の美学的基盤を理解する上でも重要な側面ではないだろうか。茶会とは、芸術であると同時に哲学でもあるのだ。同じことは、書道や絵画、詩、華道、香道、武道といったほかの日本の伝統文化についても当てはまる。こうした各分野を追求することは「道」（中国の「タオ」からもたらされたものだ）と呼ばれる。茶道、書道、華道、香道、剣道、といった具合だ。

こうした「道」に共通しているのは、禅の思想が中心にあること、反復に重きを置いていること、結果ではなくその時々の瞬間に焦点を当てていること、簡潔を指向する点だ。十五世紀から十六世紀にかけての時代には、禅は日本の社会と文化に深く根ざすようになっていた[28]。しかし、問題が一つあった。

禅はアイデンティティに関わる問題を伴う文化だったのである。

　何世紀にもわたって、日本は文化的世界の中での自国の位置づけをめぐる不安を抱き、落ち着かない状態が続いてきた。「ミドル・キングダム」たる中国は、中央に位置し、強大で、洗練された文化の源であり、技術的に発達していて、壮大な存在だった。禅そのものから日本語の表記方法、陶磁器、紙、文学まで、日本のものはすべて中国からもたらされたかのようだった。この文化的流れに対抗する例外は、扇子だけだった[29]。

　日本の茶人が純日本的なものを確立しようとした際、彼らが発見したのは、かやぶき屋根の神社、それに陶磁器ではなく土器といった、荒々しく旧式のものだけだった。洗練された中華に対し、日本は粗野な周縁国でしかなかった。そこで茶人は発想を転換し――これが長期にわたる影響をもたらすことになる――、日本人が作った荒削りでいびつなかたちをした陶器について「わびさび」と形容し始め、この「わびさび」が新たな美意識の基盤をなすようになっていく[30]。

　鈴木大拙は「わび」について、「貧困」、あるいは否定形で「時流の社会のうちにおらぬ」と説明している[31]。わびとは、美が「不完全性、さらに言えば醜悪さ」によって表現される芸術様式に関わるものだとしている。「さび」についての説明はこうだ。「この不完全の美に古色や古拙味（原始的無骨さ）が伴えば、（中略）見た目の単純さ無造作な仕事ぶりに存する、（中略）そして、最後にそれはくだんの事物を芸術的作品の程度に引き上げる」[32]〔北川桃雄訳〕

　千利休（一五二二－九一）のような茶人は中国のような壮大さの誇示をよしとせず、畳が数枚敷かれ、それに囲まれるかたちで炉を配置した、田舎のこぢんまりとした家屋を思わせる茶室を作り上げた。彼らが用いたのは、質素でごつごつとした茶碗だ。壊れた場合には、修理して再利用された[33]。

　ナカムラさんのカフェに話を戻そう。わたしたちの会話のテーマは、「わびさび」とそこで強調される風化されたものや古いものの中に美を見出そうとする姿勢だった。すり減った縁やひび、錆びの中に、成長から衰退を経て崩壊に至る自然のサイクルが表現されているのだという。わびさび的なものの見方では、時の経過を示すこうしたしるしを受容するのだ。新品の茶碗がいかにギラギラとした輝きを放っていても、金継ぎで修復した茶碗に比ぶべくもないのです――ナカムラさんはそう主張した。「おわかりになりますか？」彼はそう尋ねた。「わたしの英語ではうまく説明できないのですが」。わたしには彼の言うことがあまりに強く響いたため、彼をハグしたい衝動に駆られた。だが、金継ぎで修復した部分よりもさらに大きな衝撃を与えてしまいかねなかったので、思い止まざるをえなかった。わたしはうなずくことで同意を示した。

　いまではカフェを経営するナカムラさんは、以前から古いものへの関心を持ち続け、「アンティークス・ロードショー」〔英国BBCの番組〕に似たテレビ番組の担当ディレクターとしてキャリアを始めた。彼は自分で陶器をコレクションし、独学で金継ぎを学んだ。しかし二〇一一年三月、日本史上最大級の地震が発生し、国土の多くの部分に被害をもたらした。死者は数千人にのぼり、何十万棟の家屋が倒壊した。

　ナカムラさんにとって、この地震は大きな意味を持つものだった。「わたしたちは自分自身を修復し、さまざまなものを作り直さなければいけないと思うようになったのです」と彼は言う。仕事を辞めた彼は、甚大な被害を受けた複数の地域で金継ぎ教室を開き、参加者に震災で壊れてしまった大切な陶器を持参して自分で修復できるよう方法を教えていった。

　午後の時間がゆっくりと過ぎていき、三杯目のお茶を飲み始めた頃、ナカムラさんは長い沈黙に浸っていた。数カ月前だったら、わたしはこの状況をひどく居心地の悪いものだと受け止めていただろう。日本に来る前まで、対話相手が話をしてくれないということは退屈さの表れだと感じることが多かったからだ。だが、徐々にではあったものの、沈黙に対する日本人の「一風変わった」心地よさ――自分のようなおしゃべり好きなインド人にとってはそう感じられた――を受け入れられるようになっていた。

人に名刺を渡す際、わたしは相手がそれを見てすぐに反応してくれることを期待していた。ところが、日本人は気の遠くなるほど長いあいだ名刺を見つめたかと思うと、丁寧にしまうだけだった。多くの場合、何かしら言葉が発せられることはなかった。

日本では、沈黙はさまざまな社会行動の中に宿っていた。たとえば毎週通っていたヨガ教室では、レッスン後に週末に予定やネットフリックスの話題でおしゃべりをするといったありがちな展開はまったくなかった。生徒は次に使う人のためにヨガマットを数分かけて、丁寧に拭いていたのだ――言葉を発することなく。レストランでも、仲良しのグループが同じテーブルにいながら黙食することも珍しくない（ただし、麺をすする音や汁がはねるときの音は出るのだが）。公園で、ブランコから落ちてしまった幼児が声を出さずに痛みに耐えるのを目撃したこともあった。男の子は顔をゆがめ、目をつむり唇をひっこめていたが、声は一切出さなかった。

日本人の友人と遊びに出ると、おしゃべりに慣れた人間は落ち着かない気分になるときがある。会話が一向に進まないのだ。わたしが質問をしてみたとしよう。「読書は好き？」というような、答えに困るものではない。しかし、待って、待って、返答よりも長い時間を待たなくてはならない。しかも、熟考の末に返ってくるのは「いいえ」という、あまりに素っ気ない言葉だけなのだ。

こうした沈黙は敵対心の表れではないことがわかった。何か問題があるものとして受け止められたわけでないのだ。言うべきことが何もないという場面は頻繁にあるが、それでも人はとにかく何か言ってみるというのが多くの文化で見られる。だが、日本ではそうはいかないのだ。日本研究者のなかには、この特質の背景には――想像がつくと思うが――禅があると考える者もいる。たとえば松山の愛媛大学で応用言語学を教えるロジャー・デイヴィス教授は、禅においては「英知と力強さは人間の概念を言語化したものではなく、沈黙の中に表れるため、日本人は言葉よりも沈黙を重んじるのだ」と主張している。[34] 鈴木大拙もこれと似た認識を示しており、知的生活における日本の特徴は「観念の豊富化」や「派手でもったいぶった思想の配列や哲学大系のたてかた」にあるのではなく、「心を安んじて静居し、「環境全体と同化して、それで満足すること」（北川桃雄訳）にあるのではないかと指摘している。[35]

沈黙、中断、空白、影、虚空。これらは絵画から建築、「酒」と呼ばれるライスワインに至るまで、日本の美意識に関わる幅広い分野で重視されている。「破墨《はぼく》」ほど、少ないことを尊ぶ考えがはっきりと表れているものはないだろう。わずかな数の線や染みによって地形を丸ごと描き出す、水墨画の技法だ。いくつか曲線があり、その隣に二つか三つの三角形を置くだけで、山や海、人間の大きさ程度の小舟が広大な自然の中で漂う様子が魔法のように浮かび上がってくるのである。[36]

『フィナンシャル・タイムズ』の元東京特派員は、日本酒について同じアプローチで思いを巡らしていた。『日本――喪失と再起の物語（上下）』と題した現代日本についての絶好の入門書で、彼はこう記している。

> ある時、日本酒にも造詣が深いあるワインの専門家が私にこう言ったことがある。最も洗練された日本酒は（中略）雑味が取り除かれてサラサラした水のような飲み口になるのだ、と。「ワインはそこにあるもので定義されますが、日本酒はそこにはないもので定義されるのです。それは言葉とよく似ています。私たちは間や沈黙を置くことで、そこにない何かから言外の意味を汲み取らせようとします。最も上質の酒もそれと同じで、ほとんど自己主張をしないのです」
>
> （仲達志訳）

これは日本を訪れた多くの者が身をもって発見した真実でもある。水より少々強いくらいにしか感じられない日本酒を二、三杯飲んだだけで立っていられないほど酔っ払うことになる。アルコール分はだいたい一五〜一六パーセントなのだが、かなりがつんと来るのだ。

日本文化における空虚と影の重要性について、小説家・谷崎潤一郎（一八八六―一九六五）ほど言葉を尽くして持論を展開した者はいないだろう。日本通の友人におすすめの本を教えてほしいと頼むと、必ずと言ってよいほど挙がったのが彼の著作だった。随筆『陰翳礼讃』で、谷崎は日本文化の核心には陰翳があるとの主張を展開している。闇が光を放つという深い認識に基づいて、光と影の相互作用こそが、陶器や能のような伝統芸能から家屋の建築まで、あらゆる日本的なものを理解する際にもっとも重要になると彼は言う[37]。

「床の間」は、伝統的な日本家屋の客間によく見られる特徴の一つだ。そこには掛け軸と飾り花を置くことが一般的で、両者ともその時々の季節を表している。谷崎はこれについて、次のように記している。

> 尤も我等の座敷にも床の間と云うものがあって、掛け軸を飾り花を活けるが、しかしそれらの軸や花もそれ自体が装飾の役をしているというよりも、陰翳に深みを添える方が主になっている。（中略）たゞ清楚な木材と清楚な壁とを以て一つの凹んだ空間を仕切り、そこへ引き入れられた光線が凹みの此処彼処へ朦朧たる隈を生むようにする。にも拘わらず、われらは落懸のうしろや、花活の周囲や、違い棚の下などを塡めている闇を眺めて、それが何でもない蔭であることを知りながらも、そこの空気だけがシーンと沈み切っているような、永劫不変の閑寂がその暗がりを領しているような感銘を受ける[38]。

カフェでは、ナカムラさんがため息をつき、それによってわたしたちのあいだの沈黙がさらに重いものになった。長い時間を経て、彼は一つの茶碗を指さした。「これがとくに気に入っているんです。わたしたち（日本人）にとって、一部の陶器は家族のような存在なのです。簡単に捨ててしまうというわけにはいきません」。その茶碗の縁は一見何の変哲もなさそうに見えるが、そこから細い金色の閃光が四本走っており、それによって破片がつなぎ合わせられていた。「この茶碗はたいして特別なものではないかもしれません。ですが、わたしはずっと使い続けていきたいと思っています」

　金継ぎが再利用を重んじているのは、ミニマリズムと限られた貴重な品を長く使い続ける傾向がある日本人「独特の」感受性から来ているとナカムラさんは言う。この説明は、現代日本の国際的イメージとなった「こんまり式」の日本にもうまくフィットするものだ。ミニマリズム、質素、再利用、こぢんまりとした空間――これらは世界に対して日本が浮かび上がらせる自国のイメージだが、大量消費主義、汚染、過剰がセットになった中国のイメージとは対極的だ。

　しかしその一方で、自分がこれまで住んだどの国よりも日本ではプラスチック製品が普通に使われていることにも気づいた。北京では二〇〇八年の時点で使い捨てのレジ袋を店が提供することが禁止された。ジャカルタで利用していたスーパーでは、二〇一六年にレジ袋有料化が始まった。ところが東京となると、近くの食料品店ではバナナにラップがかけられていたし、土曜の朝にパン屋でクロワッサンをいくつか買うと、個包装にして渡してくれたのだった。[39] 最初からラップで包んである果物や野菜がレジでさらにビニール袋に入れられ、その上それをレジ袋に入れて持ち帰るというのはよくある光景なのだ。国連環境計画によると、実は日本は世界で二番目に一人当たりのプラスチック包装量が多い国とされている。[40]

さらに、わたしが訪問した日本の家は、ほのかな香りが漂う寺院とも、無印良品のカタログから想像する平均的日本人の生活シーンで登場する中間色や整理整頓ともかけ離れたものだった。日本の家は本当に狭い（中流に属する四人家族が五〇平米程度のスペースで暮らすのは珍しいことではない）。そのため、おもちゃや寝具類、雑貨、掃除用具は棚に収まりきらず、床に散らかっていた。「ごみ屋敷」や「ごみ部屋」の問題はテレビのリアリティー番組や新聞の特集で定番のテーマになっている。[41]

多くの日本の家で極度に散らかった状態が発生している理由はいくつもある。スペース不足と大量消費主義（禅の精神があるとはいえ、他の国と同様、日本人もこの流れには抗えない）が影響しているのは明らかだ。日本ならではの理由がもう一つある。リサイクルに関する義務規定の複雑さで、これをマスターするには高度な対応レベルに達しなければと感じさせられるほどだ。一九九〇年代後半に定められた法律では、すべての家庭はごみを可燃物と不燃物に分別するよう義務づけている。だが、これはリサイクルという氷山の一角にすぎない。不燃物はさらに、プラスチックごみとペットボトル、ダンボール、ガラス、スプレー缶、古着といったように、気が遠くなるほど細かく分別しなくてはならないのだ。たとえば、日本第二の都市である横浜では、約五〇〇もの品目について分別方法を説明する二七ページものマニュアルが住民に配布されている。一例を挙げると、口紅は通常「可燃物」だが、使い終わったケースは「小規模金属類」とされている。[42]牛乳パックは水洗いし、切り開いて乾かした上で同じサイズのものを紙のひもで縛っておく必要がある——ただし、内側がアルミやワックスで加工してある場合は、不燃物扱いになる。定期的にごみ出しをせずに溜め込む人がいたとしても、驚くには当たらない。

ごみを溜め込んでしまう人のうち、かなりの割合が精神を病んでもいる。彼らの一部は、極度の隠遁状態に陥り、社会との接触をすべて断ち、何年にもわたり自宅から出ることを拒否することも多い人びとと重なっている。「ひきこもり」と呼ばれる人びとで、その数は一〇〇万人以上にもなる。「ひきこもり」は一九九〇年代後半に精神科医の斎藤環氏によって使われるようになったものだが、この言葉はそうした状態とその状況下にある人の両方を指すものとして用いられた。それ以来、「ひきこもり」は日本の社会状況を表す言葉として広く受け止められている。ただし、それは本質的には医学的な意味での疾患なのか、社会的な病なのか、あるいは文化的状況とすら呼べるものなのかといったように、「ひきこもり」が厳密に何を意味するのかをめぐっては議論が続いている。[43]

ことメンタルヘルスとなると、日本は西洋よりもはるかにアジア寄りの国だ。精神疾患は恥ずべきものとされ、診断に至ること自体少ない。感情を露わにすることは慎むべきとされているのである。日本の自殺率は高く、OECD加盟国のなかでもっとも深刻だ。二〇一九年の自殺者は二万一六九人で、一〇万人あたりの自殺者は約一六人だった。これに対し、日本の倍以上の人口を持つアメリカの自殺者は一〇万人あたり一四・二人、カナダは一三・八人、イギリスは一一・二人だった。[44]

日本において自殺は奇妙な文化的位置を占めており、数々の有名な人物が自ら命を絶つことを選び、「切腹」と呼ばれる儀式化された割腹自殺を行うこともしばしばあった。一九七〇年には有名作家の三島由紀夫が刀で自身の腹を切り、弟子に介錯を命じるという事件が起きた。「わびさび」の創始者の一人でもある茶人・千利休も、一五九一年に切腹した（彼が最後に行ったのは、極上の茶会を催すことだった）。切腹は誰もがひれ伏す大名、豊臣秀吉の命によるものだった。自刃の前に彼は、自らの命を絶つ刀に語りかける内容の辞世の句を詠んだ。

人生七十
力囲希咄
吾這宝剣

祖仏共殺
堤る我得具足の一太刀
今此の時ぞ天に抛

しかし、午後の時間が過ぎていき暮れなずんでいくなか、ナカムラさんと金継ぎとその優雅さを探求していたわたしは、そうしたことはまったく頭の中になかった。金継ぎの背景にある哲学にすっかり魅了されたわたしは、その後雑誌に寄稿した記事で、いい意味で感傷的な気持ちからこう記した。

金継ぎは、対象物の物語をその形に刻み込むものだ。破損が生じた瞬間のこと。大事にされたがゆえに修復されたという事実。そして今後も大切に扱われていくであろうという期待——。わたしたちは誰もがどこかの時点で「壊れる」という経験をしている。そして自分が何者なのかという本質は、非の打ちどころのない対外的なイメージではなく、これまで歩んできた人生の断層に宿っているのだ。金継ぎは、わたしたちの過去を傷とともに受け止めるよう促してくれている。むしろひびがあることで、わたしたちはさらに美しくなれるということを知ってほしい、と。[45]

三島であれ、前述したような憂うべき頻度で自殺を選ぶ日本人であれ、彼らが金継ぎをじっと見つめることで癒しを得られたかどうかはわからない。ひびがあることで自分たちがより美しい存在になれると言われても、隠遁生活を続けるひきこもりの人たちが賛成してくれるかどうかは疑わしい。日本に真に必要なのは、精神疾患に対する理解の向上、それに病んだ人びとに対するより専門的なケアだ。そうだとしても、金粉を用いた陶器の修復に内包される美学的理想の重要性を切って捨てるわけにはいかない。日本はきわめて禅的であると同時に、きわめて深い不安を抱えているのだ。この矛盾に落ち着かない気持ちを抱くのは、疑うことを知らない観察者だけだ。わたしは早い段階で、真実は一つだけでなく、常に混沌としたものだという結論に達していた。

　だからこそ、中国社会がカオスであると同時に統制されていることや、インドに思いやりと残酷さが同居していることを知っても、落ち着いて受け入れることができた。日本についてわたしが思い至ったのは、深い癒しをもたらしてくれるとともに、深く傷ついているということだった。この矛盾こそが、日本をよりリアルに感じさせてくれるのだ。月を愛でる人びとであふれる国というようなオリエンタリストが抱くステレオタイプでもなければ、仕事でへとへとのサラリーマンばかりのユーモアとは無縁のディストピアでもなければ、顧みられることのない妻や散らかったアパートでもない。両者が同時に存在するときもあれば、両者とも存在しないときもある。ほとんどの場合、真実はその間にあるのだ。

　ようやくナカムラさんのお店「６次元カフェ」を出たのはもう夕方で、わたしはひどくお腹が空いていることに気づいた。ナカムラさんとの約束に遅れてはいけないという心配から、ランチを抜いていたのだ。気がつけば地下鉄の駅で、誰もが知る黄金のアーチのファストフード――普段ならここで食べることはないのだが――を見ている自分がいた。だが、自分の選択が正しかったことの証明でもあり、かつ料理に関する日本のレベルの高さを反映して、この国のマクドナルドで食べたチキンとチーズバーガーは、人工物ではなくきちんとした食べものになっているような味がしたのだった。

　「わびさび」的ではないハンバーガーとポテトのセットをむしゃむしゃと食べながら、わたしはこれまで滞在した国で自分が最初に取り上げたテーマについて思い出してみた。中国では、二〇〇三年のＳＡＲＳと感染者数について政府が実態を隠蔽して過小に発表していたというのが最初のテーマだった。これは言ってみれば、権威主義体制が公衆衛生上の危機に対応する際に直面した試練について理解を深めることを目的とした政治記事だった。ブリュッセルでまず取り上げたのは、長期にわたって交渉が行われてきたものの妥結の見通しがついていなかったインドとEUの自由貿易協定だった。それが日本の場合、陶器の修復についてだったのだ。

　アメリカ人の日本研究者にして中国研究者でもあるという珍しい存在のアレックス・カーは、こう指摘している。中国を愛する者は批判的精神を持った冒険心を持つ思想家であり、一方、日本を愛する者は感覚的で直感を重んじる傾向がある、と。オックスフォードで中国語を学んだカーは、学生時代に接した中国研究の友人について、政治に対する強い関心を持っており、毛沢東の大衆運動やのちには天安門で起きた虐殺がもたらす影響についていつまでも話し続けていたと記している。これに対し、日本好きの友人はこれまでいちばん心が躍る気持ちがしたことは何かと問われた際に、「禅寺で瞑想していて、お坊さんが通り過ぎたときに袈裟が衣擦れをする音が聞こえたときかな」といった答えが返ってきたという[46]。

　中国の近現代史は、内戦、植民地支配、共産革命、そして国家主導型資本主義という大胆な実験と言うように、激動の時代だった。多くの国で何世紀もかけて起きる変化が中国では数十年に凝縮されており、そのため変化が常態になっていた。一方、日本では、第二次世界大戦終結以来、平和が続き社会体制が確立していたことで、安定した国がつくられた。こうした基盤があったからこそ、もっとも心躍る出来事は割れた茶碗の修復だろうと言えるのだ。

　僧侶の袈裟の衣擦れについて言えば、当のわたしがまさにその魅力を実感しようとしているところだった。心の病から回復した際に大きな役割を果たしたものの一つに、瞑想があった。最初に病の診断を受けたインドネシアでは、専門的見地に基づく瞑想のセッションがなかったため、やさしい声で呼吸に集中するよう促してくれるアプリを自分のスマートフォンにダウンロードして、それに頼るよりほかになかった。日本への移動を控えた数カ月の中で瞑想によってリラックスできるようになり、状態は快方に向かい、助けを必要としなくなっていった。だが、わたしはメンタル面での健康を当たり前のものと受け取ってはいけないと考えていた。そのわたしがいま、禅が花開いた地、日本にいる。

　こうした経緯を経て、わたしは坐禅、つまり禅による瞑想を学ぶようになった。ほぼ毎週一回、朝六時に起きて東京の大使館街にある自宅を出発し、近所の公園の池に浮かぶカメのそばを通り過ぎ、交通量の多い交差点を渡った先にあるお寺まで歩いて行った。アーチ状になっている瓦屋根の門をくぐり香林院というそのお寺に足を踏み入れる。それは、一つの世界から別の世界に移動するような感覚だった。一方には満員電車に乗り込むような世界、そしてもう一方には隠れ家とそこで毎日一時間開かれる坐禅による瞑想の会があった。

　世界を飛び回るセレブのあいだでマインドフルネスをテーマにしたファッショナブルなワークショップやアプリが話題になっているが、その源泉にあるのが坐禅だ。とはいえ、坐禅はじっと座って呼吸に耳を傾けるだけのことでしかない。香林院の坐禅室には、いつも二〇人から四〇人くらいの参加者が来ている。わたしたちは半跏趺坐《はんかふざ》で座る。腰を下ろす座布団は二枚重ねで、上の一枚は骨盤を高くするために折り曲げてある。両手は腿の上に置き、親指同士をつなげて円の形を作る。

　午前七時、鐘が鳴ると、ストレッチや咳払いが一気にやむ。わたしたちは一瞬一瞬に気持ちを集中させる。小さく響く僧侶の読経、ときどき聞こえてくる鳥のさえずり、それに遠くの車や雑踏の音。最初はこうした周囲の音が否が応でも意識に入り込んでくる。しかし、しばらくすると――一〇分かもしれないし、一五分だったかもしれない――、気持ちが落ち着き呼吸に集中できるようになる。息を吸って吐くこと以外には何もなくなり、それを何度も何度も繰り返していく。

　坐禅は、日本人が得意とする、一見シンプルに見える――実はそうではないのだが――儀礼の一つだ。茶会と同様、拍子抜けするほどのシンプルさの奥には、言葉では言い表せない複雑さが潜んでおり、その複雑さ自体に音を上げたくなっていくのである。

ある時点で、木が骨を叩くときのバシッという鋭い音が響き渡る。「直日《じきじつ》」と呼ばれる、その日の幹事役を務める僧が立っている。坐禅の慣習で、彼は「警策《きょうさく》」という長い木の棒を手にして、参加者の肩に刺激を与えるのだ。警策は眠気を取り払い、気持ちを引き締めるために用いられる。発する音からすれば、この棒は驚くほど軽く感じられた。警策をしてもらいたいときは、両手を合わせて「ナマステ」のかたちを作り、直日が前を通る際に軽く頭を下げる必要がある。わたしは警策を頼まないことが多かったが、ほかの参加者が肩を打ってもらっているのをこっそり眺めるのに罪悪感を覚えるときもあった。

こんなこともあった。くたびれたスーツを着た年輩の男性が警策で肩を打たれると、右側に倒れてしまったのだ。直日は表情をこわばらせているように見え、坐禅室に不安が広がった。あの僧侶は警策で気絶させてしまったのだろうか？　実はこの男性、かなり酔っており、盛りだくさんだったであろう夜を過ごした後に寺に来たのだった。救急車が呼ばれて彼を搬送していき、その後すぐに参加者は呼吸への集中を再開した。

一時間の坐禅が終わった後には、ほぼいつも直日や数人の参加者とともに淹《い》れたての緑茶をいただいた。参加者は勤め人や主婦が多く、年齢層は三十代か四十代だった。なかには一時間近くかけてこの会に参加しに来た人もいた。お茶をいただいているあいだ、おしゃべりに花が咲くということはめったになかったが、季節ごとの花について静かに話すことはよしとされていて、とくに春はそうだった。「目黒川沿いの桜がライトアップされているのはご覧になりました？」「今年は藤が咲くのが遅めですね」といった具合に。

夏に話題に上るのは虫のことだ。とくに、東京の音声空間を独占するセミの大合唱の話になることが多かった。ある若い女性は、自分の家の近くの公園に蚊が出ることが気になって仕方がなかった。彼女がひどく腫れた虫刺されを見せるのを眺めながら、わたしは少し前に知った偉大な俳人、小林一茶（一七六三－一八二七）による蚊を題材にした俳句を思い出していた。

只一つ耳際に蚊の羽かぜ哉

わたしはこの句をお茶の会に来ていた人たちの前で諳んじようかと思ったが、それはいかにも知ったかぶりの行為だという思いに至った。そう考えたのは、朝食時に十四世紀の仏教僧にして詩人の吉田兼好が書いた『徒然草』も読んでいたためだった（これも明らかにいかにも、という行為ではあるが）。吉田兼好はどんなときも読者に対して控えめであるべしと説き、「我が智を取り出て人に争ふは、角のある物の、角を傾け、牙ある物の、牙を咬み出だす類なり」と戒めている。[47] わたしも出かかった俳句を飲み込み、ほかの参加者とともに同情を示す相づちを打つことにした。自分の直感に反して、わたしは「出る杭は打たれる」という日本のことわざに適応しつつあったのだ。

第3章

# 季節の味わい

わたしはうっとりとした気持ちで、桜で彩られた天龍寺の門に吸い込まれていった。この禅寺は、京都に数え切れないほどあるユネスコ世界遺産の一つだ。京都は日本の歴史上、ほとんどの期間（七九四－一八六八年）にわたり首都であり続け、あこがれの場所とされてきた。わたしは東京に引っ越してからの数カ月で日本の美学についてとにかく多くの書物を読んできたため、京都を訪れる前から京都を懐かしむようにすらなっていた。このような一直線でない時間軸を感じるようになったのは、「俳聖」松尾芭蕉（一六四四－九四）の影響かもしれない。芭蕉は京都について、こんな句を詠んでいる。

京にても京なつかしやほととぎす

この句に出会ってすぐのタイミングで、わたしは子どもの春休みに合わせるかたちで四月第二週に京都への家族旅行を計画した。この予定を友人に伝えると、京都をきっと気に入るでしょうと異口同音に言ってくれたが、桜の季節から外れてしまうのは残念ですねと付け加えた。その年の桜は三月下旬に開花する見込みだった。桜が満開になるのは数日しかなく、「見頃」は一週間から一〇日間程度だ。花が咲く期間の短さとそのはかなさによって喚起される哀愁感から、数え切れないほどの俳句と哲学的論考が生まれてきた。

茶道の茶碗がわびさびを体現しているように、桜もう一つ別の、翻訳困難な日本文化の哲学を表している。「もののあわれ」がそれで、大雑把に言えば「はかなさが美の不可欠の一部であるという認識のもとでの、事物の有限性がもたらす痛み」ということになるだろうか。これをうまく俳句にしたのは、やはり芭蕉だ。

命二つの中にいきたる桜かな

だが現代日本に目を転ずれば、桜は表現したくてたまらない詩人の心に火をつけるだけでなく、小売製造業の商品開発にも影響を及ぼしている。満開前の何週間にもわたり、日本の商店は甘さ全開の桜モードに切り替わる。キットカットの桜バージョン、桜のかたちをしたクッキーの抜き型、桜の飾り付きの箸、プラスチック製の桜、桜カクテル、桜の花びらで包まれた桜餅、といった具合に、数え上げればきりがないほどだ。

桜フィーバーは一月下旬から始まった。東京はまだ真冬で身体が震えるほどで、花の話題を持ち出すのは筋違いかに見えた。しかしテレビでは「桜の開花予想」が放送され、桜前線が日本列島の最南部から北部に向けてピンクと白のウェーブのように少しずつ進んでいく様子を、花びらのマークで解説していた。東京に到達するのは二カ月かそれ以上かかるが、南部の沖縄では桜の季節は一月に始まっていた。

正確さは可能性の一つではなく自明の理である日本だけあって、気象庁の担当官が各地の「標本木」

——妨害行為防止のため場所は非公開になっている——の状況を何週間にもわたり観察した上で、そのなかからとくに選ばれた者がたしかに開花したと判断するまで、公式に桜が開花したことにはならなかった。桜は六〇〇以上の種類があるが、担当官が開花宣言を出す際の判断基準に使われるのは、日本でもっともよく見られ、淡いピンク色の花をつける「ソメイヨシノ」だ。東京では、靖国神社でソメイヨシノに五輪以上の花が開いたのを確認した上で開花発表となる。

　桜が開花するのは三月中旬から四月上旬にかけてで、二〇一七年の場合（わたしにとって日本で迎える初めての春がこの年だった）は三月下旬だった。実際には三月になると、誰もが新生児のこぶしのようにキュッと固まった蕾《つぼみ》の状態の桜を眺めるようになっていた。この時期はまるで生理が遅れていることでいら立ちを覚え、まだだろうかと気になっているときのように、張り詰めた雰囲気が漂っていた。

　その後のある朝、目覚めると外の世界は一変していた。通りはピンク色のシェードで覆われていた。空気すらも華やいでいるように感じられた。その日の朝、子どもたちを車で学校まで送っていったとき、人びとは自然がもたらした奇跡に驚いて目をこすりながら、スローモーションで歩き回っているように見えた。しかし、瞑想のような沈思黙考は長くは続かなかった。午後になると、パーティーの時間になっていたのだ。

　日本人は桜に対して、他の国ならスポーツイベントや宗教の祭典に注がれる類いの情熱をもって入れ込んでいるようだったが、大量のアルコールによってそれがいっそう強まっていた。桜の開花は花見シーズンの到来ということでもある。「花見」とは、野外で桜の下に集まって行われる飲み会のことだ。字義どおりに言えば「花を見る」ことだが、実態としてはとことん酔いまくることを意味する。

　桜の時期になると、いつもは堅苦しい東京の公園（「ランニング禁止」「大声禁止」というように、「楽しむことは禁止」以外のあらゆる禁止事項で埋め尽くされている）が、騒々しいお祭りの会場に変わり、老若男女から籠に入れられた（日本人はそうする傾向がある）飼い犬まで、誰もがくつろいだ様子でいるのだ。

一週間の中で、わたしは家族や友人と一緒に何度か花見に参加した。なかでもすばらしかったのは、桜の傘の下に幾千もの墓が並ぶ青山墓地での花見だった。当初、わたしはこのような重苦しい場所でお祭り騒ぎをすることに少々落ち着かない気分になったが、日本では神道のご本尊は日本酒をお供えしてもらうのを好む――日本人のご先祖さまがそうであるように――のだからと自分に言い聞かせた。墓地のお供え物で、花や線香のほかに缶ビールやカップ酒があるのを目にするのはよくあることなのだ。

だが、わたしが実際に行った最大の花見は、代々木公園――ニューヨークで言えばセントラルパーク――で開かれたものだった。そこに広がっていた光景は、理解しがたいものだった――桜の美しさゆえに普段の社会通念が逆転していたのだ。飲み騒ぐ人たちによって、どの桜の木の下も占領されていた。授業をサボってきた学生もいれば、お年寄り向けにお酒をふんだんに出す花見を企画したご近所さんのグループもいた。いちゃつくカップルもいれば、このときだけは職場の厳格な上下関係から解放された会社員の集まりもあった。いつもは遠慮がちな家族が、わたしの子どもたちを縄跳びからサッカーのドリブルまで、あらゆる遊びに何のためらいもなく誘ってくれた。誰もが笑顔で、楽しそうだった。俳聖にしてわたしがいちばん好きな俳人、小林一茶の句がよみがえってきた。

花の陰あかの他人はなかりけり

これがヒンディー語映画だったら、羽を広げたクジャクがいきなり姿を現し、花見客とリズムを合わせてダンスするシーンになっていたところだろう。日本でよくある、言いたいことを遠回しに伝えるような様子は見られなかった。公共マナーの徹底にこだわる多くの人びとは家にいるか、お酒と桜にとことん酔って、しかめっ面を向ける余裕などなくなっていたかのどちらかだった。だが、ここが日本であることを忘れてはいけない。「自由奔放」というのは、花見を形容するのにふさわしい言葉ではまったくないのだ。

まず、どのグループも自分たちでごみ袋を持参し、空のボトルや食べものが入っていた容器をリサイクル用にその都度入れていた。とことん酔っ払った大酒飲みでも、花見の場所に紙ナプキン一枚たりとも残すことなく片づけをしてからでなければ、千鳥足で家路につくことは許されないのだ。そしてここでも、「花見エチケット案内」がある。わたしが行ったある公園では、「Mind Your Manners（マナーにお気をつけください）」と英語で書かれた、一枚の紙を実際に渡されたことがあった。このリーフレットは地元の自治体が作成したもので、火を使わないように、木の根っこの上に立たないように、他人の迷惑になることはしないように、木に触らないように、花を摘まないように、ごみを捨てないように、といった花見客向けの注意が記されていた。

こうした文書がたしかに必要だと思うようになったのは、特別な桜の木を初めて見てからだった。そうした桜の木は樹齢が長く、木にまつわる物語があることが多い。その幹の太さや美しさは、インドならクリケット選手に向けられるような注目を集めるのにふさわしいものだ。日本の基準なら、こうした「セレブ・ツリー」を取り囲んで写真を撮る人びとの様子は、「スクラム」と呼んでも差し支えないほどだろう。

わたしたちが日本で迎えた初めての春は、桜の開花が遅かった。その結果、思いがけず京都旅行の最中に満開を迎えることができたのだ。東京で桜を満喫するという歓喜を経験したとはいえ、花で彩られた日本の古都が醸し出す規格外の美しさには、気持ちの準備ができていなかった。実際、天龍寺の門で満開の桜の下、鷺が静かに羽を休めているのを見て、わたしは涙を流した——文学的な誇張ではなく——ほどだった。その灰色と白のシルエットは思わず水墨画かと見まがってしまうほどで、日本の美学は禅的というより写実主義なのではないかと考えたほどだった。京都の寺社を散策するのは、優美な十九世紀の屏風の世界をさまようかのような体験だった。

その後、わたしたちは京都の北にある銀閣寺(48)から小川に沿って延びている「哲学の道」を歩き、「もののあわれ」の中で文字どおり自分が洗われている気がした。わたしがしょっちゅう感嘆の声を上げるので、夫からはそれをやめてくれないと離婚するぞと脅され、子どもたちはあきれた表情で耳をふさいでいた。「ママがおかしくなっちゃったよ」——下の子がお兄ちゃんにこっそり話しているのがわたしの耳にも聞こえてきた。そこでお菓子休憩を入れることにし、みんなに桜フレーバーのアイスクリームを買ってあげた。一時的にではあったが、これでわたしは信頼を回復することができたのだった。

次の日は京都の西にある嵐山の竹林を訪問した。生い茂る竹が静謐さを醸し出すなかを散歩するのは旅行雑誌の記事にぴったりの経験だったが、何グループもいた中国人団体観光客に対していら立ちを募らせていたことを告白しないわけにはいかない——そのうちの一人に至っては、歩道脇に唾を吐いているのをわたしは目撃した。「ちょっとあなた、待ってよ！」わたしはそう言ってやりたい気持ちに駆られた。「あなた方についてはステレオタイプがこれまでにさんざんあるじゃないですか。そんなこと、どうしてもしなくちゃいけないんですか？」

日本人観光客は狭いところで彼らとすれ違う際、スペースを空けるべく身体を縮ませているように見えた。ところが中国人グループは逆に広がって道を塞いでしまっていた。わたしは双方の感情がわかることで、少々罪悪感に駆られた。いまや自分は洗練された日本に住んでいるのだから、突然のことであろうとがさつな中国人には十分寛容に接してあげなくては、と言わんばかりに。しかし、目に見えて太鼓腹をしたフグ面《づら》の北京人（彼のアクセントからわかった）が、数メートル離れた人に大声でこう言ったのが耳に入ってきた。「厕所在哪儿《ツースオツァイナー》？ 我要拉屎儿《ウォヤオラーシー》」このときほど自分が中国語を理解できなければよかったのにと思ったことはない。この男性はこう叫んだのだった。「便所はどこだ？ クソしてえんだよ」。ああ、もうわたしの耳ったら！

幸いなことに、午後にはわたしの聴覚器官は十分回復していた。バスの運転者が歌ってくれた歌に癒やされたのだ。このバスは東京都心に戻る祭に乗ったもので、運転手の歌はとても魅惑的なメロディだった。

さくら　さくら
やよいの　そらは
みわたす　かぎり
かすみか　くもか
においぞ　いずる
いざや　いざや
みにゆかん

歌の旋律はわたしの頭に刻み込まれ、その年の春はずっと脳内のＢＧＭになって響いていた。わたしは英訳された歌詞をグーグルで検索

してみた。

Cherry blossoms, cherry blossoms,
Across the spring sky,
As far as the eye can see,
Is it mist, or clouds?
Fragrance in the air.
Come now, come,
Let's look at them, at last!

日本で過ごした歳月の中で、この歌を聴くたびに――十二月のアメリカで流れる「ジングルベル」の歌と同じくらい春の日本ではポピュラーなのだ――幸せでメランコリックな気持ちになったものだ。初めて京都を訪れたときに覚えたあの陶酔感が繰り返されることはけっしてないことはわかっていたが、そのような一回きりの経験ができたのは幸せなことだった。

京都旅行で過ごした最後の夜、わたしたちは「アジアでもっとも美しい通り」と紹介されることの多い場所に行ってみた――新橋だ。片側には柳や桜並木が続き、茶館や画廊、骨董品店が半月型の石橋で道につながっている。新橋は京都の伝統的歓楽街、祇園の中にある。ここはかつて芸者遊びをする場所だったが、いまでは芸妓の姿をひと目見ようとする観光客の穴場スポットになっている。

日が暮れていきオレンジ色の灯りがつき始めていくなか、白粉を顔に塗った一人の舞妓（芸妓の見習い）が少し身体を屈めて素早く通り過ぎていくのがわたしの目に留まった。しかし贅沢な刺繍が施された着物の衣擦れの音を残して、彼女は消え去った。彼女が通り過ぎたことを感じさせるかのように、食堂の暖簾がゆらめいていた。

次の日、東京に戻ると、桜は花びらが落ちて雪のようになり、路上で揺れていた。それからの数週間で、わたしは花をテーマとした観光にのめり込み、藤やツツジ、アジサイ、さらにはユリが楽しめるスポットを探すようになった。気がつくと六月になっており、季節が変わろうとしていた。夏が近づいていたのだ。

東京の夏は規格外の暑さだ（インド人のわたしがそう言うのだ）。高い湿度で身体が強ばって動けなくなるほどで、スイカと桃をたらふく食べることを許されてようやく動く気になれた。日本の果物は八月の暑さのレベルと同じくらい甘い。だが、果物の季節は虫が出る季節でもある。とくにセミは幼虫の状態から脱皮し、一週間にわたり熱い繁殖活動をするのだが、七月から九月上旬にかけて、鳴き声の大合唱で東京の夏を音の面から支配する。セミは飛び抜けて魅力的な生き物というわけではない（薄くて軽い羽根はついているが、ゴキブリに似たところがある）。だが、その存在のはかなさは桜と同様に「もののあわれ」を感じさせるもので、多くの俳句の素材になってきた。芭蕉の句を二つ紹介しよう。

やがて死ぬ景色は見えず蝉の声

閑《しずか》さや岩にしみ入る蝉の声

しかし、谷崎潤一郎の傑作『細雪』を読んだことで、夏をもう一つ別の観賞用の虫と結びつけてとらえるようになった——ホタルだ。『細雪』では蒔岡家の四姉妹が上品な娯楽を楽しむ様子が記されているが、なかでもわたしの想像をかき立てたのは、ホタルを捕まえるというものだった。工業化が進み、公害が広がることで都市部では宝石のような羽虫が住めなくなってしまうまで、「ホタル狩り」は日本のブルジョワ階級が好む夏の楽しみだったのだ。

ここに紹介する芭蕉の俳句は、どうしようもないほどに刺激的で、はかなさが伝わり、シンプルで直感的に理解できるものだった。

草の葉を落つるより飛ぶ蛍哉

芭蕉以外にも、有名な女性俳人、福田千代尼（本名は加賀千代女）（一七〇三－七五）が次の句を詠んでいる。

川ばかり闇は流れて蛍かな

笑いが欲しいとき、あるいは「もののあわれ」からちょっと気分を変えたいというときは、巧みでウィットに富んだ句を詠む小林一茶の出番だ。

我家や町の蛍の逃所

都市開発が進んだことで、日本の街中から夏を彩ってきた数々の風物詩が失われて久しい。だが、そこから呼び起こされるノスタルジアは、ビジネスチャンスになる。現在ではホタルを育てて販売する会社が数社あり、いまでも客がホタルを愛でられるようにしたい——その分の対価は上乗せされるが——

ホテルやレストランに卸している。東京の高級ホテルに作られた「ホタルの庭」への入場料込みのディナー（少々物足りないビュッフェ形式だったが）に結構な額を出すだけの価値があるのだとジュリオを説得するのに成功したのは、日本で迎えた三度目の夏のことだった。

伝統的な雰囲気にデザインされた広々としたスペースには、星の光を思わせる数十匹のホタルが軽やかに飛んでいた。この体験は現実のものではなかったが、そう感じたのは一時だけで、自分たちが江戸時代にタイムスリップし、月下でホタルの魔法を追いかけているのではないかと気分になれた。ディナー客の多くは、浴衣（明るい色の綿で織られた夏の着物だ）に身を包んでいた。ホタルと同じくらい明るく金色の光を放つ提灯《ちょうちん》を持っている者もいた。近くのどこかにホタルがとまるたびに、かさかさとした音や小声で話す音がしたり、驚嘆のため息がもれたりした。ときどき吹く風が暑さを和らげてくれた。

日本の夏は魅力に欠けているというわけではないが、わたしにとって何よりも大切だったのは、自分がいちばん好きな季節である秋が次に控えていることだった。九月下旬から十二月上旬にかけてのあいだ、本州のほとんどが深紅や金色に染まる。その様は、日本中の銀杏や紅葉が避けがたい冬が到来する前に生涯を満喫しようとしているかのようだった。夜の時間が長くなり、空気は引き締まり、着物が擦れ合うときの音は、綿のかさかさしたものから絹のさらさらしたものへ変わっていった。夏の重苦しさからは自由になった。同時に、この自由の行き着く先は一つだけ、つまり葉はやがてしおれ落ちていくという認識に対する哀愁のきらめきもあった。わたしたちはただその結末を受け入れるよりほかはないのだ。

わたしは作家のピコ・アイヤールと実際に会ったことはないが、若干の共通点がある。名字が一緒であること。この年のかなりの期間を日本で過ごしたという事実。世界各地を歩き回る自分たちの生活について文章を書いてきたこと。わたしがこの章をどうしようか悪戦苦闘していた頃、彼は東京の秋をテーマとした考察を発表したところだった。彼は東京の秋について、「燃えさかる火と別離をもたらす、(中略)減算の季節であり、そぎ落とすことで残されたわずかなものに集中するという日本的芸術である」[49](こんまり式の表現に置き換えれば、心を「ときめかせる」ものだけを残す、ということになろうか)と記していた。また、彼は古典詩歌の多くが夏と冬よりも秋と春をテーマにしてきたことを、四回以上にわたって言及していた。

秋が漂わす哀愁や美しさを高い完成度で表現することにかけて、芭蕉の右に出る者はいないと思う。

蜘蛛何と音をなにと鳴く秋の風

蛤のふたみにわかれ行秋ぞ

枯枝に烏のとまりたるや秋の暮

けふの今宵寝る時もなき月見哉

もちろんほかの俳人もいる。一茶の句を一つ紹介しておこう。

長月の空色袴きたりけり

ひとまずこの辺で終わりにしておこう。そうでもしなければ、本書は「俳句概論」になってしまうからだ——日本についての本を書く作家なら誰もがそうした欲求に駆られてしまいそうだが。詩に触れることなしに日本の四季について語るのはとりわけ困難だ。秋には、「月見」という実際に満月を眺める日がある。また、「つき」という言葉は「盃」の「づき（つき）」と重なることから、秋の夜に月を見上げながら酒を飲むのは定番のスタイルなのだ。

　晩秋には紅葉《もみじ》狩りに何度も行った。子どもたちと夫、わたしは山を登っては下り、寺院の見事な庭園を散策し、栗のアイスクリームや柿を食べた。わたしは宗教をこうした外的な側面でとらえがちで、神がパレットを手にしてその場所に絵筆を振るう様子を想像していた。誰もが天国はどのような場所かについて自分なりの考えを持っているのではないだろうか。わたしのイメージは秋の日本庭園だ。これこそわたしがこの世界から出て行くときに向かいたい場所だと思う——全能とすら言える力を手にし、これ見よがしにバタンと大きな音を立てて行くのだ。

　そして冬がやってきた。わたしにとっては微妙な季節だ。北京では冬になるとシベリアからの強風によって市内の湖には氷が張り、幸福を感じることは永久にできないのではないかと思ったものだった。ブリュッセルでは、冬はくすんだ空模様が五〇日程度続く。朝は灰白色だったのが昼にはライトグレーに取って代わられるが、午後の中頃になると重苦しいダークグレーに変わるのだ。それが東京では、冬の空は晴れて澄みわたっていたし、気温も氷点下になることはめったになかった。

　北部であれ山間部であれ、その他の日本では一年の労働とその疲れはたくさんの粉雪で洗い流され、翌春の桜はどうなるだろうかと思いを馳せることになる。現代俳句の水島秋桜子（一八九二～一九八一）は、芭蕉を髣髴とさせる次のような句を詠んでいる。

　　一輪の霜の薔薇より年明くる

そして芭蕉も、次に紹介する句で一茶を思わせるユーモアを発揮している。

菊の後大根の外更になし

この句がとくに刺さったのは、『ヒンドゥー』紙〔インドを代表する英字紙〕での連載コラムで取り上げるテーマが出尽くしてしまっていたからだ。寒さのためにわたしは家から出るのが億劫になっていた。電気式の暖炉が出すパチパチという音から離れて外を探索に出ようという気がわいてこなかったのだ。それに対して子どもたちは外に出たくてうずうずしていた。「蒸し暑い」か「雨が降り、かつ蒸し暑い」かという気候のインドネシアで四年を過ごした後に経験する寒さは、彼らにとって想像力と溜め込んだ若々しい活力を刺激するものだった。雪が降った時は興奮で叫び声を上げ、雪の上に寝そべって自分たちの柔らかな身体でできたくぼみでスノーエンジェルを作っていた。

そこでスキーをしに行くことにした。子どもたちはスキーをしたがっていたし、わたしも彼らにスキーをやってもらいたかった。子どもたちはわたしにもスキーをしてほしかったのだが、わたしにはそんな気持ちはまったくなかったのだが。雪が降るときにはインド人というのは屋内でチャイを飲みサモサを食べるようにできているのだと確信した。武骨な器具を足に付けて吹雪の中をずんずんと進むという行為は、ヨーロッパの人間に任せておくことにしよう。

わたしたちは二度の冬でスキーリゾートを訪れた。男の子たちとジュリオは滑りに繰り出し、そのあいだわたしは小説を読んだり、温泉に浸かったり、俳句のことを考えたりして過ごした。かんじきを履いてみることまではしたのだが、スキーとは適度な距離を置いたままになった。

そしてあの日がやってきた。北海道にある世界的に有名なスキーリゾートの町、ニセコに一週間近く滞在したときのことだ。この上なくすばらしい環境で、雪の積もった巨木がお茂っていた。正真正銘の冬のワンダーランドがそこにあった。興奮で胸をときめかせていたと言いたいところだが、わたしは少し寂しい気持ちになっていた。家族がみんな何時間もスキー場に行っているあいだ、わたしはずっと独りぼっちにされてしまっていたからだ。彼らがようやく戻ってくると、子どもたちからはどうして一緒に滑らないのかと駄々をこねられた。「ねえねえママ、やってみようよ」。カートゥーン・ネットワーク〔アメリカのアニメ専門チャンネル〕の番組で見たもっともらしい決めぜりふにすぐ影響される下の子がこう言った。「人生でいちばん大変なのは、挑戦する勇気を持つことなんだ」

さて、どうしようか。わたしは不安を無視してスキー教室の受付まで下りていき、翌日のプライベートレッスンに申し込んだのだった。空いている枠は寒さがとくに厳しくなる夕方の時間帯しかなかったが、わたしはチャレンジしようという気分に切り替わっていた。「老犬に新しい芸を仕込むことはできない」なんて、誰が言ったのか。気持ちは若いこの雑種犬が、世界の目に物見せてやるのだ。

レッスンは元気よく始まった。わたしを担当したインストラクターは親切でやる気を起こさせてくれた。彼のアドバイスを受けて、わたしは足をカットしたピザのかたちにしてみた。すると、数分後には転倒することなく初心者向けコースを滑ることができたのだ。ほどなくして長めのコースにもトライし、レッスンが終わりに近づく頃にはアルペンスキーの選手になれるのではないかという栄光に満ちた未来を想像していた。鼻歌を歌いながら滑るわたしを子どもたちは誇らしげに見ていた。「あれ、うちのママだよ！」友だちにそう話しているのが聞こえた。

空が暗くなっていくなか、あと一回だけ滑れるとインストラクターから告げられた。「簡単なターンをやってみますか？」と尋ねる彼。「やめておきます！」とはっきり言うべきところだったが、私の口からは「もちろん！」という答えが出た。「たられば」というのはあまりにも無意味なものだ。わたしたちは滑り始めた。そろりと右にターンし、今度は左にターンし、次は……あっ、くぼみがある、もうダメ！

　わたしはかなり派手に転んだので、スキー板が外れてしまったほどだった。わたしは気づいていた。口には出さなかったが、膝がおかしくなっていることを。その後、坂を下っていくために緊急用のスノーモービルを呼びましょうかというインストラクターの勧めを断り、わたしは自力で戻ることにした。もう一度スキー板を装着して、最後まで滑っていったのだ。この人はどんなタイプのマゾヒストかと、問わずにはいられないのではないだろうか――答えは「現実逃避型」だ。

　わたしはよろよろとホテルの温泉まで歩いていった。温泉の湯が症状を和らげてくれることを期待したのだ。しかしその日の夜、痛みはさらにひどくなった。わたしにできるのは、子どもたちを起こさないよう声をひそめてうめき声を上げることくらいしかなかった。翌日、理学療法士に相談しに行ったところ、温泉で膝を温めるのはいちばんやってはいけないことだと教えられた。本当に必要なのは、氷で冷やすことだったのだ。わたしは唇を噛み、考えていたことを口に出さないようにした――わたしにとって本当に本当に必要なのは、スキーに関わるあらゆることに近づかないことではないか、と。

　東京に戻ったらすぐにＭＲＩを撮ってもらうよう指示を受けた。心配だったのは前十字靭帯断裂ではないかということで、これだとすると手術、さらにリハビリに数カ月かかることになる。小さな子どもたち二人の世話。仕事。寝室まで長い階段を上っていかなくてはならないメゾネットタイプのマンションの部屋。こうした作業を腫れ上がった膝でこなすのは、考えるだけでも難儀なことだった。わたしはスキーに関連した膝の怪我についてグーグルで検索し、もっともリスクが高いのは四十歳以上の女性初心者であることを発見した。スキーリゾートにはこういう注意書きが必要なのではないだろうか。「危険です。あなたのような犬は新しい芸を覚えるには年をとりすぎています」

診察の結果、内側側副靭帯損傷という軽めの怪我であることが判明した。数週間は膝にギプスをはめた状態でゆっくり歩かなくてはならなかったが、その後はいつもの生活に戻ることができた。実のところ、心配した知人からどうしたのかと訊かれた際、「スキーで怪我をしたんです」と気軽に答えるのはかなり大げさなことのように感じられた。そう言うことで、ある種の秘密、つまり裕福で引き締まった身体のウィンタースポーツ愛好者からなるクラブに自分が属している——かなり上辺だけではあったが——という感覚をもたらしてくれたためだった。そして、この靭帯損傷経験によって、「子どもに誇らしい気持ちを抱かせるアルペンスキーヤー」という幻想を抱くのはここまでという気持ちにさせられた。そこでわたしは回復期を多くの俳句を鑑賞することで過ごすなどした。明るい気持ちにさせてくれたのは、とくに一茶の句だった。冬の句でお気に入りはこれだ。

雪とけて村一ぱいの子ども哉

この句で惹かれたのは、洪水の心配がなくなり子どもたちの楽しそうな声が響きわたり、危機が回避された様子が表現されているだけではなく、春の訪れを予感させてくれるからだ。雪が解けていく……。

日本に住むことで、これまで以上に季節と調和した生活をするようになった。他の国に季節の変化がないというわけではない。しかし、たとえば北京については、夏は暑く、冬は凍えていたことしか覚えていない。季節の要素がしょっちゅう日常に入り込むのは、日本での生活では大きな位置を占めているが、北京でそれを感じることはなかった。

日本では——たとえばインドネシアとは異なり——季節は気候的な意味ではっきりと分かれているだけでなく、単なる環境にはとどまらないレベルで人びとの話題に上る。レストランのメニューは、旬の食材に合わせるかたちでコンスタントに入れ替わる。ホテルの生け花も季節に合ったものがその都度用意される。伝統芸能の中で季節の役割はしっかりと確立されている。俳句の決まりごとの一つに、季節を表す「季語」が入っていなければならないというものがある。茶道では、茶碗や茶室の飾りつけはその時々の季節に合わせてある。着物も着る季節によって、素材だけでなくデザインのモチーフが変わってくるのだ。

こうなると、次のような疑問が生じてくる。他の国に比べて、日本ではなぜ季節が大きな意味合いを持っているように見えるのか、と。日本人がいかにして他の国の人よりも自然と調和しているかについては、多くの論考——あえて言わせてもらうとオリエンタリズム的な観点からだが——がある。ギリシャ系アイルランド人の日本学者、ラフカディオ・ハーン（一八五〇－一九〇四）はこの見方を受け入れただけでなく、広める役割も担った。ハーンは一八九二年七月に『アトランティック』誌のエッセイで、「この人びとはわれわれ（西洋人）よりも自然を計り知れないほど深く理解している」と記している。[50]

禅の指導者、鈴木大拙をはじめ当の日本人も、「自然との距離の近さ」は日本を日本たらしめている要素の一つとする見解を以前から主張してきた。こうした論考は「日本人論」としてくくられる。このジャンルは主に二十世紀の現象だったが、その起源は十九世紀に日本が西洋列強と接触した頃にまでさかのぼる。実のところ古くから行われてきた日本人によるアイデンティティの希求に対する反応としてとらえることが可能なのだ。この希求は、中国に対する文化的劣等感によって常に複雑な状態であり続け、近代化する西洋についての情報が広がっていくことでいっそうかき立てられることになった。

日本人論は、「日本人のユニークさについての描写や解釈を試みる、通俗的推論の集合体であり、そこでは他国の人びとに対する日本人の道徳的および精神的優越性が常に称揚される」と定義することができる。[51]そこでは、表面上は集団行動を好む傾向――自分と他者のあいだに引かれた境界線が曖昧になる――や非言語コミュニケーションの重要性、そして自然との特別な関係が繰り返し指摘されるのだ。[52]

自民族の特徴を自ら強調するのは、日本人しかいないというわけではない。あらゆる国民国家の建設に向けた試みで、同様の現象が起きている。一八六八年の明治維新の頃になると、日本は自国が西洋と肩を並べるためには、相手と張り合えるだけのものを作り上げる必要があると考えた。ある研究では、日本が「自然」を国家として自己主張する際のツールとして取り込むようになったのはこの時期だという。この説に沿えば、自然との特別なつながりに対する日本人の深い思い入れは、とりとめのない手法で東洋を称賛しようとする、自己オリエンタリズム以外の何物でもないということになる。[53]

えっ？じゃあ、わたしが目にした季節に対する敏感さは、全部日本の民族主義者や日本を訪れた旅人たちのプロパガンダから影響を受けた結果ということなの？そう考えたとしても、自然は世界中の詩作にとって不可欠な要素であることには変わりがない。「吟遊詩人」ことシェイクスピアだって、いつも女性を「夏の日」（ところで、日本やインドの文脈で言えば相当に恐ろしい時期なのだが）に喩え、ナイチンゲール〔サヨナキドリ〕の鳴き声に耳を澄ませよと言ったではないか。そしてもちろん中国の美学だってある。日本の美学の源泉だ。桃の木、花、月見、昆虫鑑賞、詩作――いずれも日本のものとして知られるようになる前は、元をたどれば発祥は中国だったのだ。

しかし中国とは異なり、日本では共産革命は起きず、美学が内蒙古の肥だめ行きになって再教育を受けさせられるような事態はまぬがれた。もし毛沢東がいなかったら、中国も現代日本のようになっていたかもしれない。日本では古典の伝統が生き残っているが、中国では根こそぎ粉砕されてしまったからである。

とはいうものの、高度に巧妙なオリエンタリズムであってもかぎ分けて捕捉するための学術的な訓練をさんざん積んできたにもかかわらず、そんなわたしに、中国的でもなければ西洋的でもなく、ここ以外にはないと感じさせる日本的なものがあった。これまで世界各地で暮らしてきたが、日本ほど人びとが頻繁に歩みを止めて花の写真を撮る国はほかに見たことがない。また、（あまりに滑稽な内容であることは明白なので声を小さくしなくてはならないが）日本のセミはほかよりも大きな声で鳴いているように聞こえた。

「国家《ネーション》」は想像することで実体を持ち、国家建設に用いられる材料——国家アイデンティティのがらくたとでも言えようか——は、国家の地理上の国境と同じくらい明確な存在になっていく[54]。中国では、連綿と続く五千年の歴史（実際には完全にナンセンスな話だが）という意識は中華人民共和国の自己認識にとって不可欠の要素になっている。インドでは、世俗主義《セキュラリズム》と多元性という理想が、自分たちを他の国の人びととは違う存在にならしめた要素だったことがあった。ベルギーでは、普段諍いの絶えないワロン地方とフランドル地方は、フライドポテト（フレンチフライ）をフランス人（フレンチ）と関連づけようとする試みがあると、結束して断固拒否する（あれはもちろん、ベルギーのものだ）。

日本では、この国をかたち作ったのは四季だと考えられており、それが真実になったのではないかと思う。他のアジア諸国とは異なり、日本は植民地になったことがない〔タイも植民地支配を受けてはいない〕。そのため、反帝国主義が国家アイデンティティにとって不可欠な基盤の一つにはなり得なかった。中国人は十九世紀のアヘン戦争がもたらした屈辱によって団結した。インド人はマハートマ・ガンディーが主導した独立闘争によって結束した。インドネシアの多様な民族は、かつての統治者だったオランダ人の度を超した人種差別を誰もが「記憶」していた。

だが日本の場合、被害者と言うよりは侵略者としての側面が強い。欠くことのできない正当性を示す際に、自らの被害経験に訴えることができないのだ。ユニークなかたちで虫の鳴き声に耳を澄ますのは、ある意味でその代替策なのだ――しかも、優美かつ温和なかたちで。

本章を終える前に、最高にゴージャスなスマホアプリを発見した話を記しておきたい。アプリの名は、「72 Seasons: A year seen through the ancient Japanese calendar（七二候――日本の伝統暦から見た一年）」と言い、ユーザーは七二に分かれた約五日間ずつの日本の季節――「候」と呼ばれる――を知ることができるのだ[55]。このアプリを使っていると、変わりゆく日本の一年の風景を詩的に旅しているような気持ちにさせられた。わたしはいま、この文章を「白露」（だいたい九月七日から十一日）と呼ばれる候に書いている。アプリでは、その時々の候にぴったりの俳句、それに食べものや魚、行事の説明も掲載されている。「白露」の場合は、こんな句が紹介されていた。

さわやかにおのが濁りをぬけし鯉

季節の魚は秋刀魚、季節の野菜はカボチャ、季節の果物は桃、季節の行事は中秋の名月だ。「候」の例をいくつか紹介しよう。

十月八日―十二日　鴻雁来（雁が飛んで来る）

十一月七日―十一日　山茶始開（ツバキが咲き始める）

十一月二十二日―二十六日　虹蔵不見（虹が見えなくなる）

一月一日－四日　　　　雪下出麦（雪の下で麦が育つ）
一月二十五日－二十九日　水沢腹堅（沢に厚い氷が張る）

実は七二候というのは、古代中国の暦に基づいていることが研究で明らかにされている。でも、そんなことを誰が気にするというのだろうか？ 中国で過ごした七年間で、この区分について耳にしたことは一度もなかった。それが日本では、スマホのアプリで花や虹にまつわる歳時を毎日発見することができたのだから。

第4章

# 越えられなかった日本語の壁

一週間であの日がまたやってきた。わたしはお腹が膝まで落ち込むほど気が重かったが、歯を食いしばって（比喩でもあり現実にそうでもあった）ミチコさんに電話をかけた。わたしの日本語の先生だ。ミチコさんは素敵な女性だ。六十代半ばの彼女は、少女のように前髪を揃え、いつも小ぎれいな装いで、レッスンの時間を守ることにかけては正確無比だった。一秒違わず約束の時間に到着するということがなぜ可能なのか？　その答えはとくにミステリアスなものではないことがわかった。わたしの子どもたちがある日、マンションのロビーでたたずんでいるのを見つけたのだ。そのとき初めて、彼女がいつも一五分前に到着し、秒針が予定の時刻を指す瞬間まで部屋のドアの前で待ち、時間になったタイミングでベルを鳴らしていたことがわかった。

毎週のレッスンよりも虫歯のほうがましというのは少々誇張した表現だ。だが、それはミチコさんの教授スキルが低いということではなく、彼女が教えるテーマ、つまり日本語について言ったものだ。日本語はわたしにとって、言語上のワーテルロー〔一八一五年にナポレオンと英蘭連合軍のあいだで行われた激戦〕であり、語彙上の鬼門であり、構文上の敵だった。

ジャカルタでは、インドネシア語初級クラスで一年半勉強したら、そこそこの正確さでおしゃべりに興じることができた。一〇年前には、自分の言いたいことの要点を中国語で伝えることはできるようになった。これは誰もが同意する点だが、中国語は難しかった。

　中国語とその他の大半の言語との大きな違いは二つある。声調と文字だ。音声的には中国語は貧弱な言語で、声調でしか聞き分けられない同音異義語がたっぷりとある。声調は、高くてフラットな第一声、疑問文のように尻上がりの第二声、一度下がってから上がる第三声、一気に下に落ちる第四声の四つがある。混乱が生じる可能性は無限に存在する。たとえば、「マイ」は声調によって「買う」にもなれば「売る」にもなり、「ナー」は「あちら」にもなれば「どこに」にもなる。「イェンチン」は「目」にも「眼鏡」にもなるのだ。

　しかし、中国語は音の種類が限られているが、それを表記方法の基盤をなす「漢字《ハンツー》」と呼ばれる表意文字でカバーしている。文字を組み合わせることによって作られる音が意味を持つアルファベットとは異なり、中国語には、それぞれがおおむね音とは関係なく意味を持つ字が何千個もあるのだ。

　日本語でも表記方法の一つとして中国の文字が使われており、こちらの場合は「漢字《かんじ》」と呼ばれる。このため、自分は中国語が話せる人が日本語は楽勝だろうという思いを抱くことになる。だが、それは甘い見通しと言わざるを得ない。

　まず、わたしの場合は中国語を読めたというよりも話せたというのが実際のところだった。漢字はいくつか知っていたが、知らない字のほうが圧倒的に多かった。よく知っている漢字ですら、日中間で発音がまったく違っていたため、ほとんど助けにならなかった。「漢字」という言葉そのものを例に説明しよう。先述のように、中国語では「ハンツー」、日本語では「かんじ」と発音されるのだ。

　もう一つ例を紹介しておこう。当時の日本の首相は安倍晋三だが、彼の名は日本語では「あべしんぞう」だが、中国語読みだと「アンペイチンサン」となる。

さらに悩ましいことに、日本の漢字は通常、まったく異なる二つの読み方がある。なかには一〇種類もの読み方がある字まである。「マウンテン」を表す漢字は「山」で、これは中国語も同じだ。しかし、中国語ではこの字はいつも「シャン」と発音されるのに対し、日本語では「やま」と「さん」と、二とおりあるのだ。同じように、「ツリー」を表す漢字は中国語でも日本語でも「木」だが、中国語では常に「ムー」なのに対し、日本語では「もく」のときもあれば「き」のときもある。こうしたばらつきの理由は、中国に対する恩義とその恩義をもたらした中国から離れたいという欲求から来る、長期にわたるアイデンティティ・クライシスに求められる。この結果、二通りの読み方が生まれた。一つは「シャン」が「さん」になるように、中国語の発音に由来する「音読み」だ。もう一つは「やま」のように、日本「固有」の「訓読み」がある。

さらに、日本語の漢字には、中国語の漢字とは別の意味を持つものや、なかには完全に異なる意味を持つものすらある。たとえば、「汽車」という日本語の漢字は中国語の場合「自動車」の意味になるし、「聞」という日本語の漢字は中国語だと「においをかぐ」という意味もある。こういった例が数え切れないほどあるのだ。親愛なる読者諸氏、歯医者さんで虫歯の治療をしてもらうほうに惹かれ始めていませんか？　まだまだ？　ご心配には及びません。すぐにそういう気持ちになりますから。

中国にはアルファベットのような表音文字がなかったため、漢字を必要とした。この状況は、発音の種類が限られた中国語よりも多様な音を持つほかの言語の単語を扱う際に若干の問題が生じる。たとえば、Pallaviというわたしの名前を漢字で書くことは、この音のセットに対応する字が存在しないため不可能なのだ。外国由来の固有名詞はほとんどすべて、中国語に置き換えられることになる。アメリカは「美国《メイクオ》」、マクドナルドは「麦当労《マイタンラオ》」、オリンピックは「奥運会《アオユンフイ》」、トランプ大統領は「特蘭普《トーランプー》」となるのだ。

それに対し日本語には表音文字があるが、「ひらがな」と「カタカナ」という、それぞれ四六文字からなるものが二種類存在している。ミチコさんとの一回目のレッスンで、漢字をまったく使わなくても日本語を表記することは可能だということを知らされた。どんな日本語の文章でも、ひらがなだけで書くことができるからだ。同じことはカタカナでも可能なのだが、こちらは漢字以上に驚くべき存在だ。カタカナは単にひらがなと同じ音を表しているだけで、その目的の一つは元から日本語にあった「固有」の単語ではない、外国由来の単語を表記することだ。賛否が分かれるかもしれないが、これは日本発祥か外国発祥かという、人種的存在論が言語そのものに刻み込まれていると言えないだろうか。

わたしは外国人なので、自分の名前を日本語で書くときはひらがなで「ぱらび」とはせず、カタカナで「パラビ」となる〔より正確には「パーラヴィ」〕。これは、わたしの「外国人性」が日本語の構造に織り込まれているということだ。名前をすべて読まなくても、外国人ということがわかる。ほんの一瞬見るだけでも、カタカナで書かれており、したがって日本人ではないという事実がインプットされるのだ。カタカナとは、何かを言う前の時点でそれが日本のものではないことを示すものなのだ。

カタカナが便利なのは、中国語と異なって外国語由来の音をほぼすべて（「l」と「v」は除く）表記できる点にある。日本語のカタカナ語彙はどれも外国語から来たものだ。こうした語彙は、日本語化した英語がほとんどだ。たとえば、baby chair は「ベビーチェア」、spaghetti は「スパゲッティ」、pet shop は「ペットショップ」、gasoline stand は「ガソリンスタンド」となる。

ほどなくして、英語のネイティブスピーカーにとってブロークンイングリッシュのように聞こえる日本人の英語は、実はカタカナ発音によるものだということに気づいた。英単語の最後に母音が付くのが特徴だ。日本のレストランで指を立てて「ケーキ」と言ったら、スマートに「cake」を頼んだことになるし、温かいスープがほしいときには、「hot」ではなく「ホット」という必要がある、という具合だ。このような言い方をするのは少々当惑させられた。最初の頃、日本語のアクセントをからかっているようで（日本ではカタカナ発音はまったくもって正当だとはいえ）、失礼なことをしているのではないかという気分がしたものだ。

だが、先に指摘したポイントはここでも意味があると感じた。「ベビーチェア」や「ホット」といった外国由来の音はひらがなでも書けないことはない。ある語の「異質性」を強調する役割を除けば、カタカナは不必要な存在なのではないか。この疑問は、わたしが漢字について提起した議論に立ち返らせてくれる。きわめて優れた表音文字があるなかで、そもそも漢字は必要なのか？

たとえ冗談半分であっても、こうした考えを公の場で口にしたら、聞かされた相手は部屋から飛び出して「助けてください！」と叫ぶことになってしまうかもしれない。漢字を廃止したら、それが持つ豊かな意味が計り知れないほど失われてしまうと指摘した論考は、膨大な数にのぼる。その一方で、三種類の文字の組み合わせとそれらの使い分けに関する複雑な規則が、ほかにはない直接的なかたちでの意味の理解を可能にしているという指摘も数え切れないほどある。

日本語が話者の脳をユニークかつ優秀にしているという理論すら存在している。角田《つのだ》忠信《ただのぶ》という医師によって広められたこの主張は、日本語話者は情報を処理する際、論理ではなく感性を司る右脳を使っているというものだ。この考えに基づき、日本語話者は自然の音、とくにコオロギの鳴き声に調和しており、日本人はその声を音ではなく言葉として聞いている、という主張が展開されている[56]。

日本語には秋の虫の鳴き声を表すオノマトペが一つだけでないのは確かだ。松虫は「チンチロ」と鳴き、鈴虫は「リンリンリン」と鳴く。だが、そこから角田が唱える「日本人脳」論にたどりに着くまでには相当な距離がある。

漢字、さらに言えばカタカナまで廃止するべしという提案は胸の内に固くしまっておくことにした。たしかに漢字には、表音文字に基づく言語では十分に示すことが不可能な美しさや意味がある。しかし、あらためて考えてみて、日本語は日本に特徴的なもう一つの重要な矛盾を浮き彫りにしていると確信するに至った。それは、物事が複雑になりがちななかで簡潔さを求めるということだ。

言語学的な観点からすれば、前者が後者を圧倒しているのは疑いがない。日本語では必要以上に複雑な表現をしないなどということはないかのようだ。その点、中国語はとてつもなくシンプルな言語で、動詞の活用や名詞の性、時制はこんまり流のクローゼットのようにすっきりとしている。たとえば、過去形は動詞の後に「le（了）」を付けるだけでいいのだ。これを英語でやるとしたら、「I go（我去）」が過去形では「I go *le*（我去了）」となるわけだ。中国語の場合、覚えなくてはならない漢字はたくさんあったものの、語学の枠を越えて思想について考えられる余裕があった。これが日本語になると、思考停止状態に追い詰められたような気がした。動詞のさまざまな活用とその否定形を覚えることに頭の中のスペースをすべて割かなくてはならなかったのだ。

日本人の友人に文法の複雑さについて訊いてみたが、ゆっくりとうなづき、あいづちを打ってくれるだけのことが多かった。疑問を解消してくれるような答えが返ってくることはめったになかった。最初の頃わたしが思ったのは、自分の質問が言語についての何らかの禅的瞑想をもたらしたのではないかということだった。相手が退屈するか混乱して——どの層の日本人と接してもいちばんよく見られた反応がこの二つだった——黙りこくってしまったという可能性もあった。あるいは、単にわたしが英語で話していたからだったのかもしれない。日本人にとって英語は悪名高いほど習得が困難と受け止められているからだ。

フェアな立場で言うと、わたしの日本語に比べれば、日本人が英語で直面する問題は些細なものにすぎない。わたしは以前ほど若くはなく、根気強く取り組むことができなくなり、元気いっぱいの男の子二人がいたことで時間がなくなっていた。わたしは日本語での数の表し方について一〇〇万とおりの方法を試してみたが、どれもうまくいかなかった。だが、だからといってその理由を日本語が難しいからだと非難するのは、言い訳にすぎない。

「one」を例に挙げると、「one person（一人）」、「one-year-old（一歳）」、「one umbrella（一本の傘）」、「one coffee（一杯のコーヒー）」、「one ticket（チケット一枚）」、「one month（一カ月）」のように、すべてのケースで言い方が異なるのだ[57]。日本語を教わっていたミチコさんに、近道やコツを教えてほしいとすがりついた。しかし、彼女は残念そうに首を振るだけだった。「ごめんなさいね、覚えるしかないの」。わたしはどこでも「先生のお気に入りの生徒」だったが、初めてレッスン中に脱線するようになってしまった。レッスンが早く過ぎて終わりになるよう、時間を浪費する挙に出たのだ。わたしは英語に切り替えて、猫のようなミチコさんが大好きなのを知っている話題を意図的に出していった。

ミチコさんがレッスンをキャンセルしたことが一度だけあったが、それは彼女が猫のデンタルケアに関するセミナーに参加するのが理由だった。「猫の歯のブラッシング、どうされてますか？」初回のレッスンが終わった後の雑談で、彼女がそう（英語で）尋ねてきた。「うちはしませんね」とわたしは（やはり英語で）答えた。彼女はその返答に明らかにおののいており、わたしにそのような告白を強いてしまったことへの恥ずかしさから顔を真っ赤にさせた。彼女は教科書で鼻を隠して気持ちを落ち着かせようとしたが、そうなるまでには時間がかかりそうだった。しかしちょうどそのとき、飼い猫の「トーフ」が暗がりから姿を現し、足を身体にこすりつける仕草をした。

ミチコさんはすぐに大興奮状態に切り替わり、「あらー、トーフちゃん！」と猫なで声で言った。金継ぎや坐禅、安全、時間に几帳面なことなど、日本の大好きなところはいくつもできていたが、これらに匹敵するほど気に入ったのは、日本人が猫をはじめペットに敬称を付けて呼ぶことだった。

日本でもっとも一般的な敬称は「さん」で、これはインド人が名前の後に付ける「ジー」に似ており、「ミスター」や「ミセス」とは異なり男女関係なく使うことができる。しかしこちらは「ジー」以上によく使われており、友だち同士でも「さん付け」で呼び合うことがあるほどだ。「さま」という、「さん」よりも敬意を表す言葉もあり、社会的地位の高い人やゲスト、顧客などを呼ぶときに用いられる。刑事事件で裁判にかけられる者には「被告」という言葉が付き、裁判が始まる前の段階では「容疑者」と呼ばれる。「君」という敬称もある。地位が上の者が自分よりも下と見なした者を呼ぶときに使われることが多い敬称だ。そして「ちゃん」を忘れてはいけない。子どもを呼ぶときに付ける愛情がこもった言葉で、英語の「マスター」や「ミス」に若干似たところがある。

ほかにも「坊」「先輩」「後輩」などさまざまな種類があるが、わたしがとくに魅了されたのは日本人が猫のような動物に声をかけるときに「ちゃん」を付けることだった。うちの猫をミチコさんが「トーフちゃん」と呼ぶのは、「トーフ・ジー」や「ミス・トーフ」と言うのに等しいことなのだ（面白いのは、「ちゃん付け」をされるのは犬と猫だけで、サル、ヤギ、タヌキ、トラといったほかの動物は大人に使われる「さん」が用いられる）。

いずれにせよ、わたしは日本語のレッスンを一年以上にわたり辛抱強く続けていった。この間、ミチコさんから教科書をスタンダードな『*Japanese for Busy People*（忙しい人のための日本語）』から、より初歩的な『*Survival Japanese*（サバイバル日本語）』にダウングレードされるという恥ずかしい思いもした。「あなたにはこちらのほうが合っていると思うの」。彼女はそう婉曲に言って、教科書の変更を提案したのだった。しかし、最終的にわたしが習得した成果は、タクシーに乗ったときに運転手に次の信号で右折するか左折するか指示を出せることとくらいだった。その程度か、と思うかもしれない。しかし、わたしはそれを非常に丁寧な言い方で伝えることができるようになったのだ。

ほぼすべてのケースで、日本語を話すときの表現は会話のフォーマル度というコンテクスト、それに相手の社会的地位によって変わってくる。たとえば、あなたが友人に「I saw our teacher, Tomoko-san（トモコ先生に会った）」と伝えたいとしよう。たとえあなたと友人の社会的地位が同じレベルだとしても、敬語を使う必要が生じてくる。なぜなら、この文の主題である「先生」はどんな状況であっても「高い」地位にあるからだ。したがって、「トモコ先生にお目にかかった」というような言い方になるのだ。

日本語学習は苦難の道だったが、語彙という水滴を少しずつ増やしていけば、いずれ比類なき知恵の泉に結実するはずだという希望を失ってはいなかった。しかし、ある日のレッスンでこんな一幕があった。わたしは「The cat was cute and playful（あの猫はかわいくて遊び好きです）」という意味の作文をしようとした。「and」を意味する接続詞として、自信を持って「と」という日本語を使った。これはレストランで注文するときに必須の語彙の一つだった。「スパゲッティ『と』ケーキをお願いします」といった文章は滑らかに言うことができたのだ。

ミチコさんはわたしに気の毒そうな視線を向けた。自分がこれから傷に塩を塗り込むようなことをするのがわかっていたからだ。「『and』という意味で『と』が使えるのは、二つの名詞をつなげるときだけなの」と彼女は言った。形容詞を二つつなげる場合は、そう簡単にはいかないのだそうだ。「ごめんなさい」と謝る彼女。二つの形容詞をつなげるには、最初に来る形容詞を別の動詞の形にする必要があるという。さらに、否定的な意味合いを持つ形容詞を肯定的な意味合いを持つ形容詞とつなげる場合には、また別の規則があるとも説明された。したがって、「the room was big and cozy（この部屋は広くてくつろげる）」と「the room was big and messy（この部屋は広いが散らかっている）」では、活用が違うのだ。

些細なポイントではあったが、わたしにとってはこれが決定打となった。

数日後、わたしはミチコさんにメールを書き、これまでのレッスンはとても楽しかったし、やめるとなると非常に残念な気持ちになるが、ジャーナリストとしての仕事があるため学習を続けていく時間を確保することが難しくなってきたと伝えた。わたしが受け取った返事には、残念ですが決断は理解できますと記されていた。振り返ってみれば自分はかなりの進歩を見せた非常に優秀な生徒だったと思っているが、当然ながら仕事のほうを優先しなくてはならなかったのだ。

このやりとりは、不誠実さを詫びる際の定型文としては傑作だったと言える。ミチコさんは、気まずい決裂になっていたかもしれない状況をエレガントな日本的終幕に導いた「優秀」な生徒のことを誇らしく思ってくれるかもしれない。

## 第5章

# 外国人の方はご遠慮ください、わたしたちは日本人ですので

日本で迎えた三度目の春のことだ。東京のあちこちで、桜のそばに謎の看板が登場し始めたのだ。そこには1から40まで番号が振られた四角形が順番に並んでいた。うちの子どもたちとわたしが近所のスーパーに歩いて行くとき、その看板の前を通りかかった。公園の前にももう一つ、歯科医院の近くにもさらに一つあった。

わたしたちはあれがいったい何なのかについて、一生懸命知恵を出し合ってみた。地域の抽選会？　近所のビンゴゲームかも？　小さい子どもに数字を教えようとしてるんじゃないかな？

その後、ある日の朝になって番号が顔に変わっていた。ポスターに写っているのは、さわやかな雰囲気の男性で、判で押したようにダークスーツを着て、当たり障りのない色のネクタイを締めていた。ところどころに女性のポスターもあった。こちらのほうも非の打ち所がないほど小ぎれいで健康的な印象を醸し出していた。そこでようやく、これが日本における民主主義の実践なのだということがわかった。こうしたポスターは、全体で九〇〇を超える議席を持つ、東京二三区の議会選に出馬した候補者のものだったのだ。

正直なところ、日本の地方政治よりも、看板の数字について子どもとやった当てっこのほうが楽しかったし、『ジャパンタイムズ』で記事として取り上げられていなければ、とくに関心を払うこともなかっただろう。記事によると、プラニク・ヨゲンドラという人物が江戸川区議会議員選挙で当選し、インド出身者としては日本初の政治家になったというのだ。これは取材せずにはいられないテーマだった。

他の多くの先進国とは異なり、日本は文化多元主義を受け入れようとはしてこなかった。この国には約二五〇万人の外国出身者がいるが、これは総人口のわずか二パーセントでしかない[58]。難民受け入れについて、日本政府はとくに慎重な姿勢をとっている。本書ですでに触れたように、二〇一九年に日本で難民認定申請をした者は一万三七五人だったが、そのうち認定された者は四四人だったのだ。

ロンドンやパリ、ニューヨークといった世界の大都市で公共交通機関を利用すると、万華鏡のように多彩な人びとの姿が目に入ってくる。ブリュッセルですら、自宅からジュリオのオフィスまでの移動で、自分の隣に座っているのがでっぷりとしたアフリカ人だったり、スリムな北欧系のインターン生だったり、何かにいら立っているヴェトナム人ウェイターだったり、カラフルな衣装に身を包んだロマ族の人だったりと、多彩な顔ぶれなのだ。こうした大都市では、肌の色や身につけている服で地元の人間と外国人を見分けることはできない。その街での生活方法やしきたりをどれほど理解しているか——バスで降車ボタンを迷わず押せることもそうかもしれない——についても同様だ

それが日本の場合、世界経済の中で中心的な役割を担い、豊かで安全な国という魅力があるにもかかわらず、東京では事情が異なっている。歯をたくさん見せる笑い方から頭の中で流れる音楽に合わせてはっきりとした声でハミングすることまで、あらゆる側面で外国人がいかに異質かを見きわめようとしているかのようだ。「他者性」は、帰化したか永住者かを問わず、外国人の名前はすべてカタカナで表記されることで示されている。

単一性を指向する傾向が強い日本にあってプラニク・ヨゲンドラが当選したことに、わたしは興味をそそられた。この人は明らかに外国出身者の外見をしているにもかかわらず、いったいどうやって日本政治という排他的な世界に入ることができたのだろうか？ わたしは初当選した彼の電話番号を調べ、取材を申し込んだ。時間に余裕がないことを説明するプラニクの声がしわがれていることが、電話越しにも伝わってきた。「取材の依頼がものすごく多くて」。のどが痛くてつらそうな声で彼がぼそぼそと言った。唯一空いているのは、翌週の祝日だけとのことだった。

だがその日はジュリオには出張の予定があり、子どもたちは学校が休みで家にいることになっていた。それはあなたの事情であって自分の事情ではないですからと言われるのは覚悟の上で、このジレンマを説明してみた。すると、子どもたちも一緒に連れてくればいいじゃないですかと彼が提案してきた。「大丈夫ですよ」。声を出しづらそうに彼が言った。「子どもは大好きですから。大歓迎です」

無邪気なプラニクは知らないのだ。うちの二人の子どもが、人類に繁殖を諦めさせる気分にさせる能力をときどき発揮することを。しかし、彼の申し出に従うよりほかに術はなかった。わたしは心の中でこのインドのおじさんに感謝しながら、子どもたちを連れていくことに決めた。日本では、女性が幼い子どもの育児をこなしながら家の外での仕事を両立させようとする場合、年輩の男性――非協力的なことが少なくない――と折り合いをつける必要があることをわたしは理解していた。二〇一七年には、熊本市の緒方夕佳市議会議員が生後七カ月の乳児を議場に同伴しようとしたところ、規則に反するとして断念したことがあった（彼女は次の年にも退席を命じられた。このときは、のど飴をなめながら質疑をしようとしたというのが理由だった[59]）。

アポイントメント当日の朝、子どもたちとわたしはメトロに乗って、プラニクが住む江戸川区西葛西に出かけた。東京東部の郊外が近くなっていくにつれて、日本人という海の中にインド人の顔が漂流物のように姿を現し始めた。この時点でわたしが東京に来てからそこそこ月日が経っていたが、日本のメディアで東京の「リトルインディア」と呼ばれるこの地域に足を踏み入れるのはこれが初めてだった。

わたしたちは電車から降りて、静かな住宅街を歩いていこうとした。片方の目でグーグルマップを、もう片方の目で周囲を見ながら、西葛西がほかの地域とほとんど違っていないことにわたしは少しがっかりしていた。そこにはブリック・レーン〔ロンドンの通りの名前〕のような雰囲気はなかった。一九六〇年代的な、モダンで清潔、緑が多くて機能的――これぞ典型的な東京の住宅街、といった趣だった。しかし、事前のリサーチで、西葛西にはインド料理店が数軒、スパイスを扱う店が三軒、六〇〇人の生徒が通うインド人学校があることをチェック済みだった。二〇一八年の時点で一万一一五三人いる在日インド人のうち、約三〇パーセントに相当する四〇〇〇人程度がこの地域に住んでいた。その多くはＩＴエンジニアやソフトウェアのプログラマーだった。[60]

日本の基準では、これは決して少ない規模ではない。比較のための例を一つ挙げると、四〇年前の時点では、東京在住のインド人は四四〇人しかいなかった。[61]インド人の急増が始まったのはミレニアムの頃で、「二〇〇〇年問題」をめぐる懸念が高まったことで日本企業がＩＴシステムのアップグレードを図るべくインド人エンジニアを大急ぎで雇用したためだった。二〇〇〇年にはインドからのソフトウェアエンジニア向け労働ビザの期間が、一年から三年に延長された。

西葛西にこうしたエンジニアが住むようになったのは、公共住宅を扱う「ＵＲ都市機構」の団地が保証人なしでインド人への賃貸を行うようになったことに加え、より重要な点として、日本人との差別をしなかったためだ。当時、外国人がアパートを借りるのは容易ではなかった。日本人の大家の多くが、「ガイジン」は信用できないと感じていたからだ。

その後の歳月の中で、人口をめぐる日本の状況は悪化した。約二〇万人のＩＴエンジニアが不足する事態に直面し、その規模は二〇三〇年には六〇万人にまで拡大すると予測された。[62] 二〇一八年に日本政府は、「高度人材」向けの新たなビザ発給方針を発表し、対象者はビザの更新可能回数が無制限となるほか、家族を呼び寄せることも可能になった。だが、この措置に対する反応は鈍かった。専門知識を持つ外国人の多くが日本について、言語の面でもワークカルチャーの面でも外から来た人間を歓迎しないと受け止めていたからだった。[63]

　こうした背景から、わたしは次のような関心を抱いていた。外国人が制度面でも社会面でも日本の構造に統合されていく可能性について、プラニク・ヨゲンドラの人生はどのような影響を及ぼすだろうか、と。プラニクの自宅は幅は狭いがビルになっていて、日本の感覚では大きい部類に属していた。彼の母が切り盛りするインド料理店が一階にあり、わたしたちがそこを通ったときには香ばしいビリヤニのにおいが漂っていた。プラニクは細身で、髪の生え際が後退していた。タートルネックのセーターにジャケットを羽織った彼は、レストランの上階にある、カラフルなインドの布地が飾られた部屋にわたしたちを招き入れてくれた。「よぎ」――プラニクからこう呼んでほしいとお願いされた――は何脚か椅子を出し、わたしたちに腰かけるよう勧めてくれた。子どもたちはわたしたちの近くで、床の上にだらしなく腰を下ろした。

　話の中で、よぎは自分に投票してくれたのはインド人ではないのだと強調した。日本に長年在住している者であっても外国籍である限り選挙権はないので、よぎの当選に彼らの存在は影響していなかったのだ。彼いわく、選挙で獲得した六四七七票のうち、日本国籍を持つインド人は四、五票ではないかということだった。

　よぎはインド西部に位置するアンバルナートというムンバイ郊外で生まれた。父は軍需工場で働く機械工で、母は裁縫師をしていた。その後、一家はプネというさほど離れていない都市に引っ越した。よぎは大学で物理学を学ぶかたわら、夜は日本語とドイツ語を学んだ。一九九九年に彼は日本政府の国費留学生に選ばれ、東京の隣にある埼玉の大学で教育技術について一年間研究に取り組んだ。この留学で、彼は日本人の正確性や規律、清潔さに畏敬の念を抱いたという。「もう、信じられない感じでした」。いまでもそれに魅了されているかのように、彼は頭を振りながら言った。

二〇〇一年、よぎはＩＢＭでデータアナリストの職を得て再来日した。それ以来、彼は日本にずっと住んでいる。二〇一二年には、三度にわたる面接と山のような書類の提出を経て、日本国籍を取得した。審査では、警察が自宅を調査しに来たり、近所での彼の評判について聞き込みを行ったりといったことがあった。「あの人たちは、わたしがごみ出しのルールをきちんと守っているか、ご近所さんに尋ねたんですよ」と、彼は笑いながら言う。

日本におけるごみの分別は非常に複雑で、正しくやらないと近隣住民から眉をひそめられてしまう。そのため、ごみ分別についての理解を深めることが、東京の外国人コミュニティにとって最重要のテーマであるとよぎは考えた。結局のところ、インドでは大半の人がごみ出しの前に水分を含むものとそうでないものを分けるといった、ごく基本的なことすらしようとはしないし、道路脇のごみ溜めに物を放り投げることも珍しいことではないのだ。

この問題についてよぎ区議がさらに詳しく説明しようとしたちょうどそのとき、それまで何とかおとなしくしていた子どもたちが口喧嘩を始めた。よぎはおおらかに笑った。「かわいい男の子たちじゃないですか」とやさしく言うさまは、これぞ政治家といった本領を発揮しているようだった。

それで、もともとはデータアナリストだった彼はいったいどのような経緯で政治の世界に足を踏み入れることになったのだろうか？　子どもたちの喧嘩を収拾させると、わたしはその質問を彼に投げかけた。よぎいわく、いまの自分の原点は二〇〇五年にさかのぼるという。この年、彼はまず江戸川区の区民まつりでボランティアとして参加し、テントの設営や子どもが遊べる屋台の担当、終了後の清掃を手伝うという経験をした。その後、地域の行事で毎回ボランティアとして加わるようになったのだが、二〇一六年に地元のある区議会議員から、西葛西を「リトルインディア・イン・トーキョー（ＬＩＴ）」と位置づけて振興するという江戸川区の計画について相談を受けるまでは、いかなるかたちでも自分が選挙に立候補することは頭になかった。

　この計画は、西葛西でインド料理店の数を増やしたり寺院を建立したりするほか、インド人向けの病院を開設するといった内容が盛り込まれていた。だが、よぎはよい印象を持たなかった。「わたしたちに必要なのはさらなる統合であって、こういうゲットー化を進めることではないのです」と彼は言う。「病院を別に造るのではなく、いまある病院に英語ができるスタッフを増やすとか、区在住の外国人向けに日本語を学べる機会を増やすといったことのほうが大事なのです[64]」

　よぎは逆に、日本語クラスや「統合研修」に力点を置いた提案を行った。ここでようやく、これこそ研修の中心的テーマになるとよぎが確信していた、迷宮のようなごみ出しルールに話題が戻ってきた。もう一つの重要テーマは地震を想定した避難訓練だった。だが、彼の提案が採用されることはなかった。「区が計画を変えてくれないのであれば、こちらで変えてやろうと思った」のは、このときだという。それから三年後、彼は駅前やショッピングモールの前に立って、支持を呼びかける活動をするようになった。

　よぎは、外国人に好意的ではなく、人種差別的とすら言える社会の中で自分が選挙で勝つのは容易ではないことを十分承知していた。彼はそれまで自分自身が人種に関わる差別をあまりに何度も経験していたため、一つひとつを覚え切れないほどだった。非常によくあるのは、地下鉄で日本人はインド人の隣に座りたがらないことだという。混雑した車内で席が空いているときでさえも、座らせてもらえないことすらときどき起きた。「『おまえに仕事を取られたんだよ』と大声で言ってきた人もいました」。今日でさえも、外国人に部屋を貸そうとしない大家は少なくない。職場では、自分は社内のヒエラルキーを上っていったが、重要な意思決定にはずっと関わらせてもらえなかったという。何か提案をしても、却下されることが多かった。「あそこでは、わたしはアウトサイダーのままでした」

　日本人の友人がよぎを江戸川区民まつり実行委員会の委員にしてはどうかと提案したところ、最初は外国人という理由だけで却下された。「区民まつりの問題点を外国人が知ることはいいことではない、と聞かされました」とよぎは言う。しかし友人は「外国人がいろいろなかたちで区民まつりを手伝ってくれるのであれば、彼が実行委員会に入ることだって問題ないはずです」と反論した。それでも、よぎの参加が認められるには二年の歳月を要した。

　ところが、よぎが区議選に立候補した際、選挙運動に協力してくれたのは、このボランティア活動を通じて出会った多くの人たちだった。選挙カーを運転し、ビラ配りを手伝ってくれたのも彼らだった。よぎ本人は、地元のメトロの駅頭で選挙活動を展開し、立ち止まってくれる通勤客に自己紹介をした。「近寄ってきて、国に帰れ、この選挙は外国人のためにやってるんじゃないと言ってきた人がたくさんいましたね」と彼は語る。「選挙に出る前に公衆トイレの掃除をやれという男性も一人いました」

　しかし、よぎはポジティブな姿勢を崩さなかった。「どこだって嫌なことは起こるものです。少なくとも、日本では状況はよくなってきていると思いますよ」。実際、彼は区議選で当選を果たし、次の区長選に立候補する可能性についても意欲を見せているほどだ。

　帰る前、子どもたちとわたしは記念にとセルフィーを何枚か撮った。ビルの入口で、よぎは片手で咳払いをし、わたしたちの姿が見えなくなるまでもう一方の片手で手を振ってくれていた。駅に戻る途中、日本社会でいかに人種差別が浸透しているか——無邪気や無意識にというかたちでも、より深刻で

根本的なかたちでも――についてずっと、そして不快な気持ちを抱きながら驚かされたことについて考えていた。

前者の代表的な例は、よぎが指摘していた悪名高い「ガイジン席」だ。これは、車内が混雑しているにもかかわらず、外国人の隣は何があっても空いたままという状態を指し、日本人のなかにはガイジンの隣に座るよりも立ったままでいることを選ぶ者がいるのだ[65]。外国人がレストランで席を用意してもらえないという現象もあった。わたしたち家族にとってまさに初めて和食料理店で食事をしようとしたとき――東京に着いたその翌日というタイミングだった――の出来事は、その実状を目の当たりにさせられるものだった。

わたしたちは、格子戸に揺らめく「のれん」――そこが和食店であることを示す一種のカーテン――がかかった店の前に通りかかった。どんな食のアドベンチャーが待っているのだろうかとわくわくして戸を引き、店内を見ようとした。すると、着物を着た女性店員が慌てた様子でこちらに小走りでやってきて、両手を交差させ「×」のポーズを示した——日本では「ＮＯ」を意味するジェスチャーだ。予想外の失礼な対応に戸惑いながらも、わたしたちは片言の日本語で食事をさせてほしいと頼んだのだが、女性店員は顔の前で両手を交差させたままで、こちらに消え去ってほしいと祈っているかのように目をきつくつむっていた。ようやく目を開いたところでまだわたしたちが立っていることを見た彼女は、あたかも愚か者に接するかのように、ゆっくり「ノー・スシ」と言った。続いて、「ノー・テンプラ」とも。あちらが落胆しているのは明らかだったが、わたしたちは肩をすくめ、お店で出してくれるものなら何でも食べますからと伝えた。

最終的に入店が許された。ただ、どういうわけかテーブル席がいくつか空いていたにもかかわらずそちらではなく、カウンター席に通されたのだが。わたしたちはそこで、焼き魚と汁物という、おいしい（安くはなかったが）食事にありつけることができた。夜が更けていくにつれ、着物姿の女性店員は驚くほど対応が丁重になり、踊り子のように優雅な所作で日本酒をお猪口に注いでくれた。だが、入店時の一幕は居心地の悪い経験であることに変わりはなかった。

その後の数カ月で、一部のレストラン、場合によってはホテルでさえも、日本人以外の客が利用を断られるのは珍しくないことを知った。わたしにとってこれはショッキングだった。しかし、日本人の友人たちにこの慣行について尋ねてみたところ、とくに動じた様子はなく、「不適切な対応」とするものから「それはひどい」というものまで、反応はさまざまだった。

一つの説明として、件《くだん》の店員は英語が話せなかったため、外国人のニーズに応えられないのを恐れていたのではないかというものがあった。でも、どうして外国人には日本語ができないと言い切れるの？——わたしはそう反論した。次に言われたのは、外国人の多くが日本式の環境の中での「振る舞い方」を知らないという点だった。畳に上がるときに靴を脱ごうとしなかったり、携帯で大声で通話することでほかの客の気分を損ねてしまいかねなかったり、というわけだ。いずれの見方にも納得できないでいると、特定の店や施設から外国人を締め出す対応は、「あなたのような」外国人を想定したものではなく、中国人に対してなのだ、と慰めるように言ってくれた友人もいた。

二〇一七年に日本の法務省が実施した調査では、三分の一近い外国人が、自分の人種的属性ゆえに軽蔑的な言葉を投げかけられたと回答したほか、約四〇パーセントが住宅関係で差別を経験したとの結果が出ていた。四二五二人の回答者のうち、半数以上は中国人か韓国人だった。四〇パーセント以上が一〇年以上日本に在住していた[66]。

就職希望者のうち四人に一人が外国人であることを理由に採用を拒否され、五人に一人が同等の業務でありながら日本人社員より給与が低いと回答していた。こうした差別は語学力が関係しているとの見方を否定するかのように、不採用となった外国人の九五パーセント、それに住宅関連の契約を断られた者の九〇パーセント以上が、日本語を「会話レベル、専門レベル、ないし流暢に」話すことができた。

こうしたなか、わたしは日本における人種差別について調査をしてきた有道《あるどう》出人《でびと》にコンタクトをとってみた。『*Embedded Racism: Japan's Visible Minorities and Racial Discrimination*（組み込まれたレイシズム——日本における明白なマイノリティと人種差別）』という著書がある有道は、日本社会で差別的な慣行が広範に行われていると主張し、それに対して積極的な抗議活動を展開している人物だ。日本のような国で沈黙を拒むことで、彼は間違いなく特異なポジションに置かれた存在になった。

有道はアメリカ出身で、一九九一年以来日本に住み続け、二〇〇〇年には日本国籍を取得した。一九九九年、彼が家族とともに北海道の小樽で入浴施設に入ろうとしたところ、外国人であることを理由に拒否されるという事態が起きた。日本人の妻が、その対応は日本で生まれ育った娘たちにも適用されるのかと質したところ、店長は「日本人に見える」娘のほうは入店できるが、もう一人は不可との回答があったという。

有道は電話取材に応じてくれた際、居場所については、それを明かすと自分を嫌う人間から危害を加えられることになりかねないとして教えてもらえなかった。この入浴拒否問題がきっかけで、自分は活動家の道を歩むことになったと彼は指摘した。彼の考えでは、ある意味、自分のような明らかにマイノリティの外見をした人間のほうが、韓国人のような北東アジア人よりも人種差別の対象になりやすいのだという。彼は日本で警察から職務質問を受けたり、身分証明書の提示を求められたりしたこれまでの経験を長い時間をかけて語った。彼いわく、こうした行為が行われる唯一の理由は、日本の警察では一般的な「人種的分析《レイシャル・プロファイリング》」が実践されているからで、政治家もそれを黙認しているのだという。有道は、強い人気を誇り東京都知事を三期務めた石原慎太郎が二〇〇〇年に自衛隊員に対し行った演説で、災害発生時には外国人による騒擾事件が起き、治安が不安定になる可能性すら想定されるため、そうした事態に対処できるよう準備をしておく必要があるという発言をしたことを指摘した[67]。また石原は、外国人による事件によって日本の犯罪発生率が高くなっていると繰り返し非難しており、同様の指摘は警察庁もしていたという[68]。

特定のビジネス——温浴施設や温泉、美容室、風俗店——で日本人のみにサービスを提供すると謳う貼り紙や看板が日本では例外的ではないという事実がある。有道のブログでは、外国人を排除する内容の貼り紙や看板が、気が滅入るほど数多く掲載されている。わたしが彼のサイトを見たときには、北海道コンサドーレ札幌所属のサッカー選手、ジェイ・ボスロイドが、日本人ではないという理由でゴルフ場の利用を断られたことが投稿で取り上げられていた[69]。沖縄のダイビングやハイキングを扱う旅行会社、それに東京で人気の浅草エリアにあるバーで確認された「Japanese Only（日本人専用）」の貼り紙について取り上げた記事もあった。

メディアで一時期悪名高くなったものとして、ミシュランガイドで二つ星を獲得した銀座のすし店が、在日三〇年で日本語も流暢な中国人ジャーナリスト、莫邦富《モーバンフ》の予約を受け付けなかったというケースがある。のちに店側は、ホテルのコンシェルジュ経由の場合を除き、日本人ではない客からの予約は受け付けていない方針であることを認めた。その理由として挙げられたのは、店の従業員は外国人客に「必要事項」を説明するだけの語学力を落ち合わせていないということだった。(70)

海外で日本人が経営する店では「Japanese Only（日本人専用）」の貼り紙や看板が掲げられているケースすらある。たとえばインド南部の都市ベンガルール（バンガロール）のあるホテルは、利用できるのは日本人に限っていることを理由として、インド人客へのサービスを断っていたことが明らかになった。(71)

わたし自身は「外国人お断り」といった類いの貼り紙や看板に遭遇することはなかった。ただ、ジュリオの同僚の一人が京都のレストランで、店の外にこう書かれた貼り紙があるのに気づいたという――「Foreigners Visiting ban – You guys not so welcome.（外国人利用禁止　あんたたちは歓迎されていないんだぞ）」。店の入口に「Foreigners Welcome（外国人歓迎）」と記された貼り紙を見かけることはときどきあった。だが、外国人に安心してもらいたいという店側の意図ゆえのものとはいえ、気まずい気分にさせられた。こうした貼り紙がないところでは外国人が歓迎されないということを示すものとして読んでしまったからだ。

特定の場所の利用を日本人にだけ許可するのは社会的な調和を保つという観点からとられた穏当な対応だというのは、かなり誠実さに欠ける説明だ。だが、こうした対応が日本における人種差別のもっとも極端な発露というわけではないのだ。その「栄誉」を手にしていたのは、悪意に満ちた人種差別的暴言を拡声器で叫ぶ極右団体による週末恒例の集会だった。

二〇一六年、法務省は二〇一二年四月から一五年九月にかけて、ヘイトスピーチが行われた集会――在日韓国・朝鮮人に対し「日本から出て行け」と言ったり、彼らを「ゴキブリ」のように踏み潰してやると脅したりした例も含まれる――が全国合わせて一一五〇件にのぼったと発表した[72]。こうした「右翼団体」は、公共の場で否が応でも目に入ってくる。警察庁の推計では、団体数は一〇〇〇以上で、構成員は合計で約一〇万人いるとされている[73]。

わたしたちが住んでいたのは極右主義者が結集する絶好の場所――中国大使館と韓国大使館――の近くだったため、わたしたちの日曜の朝は、映画『マッドマックス』を思わせる車列を組み、一八七〇年から一九四五年まで日本軍が用いた旭日旗を掲げ、軍歌が流れるなか聞くに堪えない内容をがなりたてる白髪交じりの七十代の一団によっていつも台無しにされてしまっていた。

一見平和主義的なこの国で、彼らのような旧態依然とした挑発的な者の存在以上にわたしが衝撃を覚えたのは――言葉の中身までは実際に理解できなかったから余計にそう感じられたのかもしれないが――、静粛を尊ぶ日本にあって音量があまりに大きいことだった。一般の通行人はこの一団を目に入れずにうまく過ぎ去っていった。地下鉄の車内で携帯電話で通話したり、バスで音を立てて煎餅を食べていたりする者は何度も舌打ちされる一方で、右翼団体のこうした行為にはまったく怒りが向けられていなかった。誰もが我関せずといったまなざしで、道を塞いで自国の軍国主義的過去の栄光を金切り声で叫ぶ者などいないかのように平然と歩いていた。

日本社会の大部分は、自分たちの国に人種差別の類が存在していることを否定しているようだった。人種差別というのは、白人が有色人種に対して行うものだという見方が支配的だったのだ。そのため、非白人国である日本はそのようなことを正す必要はないと考えられてきた。日本が稀有な単一民族国家で、「外の人間」がほとんどいない人種的に純潔な社会だという考えは深く根づいており、公の政策や議論の場には「人種差別」は一見関係ないとする見方の背景になってきた。

　こうした思考は、一八六八年の明治維新にその源流を求めることができる。維新後に発布された憲法は、天皇は万世一系であるという建国神話に基づいた国家体制の基盤を確立した。単一の人種的・文化的アイデンティティという考えは日本が作り上げた自国についての認識の中心となったことで、日本人は単一民族であり、それゆえに人種差別主義者になるはずがないという誤った理解をもたらしてきた。

　これは正しい見方とは言えない。日本人は紀元前四〇〇〇年頃に朝鮮半島から日本列島に渡来した「弥生人」とおよそ一万二〇〇〇年前に氷河期で海面が低下していたあいだに陸橋を徒歩で渡ってきた人びとが混在して構成されているというのが学術的な共通認識になっている〔原文ママ。弥生人や縄文人の渡来時期やルートについては諸説ある〕。だが、一般的な日本人は民族的な起源について十分に意識していないままだ。伝説では、紀元前六六〇年に天照大御神の子孫で初代天皇の神武が奈良盆地に東征したことで建国に至ったとされるが、多くの人びとはこれを批判的な検証を要しない真実に近い話として受け止めている。今日においても、神武天皇が即位した二月十一日は「建国記念日」と位置づけられている[74]。

　明治期以降に日本で人種という要素に基づいてナショナリズムが台頭した要因の一つは日本列島という地理的に孤立した環境であり、一六〇三年から二六五年にわたり日本を統治した江戸幕府の政策によって増幅されたものだった。江戸期には外国人は日本から追放され、外部との接触は禁じられた[75][76]。一八五三年にアメリカ海軍のマシュー・ペリーが来航して開国を要求し、その後結ばれた一連の「不平等条約」によって西洋との通商が行われるようになったことで、日本の鎖国状態はようやく終わった。このときに強いられた屈辱は、なぜ民族的・文化的特異性という考えが西洋列強の支配下にある世界において自国が対等な存在であるという主張を展開していくなかで基盤になってきたかを説明するものだと言える。[77]

だが、実は日本は民族的にも社会的にも単一ではなかった。アイヌ民族は今日では北海道に一万二〇〇〇人から一万五〇〇〇人が住んでいるにすぎないが、彼らは弥生人よりも前、ことによると数千年も早くから日本に来ていた。アイヌの起源は判明しておらず、諸説あるが、そのうちの一つは温暖な気候を求めてシベリアから陸橋を渡って日本列島にやってきたモンゴロイドではないかというものだ。[78] 彼らの言語や文化は日本の主流のそれとは明確に異なっているが、それだけにその存在は神武天皇による建国神話からすれば受け入れがたいものに映った。その結果、二十世紀の大半の期間で、彼らは同化を強いられ、民族として公式に承認されることはなかった。国際的な圧力もあり、日本政府は二〇〇八年にアイヌが「独自の言語及び宗教を有し、文化の独自性を保持している」少数民族（五月二十日の国会における政府答弁書）であることをようやく認めた。これを法制化したもの（「アイヌ施策推進法」、いわゆる「アイヌ新法」）が可決されたのは、二〇一九年四月になってからだった。[79]

アイヌ以外にも、日本には韓国・朝鮮人という一定の規模を持つマイノリティがいる（中国系の人びとと並んで、彼らは右翼団体の標的にされている）。こうした韓国・朝鮮人――日本国籍を取得した者ないし永住者――は「在日」と呼ばれ、現在その数はおよそ六〇万人にのぼる。こうした人びとのなかには、日本が韓国を併合して正式に植民地とした一九一〇年以降の時期に来日のルーツがある者もいる。第二次世界大戦時に、日本が炭鉱や軍需工場で必要な労働力として徴用工を連れてきたことで、日本における朝鮮人の数は急増した。終戦時には国内に二〇〇万人近い朝鮮人がいた。日本が一九五二年に主権を回復したことに伴い、「在日」は在住期間が数十年に及ぶ者も含めて、国籍を喪失することになった（講和条約の発効による結果）。

朝鮮半島に帰還した者も少なくなかったが、大半はあからさまな偏見が向けられてはいたものの、日本にとどまることを選んだ。時間の推移とともに帰化する道を選んだ在日もいたが、生き残るためには民族的バックグラウンドを隠していかなくてはならなかった。韓国・朝鮮人は日本風の氏名に改めることを強いられたのだ〔一九八五年の国籍法および戸籍法の改正まではこのような指導があったとされる〕。なかには、自分の子どもに祖先についての知識をあえて教えないことにした者もいた[80]。

在日は日本での苦難の道のりの中で、スケープゴートにされ続けてきた。一例を挙げると、一九二三年に関東大震災が起きると、朝鮮人が井戸に毒を投げ込んでいるという噂が広まったことで、数千人（および数百人の中国人）が日本人の自警団に殺害された[81]。今日でさえも、在日はパニックに端を発し、ＳＮＳの場で増幅される流言による被害の対象となることがしばしばある。二〇一四年には、広島県で土砂災害が発生した際に、在日韓国・朝鮮人が避難で人がいなくなった家で空き巣を行っているという誤った嫌疑がかけられたことがあった[82]。最近の例では、二〇一八年六月十八日に大阪で地震が発生した後、インターネット上では反外国人感情が噴出した。『ジャパンタイムズ』の報道によると、韓国・朝鮮人がコンビニやＡＴＭの略奪を行う可能性があることを示唆する内容がツイッターに投稿されたことがあったという[83]。

韓国系アメリカ人作家のミン・ジン・リーが二〇一七年に出した小説『パチンコ』は、在日が直面するジレンマを知るための絶好の作品だ[84]。この本では、韓国・朝鮮人は性格が「暴力的」で「感情的に不安定」という理由で就職を拒否されることが日常的にあるため、多くが犯罪に走らざるを得なくなっている様子が描かれていた。彼らはパチンコ店の経営に深く関わるようになった。

「部落出身者」と呼ばれる伝統的な被差別「カースト」――インドのダリット〔かつては「不可触民」と呼ばれた〕に相当する――もある。被差別部落出身者は民族的にはほかの日本人と見分けがつかないが、その存在は見過ごされがちで、「ほかにはない」社会的単一性という日本人の自己認識とは矛盾を来している。

被差別部落出身者の正確な数は定かではないが、日本人のうち一〇〇万人から二〇〇万人が該当すると考えられている。[85] 彼らについて書かれたものを初めて読んだとき、インドでかつて「不可触民」と呼ばれた人びとに酷似していることに衝撃を受けた。被差別部落出身者は、屠畜に関わる「不浄」な仕事に従事する者は汚れた存在であるという歴史的な言説によって規定されているという。ダリットと同様、被差別部落出身者も伝統的に住めるのは特定の地域に限られ、その他の日本人との結婚は避けられがちだ。被差別部落出身者に突きつけられる偏見は、インドのダリットが耐え忍ばなければならない差別よりはかなり小さい。だが、被差別部落出身という烙印は、多くの日本人が考えるほど簡単に消せるものではない。[86]

被差別部落出身者の起源については諸説あるが、仏教で肉食が忌避されていることと関連しており、そこから獣肉を扱うこと自体が不浄だという認識が形成されたと見られている。だが、被差別部落出身者が常態的な階層として確立されたのは江戸時代（一六〇三―一八六八年）で、このとき彼らを「士農工商」とは別枠の存在とする調査が行われたことを受けて、特定の差別的政策が導入された。[87] 被差別部落出身者には、居住地や着る衣服、生業を制限する一連の法が適用された。

明治新政府は被差別部落出身者に対するあらゆる差別を禁じ（一八七一年の太政官布告）、一八九八年には戸籍に被差別部落に関わる事項は記載されないようになった。だが、被差別部落コミュニティの大部分は貧しいままで、教育を受ける機会や結婚、雇用といった局面で高いハードルに直面する状況が続いている。二〇一四年に東京都が行った調査によると、回答者の二六・六パーセントが自分の子どもが被差別部落出身者と結婚することには反対だと答え、二〇一二年に愛知県で行われた同様の調査では、そうした結婚に反対だと答えた者の割合は四八・五パーセントにものぼった。[88]

こうした状況にもかかわらず、この隅に追いやられた集団について公共の場で議論されることはほとんどない。そのため、彼らの苦境が認識されることはめったになく、存在そのものがあるべき「日本の調和」という絨毯の下に隠されてしまうという結果がもたらされた。日本での歳月の中で、わたしはインドのカースト制度について質問を受けること——日本人は相手の気分を損ねまいとするので、ためらいがちにではあったが——がよくあった。まるで、このテーマが質問をした当人にはまったく理解できない、異質で、醜悪とすら言えるけだものであるかのように尋ねられたものだ。それは日本で被差別部落が形成されたのと似ていると思います、とわたしは答えた。そのときの反応は、顔を赤らめてしどろもどろになる者もいれば、ぽかんとして「ブラクって何？」と言わんばかりの表情を見せる者もいた。羞恥心がある一方で無知もあったというわけで、恥ずべき秘密がたしかに存在することを表していた。

　あるとき、東京の日本外国特派員協会で徳川家広による講演が開かれ、わたしも出席した。彼は江戸幕府による成果が過小評価されているという立場で、自らの祖先が成し遂げた教育や衛生、農業面の改革について表現豊かに語っていた。質疑応答のセッションになるとわたしは挙手し、被差別部落に対する差別の強化のような、江戸時代に起きた明るくない側面についてどう考えるかと訊いてみた。敵意のこもったざわめきがすぐさま会場に広がった。徳川は咳払いをしてから、あなたの質問は自分の講演のテーマに即したものではないという趣旨のことを言って話題をそらした。

　日本において偏見が長い歴史を持っていることは明らかだが、日本人のなかにもさまざまな生き方があり、その過程でさまざまな経験があることもまた明らかだ。にもかかわらず、社会にはこの多様性を否定しようとする強い姿勢があるように見えた。「different」を表す日本語は「違う」だが、「（相手が）誤っている」という意味にもなることは、そうした姿勢を指し示しているかのようだ。日本で単一性がどう教えられているかについて理解できるようになったのは、数人の「帰国子女」——海外で教育を受けた後に日本に帰って学校に入った子どもたちのこと——から話を聞かせてもらったときだった。

わたしがインドで通った学校では、海外で数年過ごしたのちに中学校から入ってきた生徒が何人かいた。そうした生徒は、親が外交官だったり多国籍企業の役員だったりで、冒険や希望の雰囲気を漂わせていた。わたしたちは彼女たちの友だちになりたいと思い、スペインやドイツでの生活についての話を聞かせてほしいとせがんだものだった。彼女たちは人気者になるのに一生懸命がんばる必要はなかった。もちろん、こうした反応には、一九八〇年代のインドは貧しい発展途上国で、「海外」とはすばらしいもの、豊かなもの、おしゃれなものだという認識があったことも一因だということは自分でもわかっている。

日本はすでに豊かで先進的な国ではあった。そのような国であっても、わたしはルース・オゼキが二〇一三年に出した小説『あるときの物語（上下）』で、主人公のナオ・ヤスタニがアメリカからの帰国子女だったため目立つというだけでクラスメートからいじめに遭う様子が鮮明に描かれている部分を読んだとき、気持ちをかき乱された[89]。小説では、ナオは言葉と態度による暴力にさらされ続けていた。彼女は下の名前ではなく「転校生ヤスタニ」と呼ばれ、クラスメートは彼女に近寄ると鼻をつまんで「ガイジンくさい」と大声で言った。教師もこうしたいじめをやめさせるどころか、逆に加担することすらしばしばあった。彼らは彼女の流暢な英語に劣等感を覚えたため、やはり彼女がいじめられる側でいてもらったほうが都合がよかったのだ。その後、彼女はクラスメートから物理的な暴力を受け、深刻な傷を負うことになる。

帰国子女がいじめの対象になることは、夏の後には秋が来ることのようにごく当たり前のこととして受け止められている。わたしはこの問題を取り上げた学術的な記事にいくつも目を通すなかで、恐怖が込み上げていった。いくつか例を紹介してみよう。

「帰国子女は日本人の英語教師よりも英語が上手であることが多いため、教師の顔を立てるべく話してはいけないという救いようがない状況に往々にして置かれていることは、当然のこととなっている」(90)。

オオサワによれば、帰国後に息子のタツヤがひどいいじめを受けたという。彼のクラスメートは、彼をからかったり、時にはいやがらせをしたりするようになった。彼らにとって目障りだったのは、次のような事柄だった。

1. 彼が話す日本語が文法的に正しくなかった。
2. 「わかりません」を示すジェスチャーがあまりにアメリカで、かっこよく振る舞ったりかっこよく見せたいという印象を与えた。
3. 女子のためにドアを持っているようなわざとらしい振る舞いがあまりに「西洋的」で「レディーファースト」だった。
4. 日本語で話す際にあまりに多くの英単語が混じっていた。

こうした違和感から、タツヤのクラスメートは彼の背中を傘でつついたり、鉛筆を削ったときのかすを昼食に混ぜたり、汚い言葉のメッセージを送ったりするようになった。日常的にいじめが行われたことで、彼は十二指腸潰瘍の診断を受けるに至った(91)。〔引用文献は一九八六年に刊行されたもの。英訳から再度日本語に訳出した〕

わたしは自分でもこうした経験をした人がいないか訊いてみた。ジュリオとわたしにとって良い友人だったカップルは、ともに帰国子女だった。男性の方――シンと呼ぶことにしよう――は帰国して東京の高校に通うまでスイスで勉強し、女性の方――マユミと呼ぶことにしよう――はニューヨークで生まれて小学校入学に合わせて東京に戻ってきた。二人とも、日本人的な振る舞い方をしっかりとわかっていなかったことで学校でいじめを受け、それがトラウマになったと話してくれた。

給食に魚が出る日には、マユミは魚の頭を食べないとばかにされるのを耐え忍ばなくてはならなかった。「アメリカでは誰も魚の頭を食べないので、わたしも好きではなかったんです」と彼女は説明する。彼女は食べ残した頭の部分をこっそりとごみ箱に捨てようとしたが、クラスメートがいつもごみの中から「釣り上げて」、彼女に戻してきたという。「ほかの生徒がわたしを取り囲んで、嫌々飲み込むまで『食べなよ！　食べなよ！』と大合唱していました。後で吐き出していましたが」。ほかの多くの帰国子女と同様、彼女も自分が英語を流暢に話せることを英語教師が嫌がっていることに気づいたため、話し方をすっかり忘れてしまうまで英語を話すのをやめてしまったという。「十代になって一から英語を勉強し直さなくてはならなかったんです」。ある日の夜、東京のわたしの自宅で彼女はそう教えてくれた。

わたしたちが知るシンは、洗練されていて、有能な職業人だ。彼は外国人といるときのほうがリラックスできるタイプだったが、強い愛国心を持ち続けていた。彼は副業として、日本を代表する保守政治家の一人のコミュニケーション戦略を支える仕事をしていた。ある晩にウィスキーを何杯か飲んだ後、彼は最初に日本に戻ってきたときに受けたいじめに対していかに怒りを覚えたかを思い出して、文字どおり涙ながらに語ってくれた。

彼がはっきりと覚えている記憶の一つに、全校集会で生徒の前に立たされ、校門の外にある自販機で炭酸飲料を買っているのを「見つかった」として校長から糾弾されたことがある。たしかにそれは校則違反だった。「だけど、それをぼくにどうやって知れと言うのでしょうか？　とにかく校則が多くて、本みたいな厚さだったんですよ」と彼は言う。結局シンは、自分の「異質性」が招くことになる不当な行為にずっとさらされるのではなく、学校をサボることを選んだ。「だめな子になってしまったんです」と悲しげに彼は笑った。シンは日本の学校での経験をこう総括する。「すべての生徒が一〇〇点からスタートして、いいことをしてもそれ以上の点がとれることはけっしてなく、『悪いこと』をすると減点されるのです。だから、いちばんいい対応は何もしないこと、言い換えればみんなと同じようにすることです。こういう考え方が染み込んでいくわけです」

だが、こうした閉鎖性が日本にはある一方で、変化も生じつつある。この変化がどれほど重要な意味を持つのかはまだ議論の余地があるが、外国人観光客や労働者が流入することで、それによって生まれるニューノーマルは以前よりも多様性を帯びるものになっている。インド出身のよぎはいまや江戸川区議会議員だ〔その後、区議を辞して二〇二一年の東京都議選に出馬するも落選〕。ほかの分野でも、典型的な日本人とは異なる顔つきの人びとが日本を代表するようになっている。ハイチ系日本人の大坂なおみは、日本のテニス界の顔と言える選手だ。二〇一九年のラグビーワールドカップで大活躍した日本代表チームは、人種的にも出身国としても多様な背景を持ちながら来日したトップ選手からなるチームだった[22]。

わたしが東京に来てまだ一カ月しか経っていなかったとき、インド人と日本人のハーフで、ゾウ使いの資格を持つ吉川プリアンカが二〇一六年のミス・ワールド日本代表に選ばれたという発表があった。多くの国では吉川が巨大な哺乳類を巧みに扱うさまが注目を集めることになった。それに対し日本で彼女が注目を集めた要素は、「ハーフ」――複数の血統的ルーツを持つ人びとを指す言葉――だったことだ。

吉川さんは東京生まれで、インド人の父と日本人の母を持つ。メディアの取材に対し、彼女は自分の肌の色が理由で学校でいじめに遭ったと語っていた。彼女はアメリカで数年過ごした後、十歳のときに日本の学校に戻ってきた。「日本に帰ってきたときは、みんなわたしのことをバイキンだと思っていましたね。わたしに触れるのは何か悪いものに触るようだって」[93]

　しかしいまや、その彼女が世界の舞台で日本を代表するまでになっているのだ。実は、こうしたミスコンでハーフが日本を代表するのは吉川さんで二年連続となる。二〇一五年のミス・ユニバース日本代表に輝いたのは、アーカンソー州出身のアフリカ系アメリカ人を父に持つ宮本エリアナだった。日本代表となった二人がいずれも白人とのハーフでなかったという事実は、わたしには重要な意味を持つように思えた。ほかの多くのアジア諸国と同様、日本人も「白さ」を「美」の証明とする見方にずっととらわれてきた。濃い肌の色を持つ二人を自国でもっとも美しい女性に選ぶことは、多様性を受け入れる方向に着実に進んでいることの表れのように見える。わたしの国では多様な外見を持つ人びとがいるが、それでも黒人とのハーフがミス・インドに選ばれるという事態は想像できない。

　吉川さんがミス・ワールド日本代表に選ばれたことに対する一般的な反応は抑制的で、怒りを強烈に示すようなものはなかったが、ＳＮＳではさまざまな反応が飛び交った。多くの人びとが彼女が代表としてふさわしいと考える一方で、やはり選考結果に疑問を呈する者もいた。

　あるツイッターユーザーが「いまこんなミスコンをやる意味は何なんだ？国の特徴がゼロじゃないか」とぼやけば、別のユーザーは「純粋な日本人顔じゃ代表になれないって言ってるみたいじゃん」と不満を書き込んだ。

　しかし、こうした見方に異を唱えるツイートもあった。「ハーフか純粋な日本人かは気にならないな。そもそも『純粋な』って日本語で言いたくないし。日本人としては、いちばん大事なのは気持ちなんじゃないか」

　日本における人種差別をインドという悪名高い国と比べようとすると、そもそもそのような試み自体が乱暴なことのような気すらしてくる。インドでは人種や宗教に基づく差別をもっとも醜悪なかたちで行われている。そこでターゲットにされるのは、ムスリム、低カーストの者、異宗教間のカップル、北東部出身者、さらには牛肉を食べる者まで、さまざまだ。黒い肌を持つアフリカ人に対するステレオタイプ化が、命に関わる襲撃事件に発展したこともある。たとえば、二〇一六年にはニューデリーで、コンゴ国籍の者がオートリクシャーへの乗車をめぐりインド人男性三人と口論になり、撲殺されるという事件が起きている。[94]

日本では人種差別はもっと上品であり、暴力的なかたちではない。沸騰するというよりは静かに煮えていると言うべきで、社会全般の内気さや抑圧の文化の中で存在している。外国人として東京の高級住宅街に住むのであれば、不快な思いを一切することなく暮らすことは可能だ。日本語を解せず、子どもも現地校に通っていないのであればなおさらだろう。人はみな親切で、頻繁におじぎをしてくれる。自分の持ち物が盗まれることはないし、誰もが列に並ぶ。外国人に対するネガティブな物言いが聞こえてくることもあるが、それはおそらく中国人に対してであって、「普通の」外国人の背中に向けられたものではないのだ。

だがそれでも、日本の「単一性」はひどく困惑させられると同時に懸念をもたらすものだ。統一性の徹底は家庭や学校、職場で制度的なかたちで行われ、そのためには強制的な手段がとられることもある。その結果生じる社会としての一体感は「信頼の増大」のようにベネフィットもあるが、同時に高い対価を払う必要も出てくる。調和を一方的に強調することは、異論や多様性を隠すことになり、そこに適合しない者を罰したり隅に追いやったりもしている。

今日の日本が直面する課題をめぐる状況は、すでに進行中の変化を受け入れているほどには変わっていない。日本はこれまでも単一文化の国ではなかったはずだが、もしそうした考えがあったとすれば、それはグローバル化が進んでいなかった時代にしか維持することが可能でなかった思い込みにすぎない。人口動態や経済面からの要請があるなかで、そうした考えはますます維持することが困難になりつつある。日本の総人口は、現在の一億二七〇〇万人から二〇四八年までに一億人を割り込むと予測されている。さらに二〇六〇年には約八七〇〇万人にまで減り、そのうち四〇パーセントを六十五歳以上が占めることになるという[95]。

日本政府は、特定の業種で肉体労働者向けのビザ発給要件を緩和することで世界に門戸を開き、この状況に対応しようとしている[96]。それは一部に限られた措置にすぎないかもしれないが、すでに着実なかたちで変化が生じている。東京のコンビニでは、店員がネパール人やヴェトナム人というケースはいまや当たり前の光景だ。わたしが住んでいた地域のスーパーには、スペイン人の配送スタッフがいた。高齢者施設はフィリピン出身のケアワーカーがたくさんいる。日本の一部の人たちのあいだにはロボットを導入することで外国人労働者を受け入れる必要がなくなるはずだという期待もあるが、政府はすでに外国人がいることを前提にした未来を想定しているように見える。

日本が明確なかたちで多様性を増したことで、自国の本質が民族的純潔性に根ざしているという考えは何としてでもアップデートしなくてはならない状況に置かれるようになった。日本語や桜を愛でる気持ちから公共の規範を守る意識まで、日本を一つに束ねる綱として、民族という要素に代わる、より包摂的な価値観や行動様式はいくらでもある。これらはいずれも、特定の人種の明示的につながっているものではないのだ。わたしはヨギ・プラニクとの会話から、あることを思い出した。江戸川区議の彼は、自分に投票してくれたのはほぼ全員が日本人であり、インド人コミュニティはほとんど関わりをもっていないのだと説明してくれた。「すべては日本人の支持者、とくに若者のおかげです。彼らは、わたしがほかの退屈でどんよりした候補者とは違って、活力に満ちてパワフルであることに魅力を感じてくれたのです」――彼はそう語っていたのだ。

第6章

# タコを揉み込む

「ああパーラヴィさん、これがどれだけ難しいことか、わたしには説明できません」。丸顔のユミさんが、マグロの刺身を手際よく皿から口に運びながら、丸い目を大きく見開いてため息をついた。わたしたちは日本でもっとも人口が少ない地域である西部の鳥取県に来ており、伝統的な宿泊施設である「旅館」の個室で食事をとっていた。

わたしたちの前には、何品もの料理が宝石のように光り輝いていた。キラキラとした新鮮な刺身の隣には、香ばしい出汁《だし》に漬けられたウニ。ごちそうが盛り付けられた陶器の皿が美しく並べられ、その艶は料理を引き立てていた。料理には、わかめ、わさび、味噌、餅といった、食通を自認している者であれば必ず口に上る食材が使われていた。

この訪問は日本政府観光局（ＪＮＴＯ）の招待によるもので、わたしは一週間かけて鳥取とその近隣エリアを旅していた。そのときのガイドがユミさんだった。日本の中でも「知名度が低い」地域、つまり「東京と京都以外の日本」をインドの人びとに紹介したいというのがＪＮＴＯのねらいだった。この一週間で、なぜここが「知られざる」地域なのかがわかった気がした。広大ではあるが、自分で交通手段を確保して移動するのが困難なのだ。ホテルはくたびれた雰囲気で、一九六〇年代のスタイルを色濃く残していたが、その一方で値段は気の毒なほどに現代の水準だった。浜辺の多くはごみが散乱していた。全部中国からのものです——ユミさんはそう説明してくれた。

それでも、日本海に面した景色は美しいと感じさせるところがいくつかあった。上質な博物館も驚くほどたくさんあった。しかし、ＪＮＴＯがこの地域でもっとも強力にプッシュしたいのは食だった。とことん新鮮な魚、ジューシーさ満点のナシ、絶品の牛肉がおすすめです、と。それも繰り返しそう言われた。そのことをぜひ実感してもらおうと、主催者は毎日三回、懐石料理を用意していた。「懐石」とは、格式の高い日本のコース料理で、旬の食材を活かすとともに、食事のさまざまな要素——味、食感、彩り、盛り付け——を調和させていることが特徴だ。一般的な懐石料理は、前菜が数品あり、煮物、刺身、「八寸」と呼ばれる旬の食材を使った品、焼き物と続き、最後はご飯もので締める、というかたちだ。

別の言い方をすれば、懐石とは特別なときに食べるごちそうということになる。わたしのガイドは日本人にしては飛び抜けておしゃべりな人だったが、彼女にとって懐石料理は仕事のなかでいちばんの楽しみだと教えてくれた。歴史にまつわるエピソードを諳んじてみたりトイレ休憩に連れていったりといった真っ暗なトンネルの先に待っている、おいしさを運んでくれる光、というわけだ。

ユミさんが話していた「難しいこと」とは、ＪＮＴＯからの依頼でインドの旅行代理店関係者からなる団体を案内する際——彼女の得意分野の一つだった——にどうしても直面することになる、食事面での災難を意味していた。彼女はインド人が好きだと強調するが、食事面で事細かに注文をつけてくることは、些細なものとはいえ日本の料理人に対する攻撃に等しいという。

「インドの方々はもちろんベジタリアンなのですが、豆腐は好みません。そうなると日本での食事はすごく難しくなりますから」と、ユミさんはうなりながら言った。「それから、日本料理のにおいが好きではないというのです。料理をつまんで犬のように嗅ぐ方もいらっしゃいます。それはすごく失礼なことなんです。あと、お店に自分の食べものを持ち込まれる方もいらっしゃいますね。これも日本では失礼なことになります」

　持ち込むって、どんなものを？　わたしはそう尋ねた。「チリソースとか、ピクルスのようなものですね」。少し身体を震わせながらユミさんが答えた。「多くのお店では受け入れられないことです。インド人の団体を連れてこないようにと言ってきたお店もありました。すごく難しいんです」と彼女は繰り返した。

　彼女はわたしのほうを見ると、表情を和らげた。わたしが食事をする様子を、母親のようなまなざしで見守っていた。「でもパーラヴィさん、あなたはすごく特別なインド人ですよ。わたしたちの料理を気に入ってくれて、お礼を言いたいです」。わたしは内心で罪悪感に苛まれていた。たしかに料理はすばらしく見えたし、芸術的でさえあった。蟹の卵、海藻の汁物、鰹節がかかった新鮮な豆腐、穴子の柳川、その他多数。ユミさんが満足げな視線を送るなか、わたしは次から次へと運ばれる季節の料理に感嘆の声を上げていた。だが、わたしはとんでもない秘密を隠していた——わたしは和食全般に対してそこまでぞっこんというわけではないし、とくに懐石料理にはあまり興味がないということを。これは冒瀆のように感じられる。これを認めるような発言をしてしまったら、気候変動についてたいして心配していないと言うのと同じように、リベラルな友人を失ってしまうことになりかねない。

　食事という点では、わたしはそこそこ冒険をするタイプだ。中国では、サソリやナマコを食べてみたが（結果は惨憺たるものだった）、そこで線を引き、犬やロバ、ネズミには手を出さなかった。だが中国には、日本にはない料理上の兵器が二つある——香辛料と調理法だ。食材そのものの味を楽しむことを主とする生の料理よりも、調理した食材を香辛料やソースに浸した料理のほうが、洗練されていないわたしの味蕾に合っていた。これまで世界各地を転々としてきたが、結局のところわたしもその種のインド人だったというわけだ。

わたしが日本でいちばん好きな料理はおそらくラーメンということになるが、好きな和食について訊かれたときにはそう答えないほうがいいことを悟った。つまるところ、ラーメンは中国から来たものだからだ。二番目に好きなのは餃子だが、これまた中華料理だ。というわけで、わたしは蕎麦と答えることにした。これなら新幹線と同じくらい「日本製」だからだ。お好み焼き——具材を混ぜ込んだおいしいパンケーキのようなもの——も聞いた側にとっては納得の答えだったし、銀ダラの西京焼きも同様だった。しかし、わたしにとって和食は落ち着ける料理ではなかった。ほっとした気持ちになれるわけでもなければ、食べることを夢見るようなものでもなかった。冷たすぎて、行儀がよすぎたのだ。それから、鰹節もかかりすぎていた。

旅館での食事に話を戻そう。ユミさんが若い頃にしたヨーロッパ旅行についてのモノローグが始まった。自分が話し好きになったのはそのときがきっかけでした、と彼女は言った。二〇代前半のとき、フランスで一カ月過ごした。帰国後、彼女は夕食の席で自分の冒険話を両親にしようとした。それに対して、彼女の母はこう言ったという。「ユミ、あなたすごく外国人っぽくなったね」

「いい？　日本では食事中は静かにしてるものなのよ」と、やや悲しげに母が諭した。

食事が終わりに近づくなか、日本酒の力で気が強くなったわたしは、残りの旅程で料理の内容を変えてほしいというテーマを持ち出した。こうした入念に用意された料理がおいしいのは間違いないけれど、少々多すぎる気がします。コース料理をやめにして、アラカルトでオーダーすることはできませんか？　シンプルな蕎麦とつゆの入ったお椀があれば、それだけで十分すぎるくらいです——わたしは期待を込めてそう提案した。

　ユミさんは悲しげに首を振りながら言った。「パーラヴィさん、お気持ちはわかるんですが、だめなんです。旅程の中に食事は組み込まれていますから」。でも、そこを変えてもらえませんか？　わたしはそう言って粘った。時間と予算を節約することにもなると思いますし。それに、一日三回かなりの量を食べるのは消化的にきついのです、とも言った。これが向こうの意識を刺激したようだった。ユミさんはちょっと失礼しますと言って、この「事態」を協議すべく、東京にあるＪＮＴＯ本部の決裁権者に電話をかけに行った。

　二〇分後、自信に満ちた表情でユミさんが戻ってきた。「解決策があります」。歯を見せ、笑顔で彼女が言った。「メニューを変えることはできないのですが、それとは別にアラカルトで注文してもいいという許可を得てきました。お好きなものを召し上がれますよ」。わたしがキツネにつままれたような表情をしていたからか、彼女がさらに説明した。「残念ながら、懐石料理をお出ししないわけにはいかないんです。それについては変えようがありません。だけど、それには箸をつけないままで構いません」

　わたしは恐るべき量の食事を無駄にするというアイデアがあまりにあっけらかんと提案されている状況を理解できず、目を見開いているしかなかった。ユミさんはその様子をすぐに察してくれた。「パーラヴィさん、これはおかしなことに思えるでしょうね」とすぐさま彼女は言った。「でも、これが日本式のやり方なんです。わたしたちはそう簡単に物事を変えることができないんです。あまりフレキシブルに動けなくて。でも、何とかしてあなたを助けたいと思っています。この状況を理解して、協力してくださることを願っています」

　これはまさに、日本の最大の欠点の一つではないだろうか――わたしはそう考えた。あらかじめ決められた、非効率的で無駄の多い計画（一日三回の、あまりに値の張る食事）に何がなんでもしがみつき、究極の目的（好意的な内容の記事）を逸してしまう、ということだ。一週間の旅行の最後に、わたしが食をテーマに書いた唯一の記事はフグについてのもので、懐石にはまったく触れなかった。[97]

＊

料理でいっぱいになったお腹をいたわりながら滞在が四日目に入ったとき、わたしたちは港湾都市・下関の唐戸市場を訪ねた。わたしは魚市場の大ファンと言えるほどの者ではない。故郷のデリーはバターチキンやダール・マカーニー〔豆のカレー〕が中心で、魚はほとんど食べない。しかし、父は一九九〇年代初めにボンベイ（現ムンバイ）で数年間働いたことがあり、わたしも何度か夏休みをそこで過ごしたことがあった。父のマンションはサッスーン・ドックからさほど離れてないところにあったため、そこから漂うにおいと巨大なネズミはその後何年も夢の中に現れて、恐怖に陥れられたものだった。

それから数十年のときを経て東京に流れ着いたわけだが、魚市場やそこに漂う雰囲気にはこれまでと同様、さして興味をそそられることはなかった。当時、多くの観光客が予定のいちばん最初に入れる場所は、有名な築地市場だった。見学客は一日一二〇人に限られ、日の出前に行われるマグロの競りをひと目見ようと、列をつくって一晩中待っていたものだった。その後、築地市場は二〇一八年に移転した（二〇二〇年の東京オリンピックに関連した、少なからぬ反対があった決定だった）ため、わたしにとっては訪れる機会も気に入る機会もない場所になってしまった。

しかし、唐戸市場に行かないという選択肢はなさそうだった。ユミさんの言葉を借りれば、「すでに予定に入っている」からだ。わたしたちが行ったのは昼食後で、魚市場としては非常に遅い時間帯だった。床は魚のウロコや水でぬめっていた。卸売業者は荷物をまとめて引き揚げた後で、積み上げられた木の箱が残されているだけだった。それでも、魚を割引価格で売っている小売業者はまだいた。潮気が混じった海のにおいが強く立ち込めていた。この市場は、本州と九州のあいだに位置する関門海峡の入口に位置しているのだ。わたしは不安げに周囲を見回してみたが、ボンベイのサッスーン・ドックと違って、大きなネズミの姿などまったくなかった。

いくつかの点で、唐戸市場は築地市場に似ているという（後者には行かなかったので、そう教えてもらったというだけだが）。しかし規模を別にすれば、大きな違いが一つある。唐戸には、魚界の大スター、フグがいることだ。この太っちょで、親しみのわく外見をした魚の写真やイラストは、店の入口から果てはマンホールのふたに至るまで、下関のいたるところにある。しかし、コミカルとすら言える外見をしていながら、フグはシアン化合物の一二〇〇倍にもなる強力な神経毒を秘めている。その量は、フグ一匹で成人三〇人を死に至らしめることができるほどなのだ。

平均すると、日本列島で年間約五〇人がフグの毒で命を落としている。将来フグを食べてみたいと思っている人を落ち着かせるべく付け加えると、こうした死亡事故の半数以上は素人が家庭で調理した際に確実に毒を除去できていなかったことによるものだと強調されるのが通例だ。個人的にはこの情報によってフグ料理を試してみようという方向に傾いたわけではなかったが、日本でフグ料理を出す店の料理人は、肝臓、腎臓、卵巣といった毒を含む可能性のある部分を完全に除去する訓練を受けたことを証明する、特別な資格を持っていなければならないことが、法律で義務づけられている。とはいえ、いまでも人びとを恐怖に陥れる事件は起きている。二〇一八年には、愛知県蒲郡市のスーパーで、まとまった数のフグが肝臓を除去していない状態で店頭に出されてしまった。結局、販売されたフグは回収されて犠牲者は出なかったものの、かなりのパニックが起こることとなった。

フグは美味であり、その繊細な味わいと独特の歯ごたえのある食感がたまらないというのが日本での共通理解だ。また、フグは低脂肪で高タンパクでもある。ユミさんは、下関が属する山口県では何十年にもわたってフグ中毒になった人は発生していないと言って、わたしを安心させようとした。
しかし、十六世紀後半から十八世紀にかけて、日本全国でフグ禁食令が敷かれていたという事実をわたしは知った。その後一八八八年になって、初代内閣総理大臣の伊藤博文が下関に滞在した際、割烹旅館でフグ料理が出された。地元の庶民は禁食令にもかかわらず、フグを食べていたのだ。伊藤は料理をたいそう気に入り、フグ食を解禁したという[98]。

調理技術が進歩し、フグから猛毒を含む部位を除去する技術に磨きがかけられた結果、今日では日本におけるフグの消費量は年間約一万トンにものぼる。しかし、優れたフグ調理師は、命のはかなさを感じさせるかのように、唇をひりひりさせる程度の毒を残すという。わたしからすれば、死と隣り合わせで食事をするよりも桜を愛でることのほうが「もののあわれ」を実感できる魅力的な方法のように思われた。とはいえ、単にわたしの場合、必要とされるサムライのような勇敢さが欠けていただけなのかもしれない。

唐戸市場の小売店では、想像力を存分に発揮したスタイルで盛り付けられたフグの刺身が陳列されていた。透明で紙のように薄くカットしたフグを、菊の花びらやクジャクの羽根、チョウ、さらには富士山に模して並べたものがあった。わたし自身はさまざまな食べ方でフグを味わってみてはという誘いを遠慮したものの、東京に戻るとすぐにフグを題材にした俳句がないか調べてみた。わたしが気に入ったのは次の二つだ。

逢はぬ恋おもひ切る夜やふぐと汁

与謝蕪村（一七一六－八三）

あら何ともなや昨日は過ぎて河豚汁

こちらはもちろん芭蕉の句だ。

フグとわたしの未熟な味覚の話はさておき、日本で食が畏敬されるのは、それ相応の理由がある。和食ができる背景には、禅的な精緻さ、専心、マインドフルネスがあるのだ。そこで強調されるのは、米をとぐにしても魚のはらわたを抜くにしても、一つの技を繰り返し繰り返し、主体と客体の境界が消え去るまで行っていくことだ。

「イキガイ」や「カイゼン」と並び、世界のカリスマ企業家が愛する日本語の単語として「ショクニン」がある。パリッとしたスーツに身を包み、口先が達者な人間が薄っぺらなセールストークをするのは強いいら立ちを与えることになりかねない。なぜなら、それは本来意味するところから切り離されたところで話が独り歩きしていることになるからだ。しかし日本で外食に行くと、「職人」という言葉は、文字どおりの意味であることがよくわかる。一つの品の質を高めることを通じて、完璧さをとことん追求するのだ。一〇年修行してようやく刺身を任されるすし職人の見習いや、ひたすら酵母のことだけに取り組む日本酒の蔵人がそれだ。

「神奈川沖浪浦」をはじめとする名高い作品で知られる浮世絵の巨匠、葛飾北斎は死の床に就いたとき——九十歳近くになっていた——、こう言ったとされる。「天が自分をあと一〇年、せめて五年だけでも生かしてくれれば、わたしは真の画家になれるのだが」

このことを思い出したのは、すし職人の小野二郎を取り上げたデヴィッド・ゲルブ監督による二〇一一年公開のドキュメンタリー映画『二郎は鮨の夢を見る』を観たときのことだ。彼は数十年にわたり、タコに包丁を入れる前に三〇分揉み込むことにしていたが、あるときひらめきが訪れた——さらに一〇分揉み込むことで、おいしさが増すということに。そこで、八十六歳（撮影当時）の二郎はタコを四〇分揉み込むようになった。ここで言いたいのは、職人はとにかく謙虚で、極みに到達することはそう簡単に実現できるものではないことを理解しつつも、それに向けた追求をあきらめないということだ。職を極めるには一度の人生では短すぎるかもしれないが、それでもなお職人は挑戦し続け、その試みの中に人生の意味を見出すのである。

　思うに、これはマルチタスキングというこの時代を象徴するかのような苦痛へのアンチテーゼというだけでなく、インド人の特質をもっともよく表すもの――「ジュガール」と呼ばれる――の対極に位置するものでもある。ジュガールとは即興の対応のことで、なんとかやりくりしてその場をしのごうとする問題解決法だ。通勤電車の車内での通話と同じくらい非日本人的と言える。

　インドはインフラ整備のために技術力と投資を必要としている一方、日本には資本とノウハウがあるように、双方が協力すれば相乗効果が出るのは明らかだ。それにもかかわらず、日系企業にとってインドビジネスが非常に難しく映るのは、この「ジュガール」と「職人」という二項対立が一因だ[99]。インド的な解決方法は、抜け道を見つけ、破れた箇所を繕うということに尽きる。日本ではこれは、忌み嫌われるアプローチなのだ。

　職人流が日本で唯一のやり方ではない。東京の料理人が全員、完璧さにこだわるというわけではないのだ。飲みに行くために早く仕事が終わってほしいと思っているいい加減な料理人だって、日本にもある程度いるはずだと思う。だとしても、全体として見れば、向き合う姿勢や準備、提供の仕方といった料理に対する丁寧さの水準は、わたしが知るほかのいかなる国と比べても別次元だった。

　東京のレストランは小規模でカウンター席しかないことが多く、外国人にとっては落ち着ける雰囲気ではないと映るかもしれない。しかし、往々にして外食の目的は一緒に行く相手との会話を楽しむためというよりも、料理人の技をかぶりつきの席で見ることにある。彼（料理人はおそらく男性なので）の所作はその優雅さという点でバレエのようで、確実さという点でマジックを思わせる。食材のよさを極限まで引き出す術を会得しているかのようなのだ。

　だが、食というシンフォニーを統べる達人的な指揮者になるには、つらく長い道のりを歩まなくてはならない。職人になるための修行は非常に過酷で、師匠と弟子は、サービス提供者と顧客の関係というよりは、主人と奴隷の関係に近い。この師弟関係は、インドにおける「グル・シーシャ関係」に通じるところがある。受講料を払ってプロから技を教わるというのではなく、師に身を委ね、全面的な服従を通じて献身を表現するのだ。『マハーバーラタ』〔『ラーマーヤナ』と並ぶ古代インドの叙事詩〕にドロナーチャーリヤが「グル・ダクシナ（寄進物）」としてエーカラヴィヤに親指を切るよう命じる一幕があるが、これは他の国の人びと以上に日本人であれば納得できる物語ではないだろうか。

　東京の厨房では、弟子について重視されるのは、調理技術以上に忍耐力であると言ってもいいほどだ。弟子は、魚をおろすための包丁のような商売道具を握らせてもらえるまでに何カ月も、場合によっては何年も修行を積まなくてはならない。Nippon.com に掲載された記事で、すし職人の髙橋義秀〔仮名〕は、皿洗いや床掃除といった雑用をひたすら命じられた修業時代のことを振り返っている。シャリにもネタにも触らせてもらえなかったのだ。時には先輩から突然殴られることもあった。彼はそのときのことについて、自分の動きが遅すぎたのか、単にその日は先輩の機嫌が悪かったからなのか、いまでもわからないという。高橋は何年も奥から厨房の様子を静かに観察し、直接指導してもらうのではなく、魚をおろしてネタにする技術を習得した。初めてすしを握ることを許された日の晩、彼は厨房でうずくまり、うれしさと安堵でむせび泣いていた。(100)

＊

日本では非常に多くの飲食店でこうした職人魂が浸透しているという事実は、ミシュランガイドで星を獲得したレストランの数が東京は世界のどの都市よりも——パリも含めて——多いことの一因だと言える。二〇一九年版では、星を獲得した東京のレストランは二三〇店にもなったが、パリは一一八店しかなかったのだ[101]。

東京には、フレンチのシチューに中華料理の点心、スペイン料理のパエリアといった世界最高の料理があふれている。だが、わたしの個人的なお気に入りはピザだ。イタリア人の読者にバカにされてしまうリスクを承知で言うと、人類が作り上げた最高のピザを味わいたいのであれば、東京に行くべしというのがわたしの大胆な主張だ。

世界のどこで住むことになっても、わたしの家族は何かしら定期的にやることを作るようにしてきた。たとえ一時的な滞在であっても、そうすることで現地に根づくことができたし、その都市で過ごす時間が豊かなものになった。東京では、夫と上の子が合気道を習うことにし、毎週土曜の朝に自宅近くの道場に通っていた。稽古が終わるのが一二時頃で、それに合わせて下の子とわたしが自転車で合流し、ピッツァ・ストラーダまで一緒にランチをとりに行ったものだった。ピザの殿堂と言うべきこの店は偶然にもわたしたちの家があるエリアにあったのだが、ここのピザの抗いがたい魅力を楽しむためであれば、たとえ何キロも離れていたとしても足を運んでいただろう。

わたしたちは料理ができる工程が見られるようにと、いつもカウンター席に陣取ることにしていた。ピザ職人が生地の端をつまんでランダムに気泡を作り、それを四八〇度から五〇〇度という高温に保たれた窯に入れると、数秒のうちにこんがりと膨らんでいくのだ。ピザ職人は流れるような動きで調理を進めていく。窯の中に塩を何度か振り入れたり、火を強くするためにシダーウッドの切れ端をいくつか加えたり、焼き上がったピザに書道を思わせる手つきでオリーブオイルを振りかけていったり、という具合に。そうして出来上がるのが、絶妙な生地と歯ごたえ、塩加減のクラストなのだ。ここはナポリのピザ屋だったので、わたしたちはいつもマルゲリータを注文することにしていた。マルゲリータは職人の力が試されるピザだ。使う食材は限られ（トマトにチーズ、ピザ粉、バジル）、一見シンプルな完成品でありながら、調理工程に関わるさまざまな変数を管理して反復可能な手順を踏む必要がある。[102] ネットフリックスのドキュメンタリー『アグリー・デリシャス――極上の〝食〟物語』を見たことがあるが、初回のエピソードはピザがテーマで、それをアートの域にまで高めた世界の三都市――ナポリ、ニューヨーク、そして東京――が取り上げられていた。番組では、「真のナポリピザ協会」会長を務めるアントニオ・パーチェへのインタビューのシーンがあった。[103] パーチェによると、この協会ができたのは三二年前で、「ピザに関わる権威がナポリ市にあることを守っていくとともに、ナポリ・ピザの正しいレシピを世界中に広めていくこと」が目的だという。

　眼鏡をかけ、困惑した面持ちのパーチェは、日本のピザ職人が至高をとことん追求する姿勢について語っていた。「彼らはわたしにいつもこう訊いてくるんです。『これで大丈夫でしょうか？　完璧にできていますでしょうか？』とね。それに対して、ええ大丈夫ですよ、そこまでで十分です、と伝えるのです。それ以上完璧にしようとしたら、やりすぎになってしまいますから」

*

　こうした完璧さの問題は、料理がおいしすぎるということではなく――それが問題になるはずがない――、外食が楽しみである以上にプレッシャーのように感じてしまうという点にある（日本社会全体を覆う問題でもある）。二郎のすし店で食事をするということは、客としての知識を料理人という試験官が審査する試験にも等しいのだ。こうした店で食事が許されるためには、振る舞い方を十分わきまえている必要がある。

二郎のところほど格式の高い店でなくても、日本での外食はエチケットという地雷原を歩むことを意味する。たとえば、すしを噛み切ってはならず、シャリを分けることなく一口で食べる必要がある。シャリを醬油につけるのもタブーだ。箸でガリを取って醬油を少量つけ、それをネタ（シャリではなく）にたらさなくてはならない（軍艦の場合）。さらに、こうしたことの前に、箸の使い方をマスターしておく必要がある。

以下に「速習」ガイドを紹介することにしよう。箸の先で料理をつまみ、一口で食べる。口より高い位置に料理を上げないこと。食べていないときには、箸は皿の脇にあらかじめ用意されている箸置きに置くようにしよう。ご飯が盛られた茶碗に箸を突き刺すことは御法度。これは葬儀でお供え物をするときのやり方と似ているからだ。箸の先端を舐めることはしないように。箸を使って汁物をかき混ぜることもよくない。意地汚いと見なされるので、どの料理を食べるか悩んでいるときに箸を料理の上であちこちへと動かさないように。料理を取るときは、上の部分からにして、大皿に自分の箸を突っ込まないこと。[104]

「箸は握れて、それを使って料理を食べられれば十分」という中国に慣れている者にとっては、こうしたルールをすべて頭にたたき込んでおくことはかなりしんどかった。

*

しかし、果物の場合は箸は必要ない。わたしにとって和食は大好物ではなかったかもしれないが、日本産の青果は大好きだった。とくに果物は味わいと外見のすばらしさゆえに、ときどき――「頻繁に」というわけにはいかなかった――値段の高さを忘れてみずみずしいあの一口がもたらしてくれる純粋な快楽に身を委ねてしまうことがあった。

高級チョコレートや上質なシャンパンと並んで、果物を贈答品にすることは一般的だ。値段、それに味わいを考えれば当然のことだろう。高級メロンは一玉二〇〇ドル程度はするし、二〇一九年には「夕張キング」二個セットに対し四万五〇〇〇ドルという記録的な高値がついたことすらあった。岐阜県の奥田農園で栽培される「美人姫」というイチゴは、なんと一粒で五万円（四四〇ドル）もした。

フリージャーナリストとしての収入ではさすがに美人姫を試すことはできなかったが、日本でイチゴが旬の四カ月間、わたしは多少廉価な品種をたくさん食べた。財布には痛かったが、気持ちは高揚した。普及度という点では、西洋から日本にもたらされたもののうち、イチゴは英語よりも、さらに言えば野球よりも成功を収めたと言えるのではないだろうか。昭和初期に広まっていくと、一世紀も経たないうちに日本の甘党を虜《とりこ》にした[105]〔江戸後期から明治時代に広まったとする指摘もある〕。品種の多様さや歓喜の度合いを考えると、日本のイチゴはインドにとってのマンゴーのような存在だ。二〇一八年末の時点で、農林水産省に登録されているイチゴは二九四品種にのぼる。たとえば、「とちおとめ」は比較的小ぶりで甘く、香り豊かな品種で、福岡県の「あまおう」は粒の大きさが自慢で、平均的なイチゴの四倍から五倍にもなる。ユニークさという点で突出しているのは、当惑するほどに白い、山梨県産の「初恋の香り」だ。このアルビノタイプのイチゴは、一〇年に及ぶ研究開発を経て二〇〇六年から流通するようになった。一箱一二粒入りのものは、スーパーで一六〇〇円（一四・五ドル）前後で売られている。

大好物のイチゴについて理解を深めようと、わたしは報道関係者向けに行われたイチゴ農園への取材ツアーに参加した。場所は、農業が盛んなことで知られる茨城県だ。二代目園主の村田和寿《かずとし》は、日本産イチゴについて、ほかの「普通の」イチゴとは比べものにならないほど上質なのだから、それ相応の値段になるのは当然だと言う。「『和牛』と『ビーフ』を比較できないのと同じように、『イチゴ』と『ストロベリー』は同じものではないのです」と彼は主張する。どういうことか説明してほしいと尋ねたところ、彼は、ルビーのような輝きを放ち、クリケットのボール〔野球の硬式球よりやや小さめ〕ほどのイチゴを手に取ってこう言った。「まずは食べてみてください。説明するまでもないと思います」

　彼によると、日本のイチゴ栽培では、手入れや技術面のノウハウ、精密さへのこだわりがあることから、相応の値段になるという。イチゴが「単なる」ストロベリーと異なるのは、甘さだと彼は指摘する。そのためには、土壌の炭酸ガス濃度を四〇〇～四五〇ｐｐｍに保つ必要があるとのことだった。こうすることで、イチゴに甘みが凝縮されるという。ビタミンＣやコラーゲンを含む肥料には、昆布などの海藻を配合するという日本ならではの工夫もされていた。

　村田農園には三六棟のビニールハウスがあり、一棟当たり毎年一トン以上のイチゴが栽培されている。これでまずまずの生活を営むことはできますが、楽というわけではないですね――村田はツアーに参加した記者団にそう語った。日本で進行する少子高齢化の影響で、農園での働き手を探すことが難しいという。そこで彼は、作業を手伝ってもらうため若いインドネシア人を六人雇うことにした。「ここで農業のことをたくさん学んでいますよ」。そのうちの一人が、イチゴを選別するためのトレイから目を離すことなくはにかみながら言った。わたしはかすかに覚えていたインドネシア語を使って、日本でいちばん好きなものは何かと尋ねてみた。彼は笑顔を見せて、ようやくこちらの目を見て答えてくれた。「もちろん、イチゴです」

＊

二〇一九年の初夏、わたしは和太鼓教室の友人二人と合羽橋に行った。合羽橋は東京の一地区で、料理好きにとってのメッカだ。ここには陶器や包丁、手作りの箸、それに信じられないほど多彩な調理器具を販売する店が一七〇店以上集中している。飯田屋という店では、おろし金だけで約二〇〇もの種類を扱っており、わさび用、生姜用、大根用といった具合に野菜ごとに対応した専用のものが用意されているのだ。計量スプーンも、ラーメン屋の職的こだわりにも応えられるような一ｃｃといった小さいものも含め二〇〇〇種類のなかから選ぶことができる。本物かと見紛うほどリアルな食品サンプルを扱う店は、客でごった返していた。こうしたプラスチック製の食品サンプルは、日本のレストラン入口脇のショーウィンドウによく陳列されている。食品サンプル製造の市場規模は九〇〇〇万ドルになると見積もられている[106]。

二人の友人とわたしは、数時間かけてショッピングを楽しんだ。日本には想像もしなかった方法でそれまでのやり方を改善できるガジェットがいくつもあるが、わたしは「ナッツ専用の挽き器」という、まさにその種の一品を購入した。それが済んだら、次はランチだ。友人の一人が、おいしいと評判の、近くにあるお好み焼き屋はどうかと提案してきた。わたしもそれに賛成してみんなで行くことにしたのだが、たどり着いた店の入口の引き戸には、急いで書いた注意書きが貼られていた。「ものすごく暑いのでご注意を！　エアコンはありません」

わたしたちがどうしたかと言うと、暑さをものともせずそこで食事をすることにした。確実に言えるのは、その店のお好み焼きは、店主の正直さと同じくらいおいしさも際立っていたということだ。

＊

エアコンがないことではなく、香辛料によって暑さがもたらされるのがインド料理店で、こうした店はいくつかある。そのうち半数以上が、近年東京でかなりの規模のコミュニティに成長したネパール人移民によって経営されている。しかし、「インド料理」、より正確に言えばカレーはネパール人より何十年も早く日本にもたらされていた。

「チキン・マンチュリアン」〔インド中華料理の典型的な一品〕がインド料理になっているのと同じように、実は「カレー」も日本料理の一つになっている。あるいは、別の言い方をすれば、日本のカレーをインド料理と見なすかどうかは、チキン・マンチュリアンを中華料理ととらえてよいかという問いと重なるものであり、曖昧な親戚関係にあることを示している。

日本におけるカレーの歴史は、一八七〇年代にさかのぼる。インドでカレーが食べられているのをイギリス海軍士官が取り入れ、それが日本帝国海軍のカウンターパートに伝えられたのだ。日本語で書かれた料理本に掲載されたもっとも初期の「ライスカリー」のレシピは、一八六一年に出版された『ビートン夫人の家政読本（*Mrs. Beeton's Book of Household Management*）』の内容に基づくもので、カレー粉、小麦粉、それに酸味のあるリンゴなどが材料として挙げられている。この珍しい料理はイギリスからもたらされたため、日本人にとってカレーライスとは「西洋料理」であり、洋食の定番メニューとなった。いまでも、日本の海上自衛隊では「金曜カレー」の伝統が守られており、各地の食堂では「ライスカレー」が金曜日の料理として提供されている。

日本式カレーの味わいはインド本家のものよりも甘めで、食感もとろみがある。しかし、「本場インドのカリー」――小麦粉もリンゴも使わず、辛みのあるスパイスに対する制約もない――を出すことにこだわりを持つ、「中村屋」というレストランが東京にある。その背景には、インドから亡命してきた革命家、恋愛、そして元はパン屋だった日本人夫妻の起業家精神といった、波瀾万丈の壮大な物語があった。まさに自分の好奇心を大いに刺激するテーマだと感じたわたしは、この話を友人から教えてもらって（バルン、感謝しています）数時間もしないうちに、血眼になってグーグルで検索を始めていた。

その数日後、わたしはメトロから降りて、あまりの明るさに目をしばたたきながら、絶え間なくざわついた雰囲気の新宿に出た。ありがたいことに、中村屋はわたしが出た出口から通りを挟んで向かいのビルの地下にあったので、いつも東京でやらかしてしまうように道に迷ってしまわずに済んだ。この日、わたしは中村屋の広報担当者と、通訳担当の社員を交えて会うことになっていた。二人とも上質そうなスーツに身を包んでいた。広報担当の男性が、広報用の資料一式を渡してくれた。だが、すでにわたしは何時間も費やして店の物語を読み込んでいた。

中村屋にカレーを伝えたのは、ラーシュ・ビハーリー・ボースという名の、一八八六年にスバルダハというインド東部の村で生まれたベンガル人だ。高校を卒業したボースはインド軍に志願するが、当時インドを支配していたイギリス植民地政府がベンガル人を弱々しくて男らしくないと見なしていたため、不採用となった。この頃すでに若きボースの中には、一九〇五年ベンガル分割令〔ベンガル州を宗教人口に基づき東西に分割したもの〕への反対運動の中で育んだ反植民地思想が燃えさかっていた。彼はデーラドゥーンの森林研究所に一時期勤めたが、一九一二年には当時のインド総督だったハーディング卿の暗殺未遂事件に関与した。植民地当局の追及の手が及ぼうとするなか、一九一五年にボースは出国して日本をめざした。彼は神戸に上陸した際、「P・N・タークル」という変名を使っていたが、これはノーベル賞受賞者のラビンドラナート・タゴール——ボースは彼に訪日計画があると読んだことがあった——の親族を装うためだった。

神戸から彼はすぐに東京に移り、もともとは北米でパンジャーブ出身のシーク教徒グループによって結成された反英組織、ガダル党に関わるインド人と交友を結んだ。さらに、中国の革命指導者で当時やはり日本に亡命中だった孫文とも会っている。その後、ボースは国家主義指導者の頭山満をはじめ、インド独立という大義に同情的な日本のアジア主義者とも交流を深めていった。

当初、ボースはP・N・タークルと名乗り続け、この名前でインタビューに応じることすらあった。しかし、孫文の協力を得て上海からインドの同志宛に船便で武器を送ろうとした際、シンガポールで当局に発見されてしまったことで、彼の正体が暴かれることになった。この船便の関係書類にはボースの本当の情報が記されていたため、駐日イギリス大使館は、日英同盟の規定に基づいて日本に対し彼の引き渡しを求めることにした[107]。

このとき、頭山は「中村屋」という有名なパン屋を経営していた相馬夫妻にボースを紹介し、受け入れを打診した。夫妻はインドから来たボースに自宅を隠れ家として提供し、数カ月にわたって匿《かくま》った。この間、夫妻の長女・俊子が通訳を務めた。その後、頭山の勧めもあり、二人は一九一八年に結婚し、これによってボースはお尋ね者と見られずに東京で活動することが可能になったほか、一九二三年の日本国籍取得にも道が開かれることになった。ボース夫妻は長男、そして長女と相次いで子どもをもうけたが、俊子は一九二五年に他界した[108]。

その後の歳月で、ボースは活発な執筆・講演活動を通じてインド独立運動に対する日本の支持獲得に取り組み続けた（第8章で詳述）。だが、日本でインドのことを伝えるという点で彼がもたらしたもっとも長期にわたる貢献は、一九二七年にオープンした中村屋の喫茶部で「本場」のインドカリーをデビューさせたことだった。北海道大学准教授（現・東京工業大学教授）の中島岳志によるボースの評伝『中村屋のボース』によると、日本人が食べていたカレーは植民地支配の産物ということをボースは証明したかったのだという。したがって、中村屋のメニューに自分が考案した料理を載せることは、「イギリスの手からインドの食文化を取り戻そうとするという意味で、彼の反植民地闘争の一環だった」だったのである。[109]中村屋のインドカリーは一般的なカレーライスの八倍もの値段だったにもかかわらず、ヒットメニューとなった。その後、一九三九年に中村屋は日本の証券取引所で最初に上場した飲食関連企業の一つとなった。

　ボースは病のため体調を崩し、一九四五年に五十八歳でこの世を去った。だが、日本では彼の功績は中村屋がいまでも提供しているインドカリーのなかに生き続けている。インドカリーはいまでもいちばん人気の座を維持している。さらに中村屋は二〇〇一年以来、ボース考案のカリーをレトルトパウチにしてコンビニ向けに販売している。中村屋の広報資料によると、レトルト版のインドカリーは二〇一六年の同社食品部門の売上額の約半分を占めているという。

　取材を終えた頃にはランチタイムになっていて、店内のほとんどすべての席で「純印度式カリー」――メニューにはそう記されていた――が出されていた。カレーはグレービーボートに入っており、粘り気のある日本の短粒米とセットでサーブされていたが、こと味に関してはスパイスがしっかり効いており粘度も絶妙で、合格だった。店の入口近くにはドーティ〔インドの男性が着用する腰布〕をまとったボースの写真が目立つように掲げられており、客をじっと見つめているかのようだった。満たされた気持ちと不思議なノスタルジーを感じながら――何についてなのかはっきりとは言えなかったが――、わたしは店を後にした。

＊

メトロの駅に向かう途中、わたしはミネラルウォーターのペットボトルを買おうと自動販売機の前で立ち止まったが、そこにレトルト版の中村屋のカリーが売られていることにさして驚きはしなかった。日本における自販機は、この国の精神の一端を表すものだ。日本列島のなかで、自販機が存在しないエリアはまず存在しない。人里離れた山道でも当然のように設置されており、雪の中に半分埋まっていることもあるが壊れていることなどなく、ボタン一つで温かいコーンスープを買うことができるのだ。

『ジャパンタイムズ』によると、二〇二〇年初頭の時点で日本には五〇〇万台弱の自販機があるという。これは、人口二五人あたり一台という割合になる。自販機で取り扱っているのはほとんどが飲料かお菓子だが、普通、自販機とは関係なさそうな商品が売られているケースもある。レトルトカレーはその一例だが、バナナや蜂蜜、パック入りの牛乳ということもある。

ある記事では、徳島県の阿波市には地元の農民が作ったできたてのカレーライスが買える自動販売機があると紹介されていた[110]。愛媛県内子町では、美しく折られた折り紙を売る自販機もある[111]。そして東京のいかがわしいエリアには、地下に設置された自販機で女性の使用済み下着が売られているという——その商品が本当に使用済みなのか、単に宣伝文句としてそう謳っているだけなのかについては見解が分かれるようだが。その真偽をしっかりと確かめるというわけにはいかなかった。

東京では、クリームたっぷりの温かいスープからマンガ本、傘、さらには日本酒までも各商品を扱う自販機で購入することができる。携帯の充電器も大丈夫。サージカルマスクだって大丈夫。あるいはあなたの未来すらも。神社のなかには、数百円でおみくじを引くことができる自販機が設置されているところがあるのだ。ただし、幅広い商品を取り扱っているにもかかわらず、日本の自販機はまいってしまうほどクラシックで、現金しか受け付けず、ボタン式で、一九八〇年代のレトロな感覚を味わうことができる。

日本自動販売システム機械工業会によると、こうした自販機による売上総額は六〇〇億ドルを超えるという。日本ではなぜここまで自販機が普及したのかと訊かずにはいられない読者もいるだろう。わたし自身も同じ疑問を抱いたので、収集した情報に基づいて答えを書いたことがある[112]。その要因は、自販機の取扱商品と同じくらい多岐にわたっていた。

　人でごった返す通りや過密な仕事のスケジュールが日本の基本的な姿であることを考えると、短時間で買い物を済ませられるのはありがたいことだと言える。また、六十五歳以上の者が人口に占める割合は二五パーセント以上になっているように、高齢化の進行による労働力不足にも直面している。コンビニでスタッフを確保することは難しくなってきているが、その点自販機は労働力不要の代替策になる。地価の高さも、小売店を出すよりも限られたスペースに自販機を置くほうが利益を得やすいという判断につながる。さらに、日本文化が自動化やロボットに強く惹かれていることも背景にあるだろう。

　もう一つの要因は、犯罪率の低さだ。自販機が略奪の対象になるなどということはまず起きないので、オーナーはときどきメンテナンスをするのを別にすれば、追加で投資する必要はほとんどない。わたしの脳裏をよぎったのは、かつてインドのジャイプルで聞いた、一見関係のなさそうな事件だった。大手ＩＴ企業から公立校にパソコンが寄贈されたとのことで、それが学習プロセスにどのような変化をもたらしているかを取材しようと、わたしは現地を訪問した。そこで気づいたのは、校内で飲み水が出るのは、壊れた蛇口の水道が一つあるだけということだった。蛇口から一日中ぽたぽたと水が落ちていくということは大変な量の水が流れ落ち、無駄になるということであり、ジャイプルのように水資源が限られている都市では犯罪的とすら言える状態だった。学校になぜ蛇口を直さないのかと尋ねてみたところ、返ってきた答えに愕然とさせられた。

　蛇口を修理する度に何者かが夜に壁を越えて学校に侵入し、くず鉄として売り払うために蛇口の金属部分を壊して持ち去るのだという。その学校では、施錠しておかない限り金属製品にはそうした事態が必ず起きるとのことだった。マンホールのふたからトイレの部品まで、どんなものであれ、あらゆるものが対象になる。公共意識や環境保護、さらには社会一般のモラルについてどれだけ進歩的な議論が交わされても、貧困や資源の稀少さの前には役に立たないことに強い衝撃を受けた。インド、あるいは中国であっても自販機をめぐる話をしたとしたら、ずいぶんと違った内容になっていたことだろう。だが、ここは日本だ。驚くほど安全な環境があって初めてたくさんの自販機の普及が可能になるのであり、日本ではまさにそれが実現している。

　最後に、日本で自販機がこれほど多いことの理由としてあまり深く掘り下げられてこなかった側面について指摘したい。それは、スマートフォンと同様に、自販機は人とやりとりすること――日本人の多くが苦手のように見える――が不要になるという点だ。本書ですでに述べたように、日本には一〇〇万近い人びとが「ひきこもり」に分類されている。機械が相手であれば、店員と話をする必要からは解放されるというわけだ。

　自販機そのものからも、寂しさを感じることがある。あるとき、大橋英児という写真家の『*Roadside Lights*』という写真集に出会った。そこには、深夜に撮影された日本各地の自販機の写真が収録されていた。がらんとした場所で幻想的な光を放ち、現れることなどないかもしれない通行人のために、一つしかない灯りの役目を果たしていた。日本の多くの場面で起きるのだが、想像もしなかった場所で詩情を感じることがある――それが自販機であっても、だ。

## チェルノブイリ

——「平和の原子力」の闇

アダム・ヒギンボタム〔松島芳彦訳〕

「チェルノブイリ後」、そして「フクシマ後」を生きる試練とは？　体制のあり方に事故の深層を探り、未曽有の災厄の全体像に迫る！

（2月下旬刊）四六判■5720円

## アジアの脱植民地化と体制変動

——民主制と独裁の歴史的起源

粕谷祐子〔編〕

なぜ、アジアには民主制と独裁が混在しているのか？　17カ国の脱植民地化・脱占領の過程に着目し、解明した記念碑的著作。

（2月下旬刊）四六判■4180円

## ヴェルサイユ宮殿に暮らす〔新装版〕

——優雅で悲惨な宮廷生活

ウィリアム・リッチー・ニュートン〔北浦春香訳〕

18世紀、豪華絢爛なヴェルサイユ宮殿には、王を頂点に千人以上がひしめきあって暮らしていた。雅びにみえる貴族たちの日常生活とは。

（[illegible]）四六判■[illegible]円

## 新刊

## 「その他の外国文学」の翻訳者

白水社編集部〔編〕

翻訳大国日本において「その他」とくくられる言語がある。学習者の少ない言語をあえて学び、広める翻訳者に「その他」の深さを尋ねる。

（2月中旬刊）四六判■2090円

## 日本でわたしも考えた

——インド人ジャーナリストが体感した禅とトイレと温泉と

パーラヴィ・アイヤール〔笠井亮平訳〕

4年に及ぶ東京暮らしのなかで、インド人作家が驚愕と新発見の日常に溶け込んでいく自身の姿を描いたユーモアあふれる日本滞在記。

（2月下旬刊）四六判■2530円

エクス・リブリス

## ケンジントン公園

ロドリゴ・フレサン〔内田兆史訳〕

『ピーター・パン』の作者J・M・バリー×「スウィンギング・ロンドン」＝？　十五か国で翻訳されたアルゼンチンの奇才による傑作長篇。

（[illegible]）四六判■4[illegible]20円

## 次なるパン…
――反科学の時代におけるワ…
ピーター・J・ホ…

紛争から気候変動まで、パンデミックの…政治の歪みをワクチン外交の提唱者が浮き彫…スト・コロナの基本図書。

四六判■2420円

## 戦争記念碑は物語る
――第二次世界大戦の記憶に囚われて
キース・ロウ［田中 直訳］

世界各地の25の戦争記念碑を「英雄」「犠牲者」「モンスター」「破壊」「再生」に分類して、歴史の表象とその変化や議論を考察する。

四六判■3520円

## 羊皮紙に眠る文字たち再入門
黒田龍之助

ロシア語などで使われるキリル文字。このあまり知られていない不思議な文字の歴史を探りながら、にぎやかで魅力的な世界を味わう。

四六判■2640円

## ヒュパティア
――後期ローマ帝国の女性知識人
エドワード・J・ワッツ［中西恭子訳］

優れた数学者・哲学者として弟子から政界と宗教界に要人を輩出しつつも、政治的対立に巻き込まれ非業の死を遂げた女性の、伝説と実像。

四六判■3960円

## 鶴屋南北未刊作品集
第二巻　鶴屋南北篇
古井戸秀夫［編］

南北襲名の還暦前後、新境地を切り開く綯い交ぜの世界が繰り広げられる、円熟の未刊作品群。悪の華に満ち溢れた得意の劇作術が展開。

A5判■28600円

## ナチ・ドイツの終焉 1944―45
イアン・カーショー［宮下嶺夫訳　小原 淳解説］

敗戦必至の第三帝国はなぜ降伏せず、全面的に破壊されるまで戦い続けたのか？　ヒトラーのカリスマ的支配の構造と人々の心性を究明。

四六判■6820円

# 好評既刊

## 新…
――映画・ラ…
岡室美奈子・長島確・木内…

喜劇王キートンが主演した表題…い曲」、TVドラマ「クワッド」など…絵になる「放送劇」。

四六…0円

## 年月日
白水Uブックス238
閻連科［谷川 毅訳］

千年に一度の大日照りの年。一本のトウモロコシの苗を守るため、村に残った老人と盲目の犬が、命をつなぐために選んだ驚くべき手段とは――

新書判■1430円

## ショアの100語
文庫クセジュ1050
タル・ブリュットマン、クリストフ・タリコヌ［宇京頼三訳］

ショア、ホロコースト、ジェノサイド、これらにはどのような違いがあるのか。出来事、概念、場所、人物、作戦など一〇〇の用語を解説。

新書判■1320円

## オリンピック100話
文庫クセジュ1048
ムスタファ・ケスス［芦立一義訳］

古代ギリシアに始まり一五〇〇年もの時を経て近代に甦ったオリンピック。人物、出来事、技術、経済など、過去に遡ることで今を見つめ直す。

新書判■1320円

## シュリーマン［新装版］
――トロイア発掘者の生涯
エーミール・ルートヴィヒ［秋山英夫訳］

巨万の富と、黄金を手に！　ホメロス時代の遺跡発掘に成功した「考古学者」の全生涯。家族の資料提供にもとづく、決定版の伝記。

A5変型■3960円

清岡…
動詞…
もあ…
《音声…
フラ…
清岡智…
LGBT、S…
ぷりプラ…
《音声ダウ…
中国語…
伊藤祥雄編著
過去問を分析…
理し、練習問…
《CD付》
フランス語…
ふら…
3月号（2／23頃刊）
特集◆多彩なるフランス…

第7章

# 「日本から世界のお尻洗いたい」

何年ものあいだ、わたしはトイレに執心していた——排泄そのものではなく、衛生的な観点からの関心であることは真っ先に付け加えておきたいが。インドのナレンドラ・モディ首相がトイレ設置キャンペーンを提唱するずっと前から、ＧＤＰの指標や目がくらむような高層ビルよりも、トイレとそれに関連するインフラこそが社会の鼓動をより正確に表している、というのがわたしの持論だった。

これまでわたしは中国のトイレ清掃人を取り上げた記事を書き、インドネシアのジャワ島中部で活動するトイレ起業家を取材し、インドにおける下水処理場の非効率性について何時間も費やして検討を加えてきた[113]。こうした国でのトイレに対する見下すようなまなざし——あからさまでもあり、とらえづらくもあるが——は、その社会を知るという意味で有益ではあったが、共通していたのはひどい悪臭を放っていたという点だった。こうした場所のトイレは、可能であれば使わずに済ませたい代物だった。

そんなわたしが日本で生活を始められると知ったときの興奮を想像してほしい。日本のお手洗いはレジェンドの域に達している。事前に聞いた話では、ＴＯＴＯ（最上級のブランドだ）のトイレは外でディナーをとること以外ならほとんど何でもできるということだった。

わたしたちを乗せた飛行機が成田空港に到着すると、わたしはすぐに女性用トイレに突進した。ウォッシュレットに感嘆する気持ちの準備は万端だったし、事実そのとおりになった。個室は離陸を待つコックピットを思わせ、操作パネルをぎっしりと埋め尽くすボタンの数々は、まるで飛行機の操縦席かと見まがうほどだった。わたしはすべてのボタンを押し、振動や音、洗浄機能を起動させてみた。お尻の洗浄と乾燥（前も試した）、便座の上げ下げ、水圧の強弱を試したほか、気になる音を隠してくれる鳥のさえずりを流してみた。

　各ボタンに加えて、添えられたイラストやラベルを驚嘆しながらチェックしていった。水圧や音量、洗浄の向きを調整するノブがあった。しかし、英語で「wand sanitizer」と書かれていたものは不可解だった。この「wand」というのは何だろう？　わざわざその意味を突き止める必要はなかったのだが、やはりやらないわけにはいかなかった。グーグルで検索したところ、幸いにして「wand」とは際どい意味の言葉ではなく、便器から伸びて洗浄水を出すノズルにすぎないことを知った。

　日本のトイレに困惑させられるのは、外国人訪問客にとって通過儀礼といってよい経験だ。操作パネルが英語で書かれていないことはよくあるし、機能やマークはモデルによって異なる。どのボタンを押せばいいのか見きわめるときには、どきまぎした気持ちにさせられる。水を流したいだけなのに、緊急呼出ボタンを押してしまい、パンツを下ろしたところに緊急出動したＳＷＡＴが駆けつけてくるという事態を招きかねない。あるいは、後方をやさしく洗いたいと思っていたのに、前方を強烈に洗浄されてしまうことも起こりうる。

　こんな話がある。ある気の毒な外国人がビデ機能を調節したかっただけなのに、六時間の歌舞伎公演チケットを用意される羽目になってしまった、と。さすがにこれは作り話の可能性もあるが、日本のトイレには多くの国の政府がなかなか効率的に実現できないことをやってのける機能がついていることは事実なのである。

パナソニックの「スマートトイレ」は、尿と便を採取して分析を行うことで、ユーザーの血圧や体温、血糖値を計測することができる。なかには、電極棒が付いていて、弱い電流をユーザーのお尻に当てることで体脂肪率をデジタル計測できるモデルすらある。

母が東京に来るときには、こうした事実を隠しておかなくてはならないことが苦痛だった。母にとっては質素でベーシックなトイレのほうがよかったのだ。日本滞在中、トイレから戻ってきたときの母は、まるで奈落の底を見てきたような表情を浮かべていることが多かった。暖房便座はわたしからすれば満開状態の京都の桜に匹敵するほどすばらしいものだったが、彼女はこれが大の苦手だった。電気椅子に違いないと確信していたのだ。ずらりと並ぶボタンも、どれを押せばよいのかわからなかった。自動で開くふたも彼女を怖がらせた。こうした体験もどれもが、彼女にとってはお餅のようにかたちが定まらず、解せなかったのだ。

日本政府の権力者は、最先端をゆく自国のトイレがテクノロジー嫌いの外国人に及ぼす影響を意識していないわけがなかった。これは、東京で二〇二〇年に開催される予定のオリンピック（あるウイルスによって延期になってしまうのだが、これについては後述する）という文脈の中で、喫緊の課題だった。

二〇〇八年の北京オリンピックの際に現地に住んでいたので、いかに国際的なスポーツ大会がトイレ問題を明るみに出し、スポットライトが当てられることになるかをよく知っていた。世界最大のスポーツの祭典のために集まる何十万人もの外国人アスリート、ファン、観光客の存在は、彼らがお手洗いを探しているときにどこに行けばよいか――さらには、どれだけ快適に使えるか――という問題を否が応でも提起することになった。

北京では、数こそ豊富だが不衛生な市内の公衆トイレ――床に用を足すための穴が並んでいるだけで、水洗でもないし手を洗う水もないことが多かった。最終的に、数千万ドルを費やして大改修を行い、地元メディアが「豪華化粧室」と形容し、中国のトイレをとことん見下していた外国人アスリートでも満足できるものに生まれ変わらせたのだった[114]。

日本の場合、焦点となったのはいかにして不慣れな利用者がトイレで不便な思いをさせないかだった。そこで、日本のトイレメーカーは操作パネルに表示される絵記号を統一することにした。日本レストルーム工業会から、「便器洗浄（大）」、「便器洗浄（小）」、「便ふた開閉」、「便座開閉」、「乾燥」、「ビデ洗浄」、「おしり洗浄」、「止」の八つについて絵記号を統一することが決まったと発表されたのである[115]。

業界のねらいは、二〇二〇年までにすべての公衆トイレを改修することで統一規格に合わせ、外国人観光客に不安をほとんど感じずに使ってもらえるようにすることだった――暖房便座に腰を下ろして、トイレを称える俳句を詠んでもらう、というわけにはいかないかもしれないが。

これは単なる思いつきの提案ではない。トイレはハイテク化するずっと前から、日本文化の中で特別な、詩的とすら言えるポジションを占めてきたのだ。谷崎潤一郎は美学について論じた随筆『陰翳礼讃』で、「日本の厠は実に精神が安まるように出来ている。（中略）まことに厠は虫の音によく、鳥の声によく、月夜にもまたふさわしく……」と記している[116]。俳人が多くの題材を得たのはおそらく厠にいるときではないかというのが谷崎が示す見方だ。一八二二年に小林一茶が詠んだ句を紹介しよう。

片隅の天神さまもうめの花

それから数世紀を経て、日本のトイレメーカー最大手[117]であるＴＯＴＯは、「トイレ川柳」を毎年募集する企画を始めた。二〇〇五年以来毎年、入賞作品二〇句がトイレットペーパーに印刷され、限定バージョンとして販売されるのだ[118]。二〇一六年の入賞作品をいくつか紹介してみよう。

ウォッシュレット考えた人ありがとう
——メロンカメ

ふたの後外国人の口も開き
——のんびり

日本から世界のお尻洗いたい
——亭主淡泊

ユーモアはさておき、日本におけるトイレは笑いのネタではない。伝承では、「厠神」という神様がいて、よく知られた存在なのだ。古来より、厠で出される排泄物は肥料として用いられてきたので、厠神は豊穣や子孫繁栄と結びつけられたのだ。さらにこの神様は、人が厠の中に落ちてしまい悲惨な事態に陥る危険から守ってくれることも期待されていた[119]。

厠神は美しい神様だと想像されていたので、家庭では特定のトイレを飾り立て、可能な限り清潔に保つようにした。一部の地域では、トイレの状態がお腹の中にいる赤ちゃんの外見に影響を及ぼすと信じられてきた。妊娠中の女性は厠神に対し、男の子であれば「鼻が高く」なるように、女の子であればえくぼができるようにとお願いしたという。だが、トイレが汚いと、生まれてくる子どもの外見が劣り、不幸せになると言われてきた。

京都の広大な禅寺・東福寺で綿菓子のように桜が咲くなか、わたしは国宝にも匹敵する厠に相対していた。十四世紀に作られたこの「東司《とうす》」――禅宗でのトイレの呼び方（複数ある呼称の一つ）――は、禅寺に現存するものとしては最古かつ最大のトイレで、一九〇二年には国の重要文化財に指定された。中は切妻型の屋根がかかった広々とした空間で、むき出しの地面に穴が並んでいるのをわたしはじっと見つめていた。外にある案内板には、人間の排泄物がどうやって肥料になるか、また武士や貴族の食事に十分な量の野菜を供給していくのに不可欠な存在だったことが説明されていた。どこの禅寺でも、人糞肥料は重要な収入源だったという。

わたしは、執着しないことに重きを置くインド仏教と作業に重きを置く日本仏教や中国仏教に存在する、必然的に生じる重要な違いについてあらためて意識させられた。日本の僧侶は作業をするだけでなく（寄進を求めるインドの僧侶とはここが異なる）、作業と瞑想を区別しない。彼らが行う「作業」の大半は、落ち葉を集めたり、仏壇のほこりを落としたり、トイレを磨くといった具合に、さまざまなものを掃除することなのだ。

*

二〇一八年秋のある朝、わたしは睡眠不足のため目がぼんやりした状態で、職場へ向かう通勤客で満員の電車に乗った。行き先は東京中心部にある光明寺という寺院だ。移動中、わたしは世俗と霊性を隔てる壁の透過性が驚くほど高いことについて思いを巡らせていた。日本各地でもっともよく見かける建造物と言えば、一つはコンビニ、もう一つは寺社だ。長い歴史を持つ寺院の後方にセブンイレブンがあったり、神社では鳥居の奥にファミリーマートが見えたり、という具合に。

光明寺は、さほど目立つ感じではない、二階建ての本堂を持つ寺院だ。利用客でごった返す東京メトロ神谷町駅からわずか三〇〇メートルしか離れていない。だが、境内に足を踏み入れると、そこは三〇〇年前に移動したかのような気持ちにさせられた。朝の空はまだ青白かったが、多種多様な人びとが集まっていた。スーツ姿でネクタイを締めたサラリーマンが数人いるかと思えば、シルバーのトートバッグを背負ったおしゃれな女性の姿も見られ、すり減った革靴を履いた老紳士もいた。時計の針が七時半を指すと、参加者は上着を脱ぎ、鞄を置いて箒《ほうき》やちりとり、バケツに持ち替えた。

それからの三〇分間、彼らは無言で清掃作業に取り組んだ。寺院の墓地、外廊下、庭園が隅々まで念入りに掃き清められた。落ち葉はまとめて袋に入れられた。先述したおしゃれな女性は三〇分間ずっと、床のタイルに残っていそうな汚れを見逃すまいとしゃがんで雑巾がけをしていた。わたしは片手にノート、片手に箒を手にしてこの一団の様子を見つめていたのだが、メモが取れたわけでも清掃作業を手伝えたわけでもなかった。結局、サラリーマンの一人がこちらの様子を見かねて、この上ない礼儀正しさでわたしを箒から解放してくれた。

わたしは箒を持って誰かにいたずらでもしようとしていたのだろうか？　わたしはジャーナリストとしてそこそこやっていけているが、清掃人としては役に立たない。そんなわたしなので、どうか非難しないでほしい。わたしが育ったのはデリーの都市部で、家は中流だった。大半のインド人にはこれ以上の説明は不要だと思うが、それ以外の読者のためにどういうことか示しておこう。

わたしの実家は経済的に取り立てて豊かというわけではなかった。母は五つ星ホテルで営業部門の役員をしており、一人でわたしを育ててくれた。そうした環境でも、肉体労働をすることはいっさいなく大人になっていった。わたしは勉強や読書をするだけでよく、家の掃除はメイドが、皿洗いはコックがやってくれた。近所のアイロンがけ屋（地元の公園の近くで屋台を構え、巨大な石炭アイロンを駆使する中年の女性だった）の若い息子には毎週一回家に来て、小間物を磨いてもらっていた。トイレは別の人が毎朝来て掃除をしてくれた。

こうした細分化とヒエラルキー、極度の分業体制はいずれもインドにおけるカースト制度の悪しき産物だ。床掃除のメイドはトイレについては担当しない。そのためトイレ清掃カーストの女性の出番となるのだが、彼女のカーストがおおっぴらに話題にされることはない。事実、わたしも自分が成長していくなかで彼女のカーストについて考えたことはなかった。というよりも、自身も含め誰のカーストについても思いをいたすことがなかった。実質的にカーストを意識する必要がなかったという点で、それだけわたしは恵まれた立場にあったのだ。

インドのカースト制度は何重にも及ぶ影響——あからさまなものとそうでないものの両面がある——をもたらしたが、それが最終的に行き着いたのは、清潔さをめぐるきわめて奇妙な関係だった。インド人は儀礼上の純潔性と個人の衛生に強くこだわる一方で、公共空間での清潔さに対する責任感となると、衝撃的なほどに欠けているのだ。自宅から相応の距離があるところであれば、道路脇で小便をしても許されてしまうのだから。

自分が小さい頃の記憶でも、人が車の窓を開けてビニール袋を投げ捨てる光景がいくつも見られた。デリーの通りの壁には尿が染みつき、そこから発生する悪臭もびっしりと記憶にこびりついている。人びとはごみや人糞を嫌悪するあまり、自分たちできれいにすることなどできないほど汚れがこびりついていると考えている。それでいて、彼らはごみが放置された環境で、食事をし、笑い、デートを楽しんでいるのだ。

光明寺に話を戻そう。朝日がようやく強い光を放ち始めると、清掃作業に参加していた快活な一団は雑巾や箒をしまい、活動を仕切っていた僧侶、松本紹圭《しょうけい》と緑茶をいただく会に移った。

松本はさまざまなバックグラウンドを持つ僧侶だ。掃除の技法に関する著書[120]があるほか、世界経済フォーラムの「ヤング・グローバル・リーダーズ」に選ばれ、ハイデラバードのインド商科大学院（ISB）でMBAも取得している。彼と知り合ったのは日本に来て数カ月経った頃で、共通の友人が紹介してくれたのだった。場所は新橋という東京のビジネス街にある、活気に満ちた居酒屋だった。

松本はシンプルな紺色の作務衣——丈の短い綿の着物とゆったりとしたズボンで、仏教僧の作業着——を着ていた。彼は落ち着いた話し方をする人で、何か答えるときには長い間を置いてから口を開いていた。ビールを飲み、居酒屋の名物だという牛肉料理をゆっくりと嚙んで食べていた。会話では、妻や子どものことが話題に上った。妻帯・肉食・飲酒をするこの僧侶に対し、わたしは困惑した気持ちになったことを覚えている。こうした振る舞いはわたしの「あるべき僧侶」像にフィットするものではなく、そのことについて詳しく尋ねてみた。

わたしは警戒心を解ければと考えて、あえて無邪気に訊いてみた。日本の僧侶が食事や妻帯について特別な制約を受ける必要がないとしたら、社会で暮らす一般の人びととは何が違うのでしょうか、と。質問に答える前に、松本は慌てずジョッキからビールをごくりと飲んだ。そして彼は微笑を浮かべた。「おそらく唯一の違いは、着ている服なのではないでしょうか」。彼は自分の作務衣を指さしながら言った。わたしは諭されたような気持ちになった——禅の公案で的のずれた質問をしてしまった弟子のように。

日本人は宗教に対し、曖昧な向き合い方をする傾向にある。二〇一三年に行われた「日本人の国民性調査」によると、回答者のうち七二パーセントが信仰する宗教はないとしていた。二〇一五年の「日本版総合的社会調査」でも、宗教はとくに信仰していないと答えた者が六八・六パーセントにのぼった。その一方で、文化庁が毎年行っている宗教統計調査の二〇一五年版では、神道系の信者が八九五〇万人、仏教系の信者が八八七〇万人、キリスト教系の信者が一九〇万人、「諸教」の信者が八九〇万人となっており、これを合計すると一億八八九〇万人で、日本の総人口の一・四九倍に相当する。[121] 日本についての有名サイトの表現を借りれば、この状況をひと言で表すと、日本は世界でもっとも信仰心の篤い無宗教国家なのである！[122]

　大半の日本人は、儀礼を重んじる一方で、神学理論には関心を払わない。篤い信仰心を持たない者が祭りの際に神社を参拝するといった宗教的行動をとるのは、珍しいことではない。儀礼に参加するかしないかは、宗教的信仰心よりも、行事の内容によって左右される。神道の儀式に則って赤ちゃんの成長を祝い、キリスト教式で結婚式を挙げ、仏式で埋葬されるのは、ごく一般的だ。

　葬儀の司式は日本仏教の僧侶にとって得意分野だ。「日本では、仏教と言うと、みんな死のことを連想します。ですが、生きていることについてはどうなのでしょう？」松本は大きなジェスチャーを交えてそう問いかけた。彼は僧侶になって寺院の主な関心は哲学的な追求よりも儀礼のほうに向いていることを知ると、すぐに幻滅した。さらに、社会環境が急速に変化しているにもかかわらず、寺院は時代に適応できておらず、存在意義の低下を招きかねないという状況もあった。

　伝統的に日本の寺院では、世襲制に基づいて代々住職を務める家によって維持管理が行われてきた。地域の檀家で亡くなった者のお骨は菩提寺の敷地内の墓地に埋葬される。檀家は菩提寺に対し、墓地の永代使用料や管理費に加えて、寺の運営のために定期的にお布施を渡しており、これによって寺側は経営を成り立たせることができた。

　だが、こうしたやり方は、地方から都市部への人口移動により国土のかなりの地域で過疎化が進む現代日本の状況を踏まえると持続可能とは言えない。子どもを持たない夫婦や無宗教の葬儀を希望する者が増えたことも、問題を深刻化させた。こうしたなか、松本は何万もの寺院が消滅の危機に瀕している状況下で僧侶の世界に足を踏み入れたのである。

松本は家が寺をしていたというわけではなかった。父は機械部品を扱う会社を経営していたそうだ。しかし光明寺の住職には男の子どもがいなかったため、松本を後継者として迎え入れたという。若き僧侶、松本がオープンな姿勢の持ち主であるのは、こうした背景があったからだと言える。彼はほどなくして、墓地や葬式関連の収入に頼るだけでは寺は生き残れないという思いに至った。そこで、この流れを変えるためにはまず経営学を学ぶ必要があると決意した。

ＭＢＡを取得するべく、松本はハイデラバードのＩＳＢに留学した。ＩＳＢでは日本人としても僧侶としても初の学生だった彼は、現地での経験から刺激を受けた。インドの人びとの日常生活には、宗教が日本にはもはや見られないようなかたちで浸透していた。大学院では、マーケティングや戦略論、金融論についての授業から多くのことを学んだ。

松本は帰国すると、ＩＳＢで学んだビジネススクール流のケーススタディの手法に基づくお寺経営塾〔「未来の住職塾」〕を始めた。受講した僧侶はさまざまな寺院をケースとして研究し、再生プランの構築に取り組んだ。そこで提案されたアイデアには、瞑想コースの開講や寺院での宿泊体験、ボランティア活動への支援や音楽・演劇活動の開催といったものがあった。

*

最初に会ってから数カ月は彼と連絡を保っていた。

しかし、英紙『ガーディアン』で彼の本を取り上げた書評[123]がたまたま目に留まったときには、最後に会ってから約一年が経過していた。『お坊さんが教えるこころが整う掃除の本』と題したその本は、掃除が心にもたらす利点についてコンパクトに解説したものだった。わたしはすぐに彼にメールを送って本を読んでみたいと伝えたところ、その日のうちにPDFを送ってくれた。

基本的な前提が冒頭に示されていた。「日本人は昔から、掃除に単なる雑労働以上のものを見出してきました。（中略）これはおそらく、日本では掃除というものが『汚れを落とす』だけではなく、『こころの内面を磨く』ことにつながると考えられているためです」

わたしはこの本を一気読みした。ここでは、わが僧侶の友人から未来の掃除人《びと》へのコツをいくつか紹介しておこう。

- 掃除は朝、その日の最初の活動として行うべし。
- 掃除は沈黙に包まれるような気持ちの中で、静かに行うべし。
- トイレは禅僧が清潔に保つべくとくに気をつける場所。ウッチュシュマ〔烏枢沙摩明王。密教の明王の一つ〕が悟りを開いたのはトイレだったため、神聖な場所になったと信徒は考えている。
- モノに敬意を払わない者は人にも敬意を払わない。そうした人にとっては、不要になったものは単なるごみにすぎないということになる。

松本は、自分が光明寺でやっている次回の「掃除の会」に来てみてはどうかと言ってくれた――わたしが掃除を終えた参加者と一緒に寺でお茶を飲むことになったのは、これがきっかけだったのだ。彼はその場でわたしを紹介してくれた。わたしは参加者に向かってお辞儀をして、自分がいたのを受け入れてくれたことに感謝の気持ちを示した。平日の朝、仕事前にわざわざお寺まで来て掃除をしようと思ったのはどうしてでしょうか――そう尋ねてみた。

こちらの問いかけにすぐに答えが返ってきたわけではなかった。誰もがじっとお茶をすすっているだけだった。しかし、その頃には待つことの大切さをわたしは理解していた。数分後、サラリーマンの一人が話し始めた。「掃除をすることは、水を飲んだり食事をしたりすることと同じくらい重要なんです」と彼は言った。「インドでは掃除のために人を雇うことがよくあると聞いたことがあります。ですが、わたしたちにとってこれは生活の一部ですし、自分の生活は自分でするべきで、他人にアウトソーシングするものではないと思うんです」

　わたしはこのコメントの直截さに――日本の基準なら礼を失しているとすら言えるほど――衝撃を受けた。しかし、「掃除」というテーマが参加者の発言意欲をかき立てたのは間違いなかった。

　中年の女性が話に加わった。寺に来ることで朝の早い時間に起き、その日に集中して取り組めるようになったとのことだった。少し若い女性は、掃除に参加することで、ほかの大人に小さい子どもを託して外でしばらく時間を過ごす口実になっています、と恥ずかしそうに付け加えた。わたしは必死になって発言内容をメモし、それが終わると顔を上げたが、答えが返ってくるのはそこまでだった。最後に、松本が咳払いをしてから話し始めた。

「みなさん、何のために掃除をするのかとおっしゃいます。ですが、掃除は掃除です。それ以上のものではありません」。参加者の誰もがうなずき、お茶を飲んだ。彼が話を続けた。「掃除には終わりというものがありません。葉っぱを掃いても、その場所にまた別の葉っぱが落ちてきます。それでいいのです。過程と目的のあいだに違いはないのですから」

　参加者が帰った後、松本とわたしは寺の縁側に残り、会話を続けた。彼は自分が鎌倉の寺で三年間見習いをしていたとき、一日五時間を費やして庭の手入れからトイレ掃除まで、さまざまな掃除をした経験について説明してくれた。僧侶にとって掃除と瞑想は区別するものではないのだが、同じことは一般の人に響かない。「そこで、掃除が生活の中で持つ意味を変えることで、瞑想をするために避けるものではないと伝えてみるのはどうかと考えたんです」と彼は言う。

　じっと座って瞑想するのは誰にでもできることではないが、掃除ならすべての人に関わることだと松本はわかっていた。掃除を通じて誰もが心を豊かにでき、同時に汚れを取り除くことで物理的な環境を居心地のいいものにできる、というわけだ。果たしてこの説明でわが同胞のインド人を納得させられるだろうか、という点は気になったが。

*

　それからの数日、わたしは清潔さに関するインドと日本のとらえ方の違いについて思いを巡らせた。これは、「ジュガールと職人」論と並んで、わたしの母国といま住んでいる国のあいだに横たわるきわめて重要な相違点の一つと映った。日本人の哲学において清潔さが中心的な位置を占めていることは、日本語の表現でも明確に示されている。「きれい」という言葉は「清潔である」という意味に加えて「かわいい」という意味もある一方、「不潔」という「清潔でない」ことを意味する言葉は強い不快さを示すことにもなる。「汚い」は、「嫌な」とか「意地の悪い」、「打算的」といった意味にもなる。こうした姿勢の文化的ルーツは禅宗に求められると言ってよいだろう。十七世紀に公衆浴場が登場するまで、庶民が風呂に入れる場所は寺院というケースがほとんどだった。神道も儀礼における浄化を重視している。現在でも、神社を参拝する際には口をすすぎ、手を洗ってから入ることになっている。

　だが、こうした清潔と敬神という特徴はヒンドゥー教の伝統や儀礼のなかにも見られる。結局のところ、仏教はヒンドゥー教から派生したものなのだから。ムスリムも、祈りを捧げる前に身体を清める。また、「清潔は敬神に次ぐ」という言葉は、一七七八年にメソジスト派の司祭、ジョン・ウェズリーが行った説教の中に出てくるのが最古だとされる。

宗教という枠を越えた、より納得のいく説明は、日本の学校教育で早い段階から行われる、清潔さに対する「文化変容」に求めることができる。日本の小学校では、どの教室も清潔感あふれる子どもたちが何列も並ぶ机に向かって椅子に座っている。上着は椅子の背にかけられている。教科書は机の上に出してあることが普通だ。ここまではどこの国でも同じだろう。世界の他の国と日本の学校の教室が違うのは、机の脇にフックが付いていて、雑巾がかけられていることだ。文房具やノートと並んで、この雑巾は不可欠の学用品なのだ。というのも、日本の教育カリキュラムでは、読み書きや計算に加えて、清掃活動も重視されているからだ。

そこでわたしは日本の小学校を訪問してみたいと思い、コヤマさんに助力を乞うことにした。インドネシア時代の日本人の友人で、わたしが日本で順応できるほどにソフトな話し方ができるだろうかと心配していた、あのコヤマさんだ。彼女の家族は少し前に東京に戻ってきて、上の息子さんが吉祥寺という経済的に豊かな地域の公立小学校に通っているとのことだった。彼女が学校とかけ合い許可を取ってくれたおかげで、わたしは学校で数時間滞在させてもらえることになった。

わたしが学校に着いたのは、ちょうど昼食が始まるタイミングだった。タナベ先生が受け持つ三年生のクラスには二五人程度の生徒がおり、わが友人の息子さんもその一人だった。生徒たちは時間になると教科書やノートをしまい、ランチマットと箸を取り出した。五人ほどの生徒のグループがマスクと給食帽子、白衣を着用し教室から出て行くと、数分後には給食が満載された台車を押しながら戻ってきた。その日のメニューは味噌汁、唐揚げ、野菜サラダ、それに牛乳だった。給食当番の生徒は、自分の分を食べる前に丁寧な手つきで昼食を盛り付けていった。その後、残飯をまとめ、台車を給食室まで戻しに行った。

次の三〇分は、机と椅子を教室の奥にまとめて、身体を動かす時間だった——掃除だ。生徒たちはモップと雑巾を水で絞ると、廊下や階段、教室、水飲み場へと散らばっていった。床掃除をする生徒たちは、しゃがんだ姿勢で両手を雑巾の上に置き、肘はまっすぐ、お尻を高く上げて床を何往復もしていた。ほかの生徒は、真剣かつ徹底的にしつこい汚れを落とそうとしていた。なかには、この時間を誰がいちばん早く終わらせるかの競争大会にしてサボってやろうとする生徒もいた。タナベ先生も箒を手にして掃除に加わり、雰囲気を盛り上げる行進曲が放送されるなかでときおり指示を出していた。

清掃活動は日本政府が定める学習指導要領で正式に言及されているが、実際の運用に当たっては個々の学校の裁量に委ねられている部分もある。たとえば、わたしが訪問した吉祥寺の小学校ではトイレは生徒による掃除の対象外になっていたが、学校によってはトイレも生徒が掃除し、別途清掃スタッフを雇うことはしていないところもある。

タナベ先生のクラスでは、生徒たちがその日の掃除を終えると、各自の雑巾を机脇のフックに戻した。インド人ジャーナリストが来ていて、昼休みの悪ふざけに興味津々なことに戸惑っているようだった。わたしはクラスに向かって、掃除のときに何がいちばん楽しいかについて尋ねてみた。一〇人以上が一気に手を挙げた。この子たちは日本の大人が持つ遠慮というものをまだ知らないように見えた。

眼鏡をかけた八歳の生徒が積極的に話したそうだったので、わたしは発言を促した。「掃除をすればするほどいい気持ちになれます。先生が『よくできましたね』と言ってくれたときはとくに」。自分の質問が先生のお気に入りにとっては絶好の内容であることを悟ったわたしは、別の角度から次の質問を投げかけてみた——掃除で嫌なことは何？ 今回も同じくらいの数の生徒が一気に手を挙げた。「面倒くさいです」と女子生徒の一人が不満を口にした。男子生徒は「水飲み場のところは寒すぎです」と、どこか悲しげに言った。だが、好むと好まざるにかかわらず、この子たちは今後の学校生活でもほぼ毎日掃除をしていくことになるのだ。特別な日には、学校の外に出て周りの道を掃除しに行くこともあるという。

学校訪問というアイデアを初めて相談したとき、コヤマさんは教室や共用スペースの清掃は一九八〇年代の小学校でも学校生活の一部だったと教えてくれた。「掃除をすることで汚れってどういうことか実感できたと思っています。自分の行動がどういう結果をもたらすかを意識するようになりました」と彼女は言う。

生徒にとって、毎日ある掃除の時間は単なる衛生管理以上の教育だった。他者のために働き、ともに働き、まじめに働くことです――タナベ先生が解説してくれた。掃除を通じて生徒は基本的な生活のスキルを身につけ、協調する心を養うことができる。これは、教育の中で九九を覚えるのと同じくらい重要な位置づけがされている点だった。その結果どうなったかというと――掃除は罰とは見なされなくなるのだ。人の尊厳を損なうようなものとも見なされない。汚いこととも見なされず、むしろ清潔にするための手段ととらえられるのだ。

＊

日本が誇る新幹線に初めて乗ったのは、二〇一七年春のことだった。家族と一緒に京都に行ったときで、五一三キロの距離を二時間半以下（正確に言えば一三八分。なんと言ってもここは日本なのだから）で移動した。ホームに姿を現した新幹線を見たときのわたしたちの反応は、「純真な少女」のように見えたかもしれない。子どもたちは歓声を上げ、わたしは写真を撮りまくった。だが、周囲の日本人の乗客はじっとしていた。無表情でスマホを見つめ、わざわざ顔を上げる者などほとんどいなかった。

彼らにとって新幹線に乗るということはウーバーイーツが配達に来るのを待つのと同じ程度のことでしかないのは明らかだった。だが、当たり前の存在であるがゆえにとくに関心を払わない彼らとは異なり、高速鉄道を経験したことのないインド人にとって、これほどのスピードで走る電車は驚異としか言いようがなかった。しかも、その驚異は速度だけではなかった——想像を絶する正確さで運行されていたのである。わたしが利用した路線では一日の運行本数は三五〇本にのぼり、年間の平均遅延時間は……なんと三六秒なのだ！[124] さらに、とにかく驚嘆する以外にない一大スペクタクルは、スタッフによる車内清掃だ。そのさまは、モップを操るアーティスティックスイミングの部隊を思わせた。これを発車前の数分間でやってのけるのである。

　まず、清掃スタッフは整列し、新幹線がホームに入ってくると乗客に対して敬意を示すのと同じように、車両を前に深くお辞儀をする。次いで、スタッフはビニール袋を持って車両のドアの脇に立ち、降りる利用客がコーヒーのカップやプラスチックの弁当容器、新聞といった車内で出たごみを受け取っていく。乗客がすべて降りたのを確認すると、スタッフは車内に素早く入り込み、とてつもなく衛生的なバッタのように散らばっていった。作業を終えて次の乗客にお辞儀をするまでに要した時間は、わたしが「こんにちは」と言うのにかかるのと同じくらいに感じられた。実際のところ、一連の作業に要するのはジャスト七分間で、新幹線の到着と出発時刻に完全に合わせるかたちで設定されている。

　この驚嘆すべき効率性については、ハーヴァード・ビジネススクールがケーススタディとして取り上げたことがあるほどだ。[125] ＪＲ東日本の子会社で車内清掃を受け持つ「ＪＲ東日本テクノハートＴＥＳＳＥＩ」〔以下「テッセイ」。なお、著者が利用した東海道新幹線の清掃は「新幹線メンテナンス東海」が行う〕は、世界中のＣＥＯが自社の経営やイノベーションに取り入れたくなるようなメソッドを確立している。テッセイのスタッフは一一のチームに分かれ、各チームには二二人のスタッフが配置され、毎日約二〇〇本の列車の清掃を担当する。スタッフの平均年齢は五十二歳で、半分以上が女性だ。

　スタッフの業務は秒単位で細分化されている——ごみ収集に一分三〇秒、乗客が進行方向を向いて座れるようにするため座席の向きを一八〇度反転させるのに（新幹線の座席は回転できるようになっている）三〇秒、清掃に四分、最後のチェックに一分といった具合だ。基本的なチェックリストはこうなっている。

作業開始〜一分三〇秒
車内の両端上にある荷物スペースや座席の間に忘れ物がないことを確認。すべての座席を進行方向に回転。スタッフの一人が通路を点検し、落ちているごみを拾う。

一分三〇秒〜四分三〇秒
通路を戻る際はブラインドを下ろして点検するとともに、座席前のトレイを下ろして汚れを拭き取る。座席カバーは汚れがついていれば交換する。

四分三〇秒〜六分三〇秒
最後の二分間で、集めたごみを袋に入れ、チェックリストの項目がすべて点検済みであることを確認する。

化粧室の清掃は別の専門スタッフが担当し、そこですしを食べることだってできそうなほど——そんなことをする人はいないと思うが——ぴかぴかにしてくれる。この時点でもう言うことなしなのだが、これで終わりではない。清掃スタッフは作業を終えると、車両の前に整列し、お辞儀をして次の乗客を迎え入れるのだ。

いい気分にさせられるスペクタクルが目の前で展開するなか、わたしは数年前にボストンからニューヨークに向かうフライトのことを思い出していた。あれは四月で、雪が降る夜の便だった。フライトは六時間も遅延したが、航空会社からもスタッフからもお詫びの言葉は一切なかった。ようやくニューヨークに到着すると、疲労困憊した様子の女性客室乗務員が席に放置されたごみの入った袋を見つけ、持ち主に向かって投げつけたのだ――それも、列をつくって降りる順番を待っていた乗客の頭越しに。「お客さま、ごみは自分で持っていってください」と彼女は大声で言ったのだ。

　話を日本に戻そう。新幹線が動き出しホームから離れていくなか、わたしは窓から外を眺めていた。清掃スタッフはわたしたちに向かってずっとお辞儀をし、その姿が見えなくなるまで続いていた。

*

　松本の本を読んで、わたしはその教えのいくつかを深く心に刻みつけることにした。毎朝、子どもたちが学校に行った後、キッチンで水仕事をする三〇分間をじっくりと味わうことにした。窓の外を眺め、窓枠によく来るでっぷりしたハトとアイコンタクトを交わすようになった。このひとときが、子どもたちを追いかけ回して制服を着させて送り出すまでのカオスから気持ちを整えて執筆に集中する流れの中でかけがえのない移行タイムになった。

　しかし正直に言えば、日本並の清潔さは煩雑に感じられることもある。とくに困ったのが、東京ではごみ箱がほとんどないことだった。ごみ箱が設置されていない理由の一つは、日本では深く考えることなく包装や空き缶をその辺のごみ箱に投げ捨てるのではなく、ごみは自宅に持ち帰り、徹底したリサイクルシステムに乗せることがよしとされていることにある（もう一つの理由は、死亡者一四人、数千人以上が負傷した一九九五年の地下鉄サリン事件だ。この事件以降、テロリストによって悪用される危険性があるとして、公共の場の多くでごみ箱が撤去された）。環境にとっても、人間の良心にとってもきわめて優れた対応、ということだろうか。とはいえ、東京での生活が数年目になった時点でも、たとえば噛み終わったガムを捨てる場所がどこにもないことに少々いら立ちを覚えたのも確かだ。テイクアウトのコーヒーカップについても同様だった。

だが、文句なしに満喫した日本式の清潔さがあった――温泉だ。これは日本人がとくに強いこだわりを持つものである。ハイシーズンにお目当ての温泉に行くためには、高度な予約技術を要する。また、温泉は日本文化の構築という点でも大きな影響を及ぼしている。川端康成や夏目漱石といった文豪は、有名な温泉街を題材にした作品を書いたり、実際に温泉宿に滞在して執筆をしたりもした。

日本列島が地質学的に世界でもっとも活動的な地域であり、一〇〇以上の火山があることを踏まえれば、温泉はあちこちにある存在だ。だが、他の国ではほとんど注意を払う必要がない多くのこと――たとえばお茶を淹れるとか花瓶に切り花を挿すとか――と同様に、日本の場合、温泉での入浴は文化的な地雷原に足を踏み入れるということを意味しうる。温泉旅館に行くと、外国人は入浴時のエチケットが延々と記された紙を渡される。そこで書かれているものには、表向きには浴場での共通の経験というデリケートな調和を乱すのではないかという懸念から、日本人以外の者に入浴を諦めさせるような内容のものもある。

実際には利用を断られるという事態はめったに起きないのだが、初心者は温泉に入る際に、緊張を強いられることになる。まず、温泉に入るときには、下半身に何も着けない、生まれたままの姿で入らなくてはならない。水着は絶対にＮＧだ。バスタオルもだめで、ハンカチ程度の大きさのタオルをたたんで頭に乗せておくこと――そうすることでお湯に触れることがなくなる――だけは許されている。

ほとんどの温泉で、タトゥーがある者の入浴は禁止されている（このルールは公共のプールでさえも適用されていた。わたしが子どもを連れて行っていた近所のプールでは、タトゥーがある場合は「ほかの利用客やお子さまの恐怖心」を招かないよう、ラッシュガードで覆うよう求められていた)。

タトゥーに対してこれだけ厳しい姿勢がとられているのは、入れ墨が犯罪者やヤクザが暴力団の一員である証《あか》しとして関連づけられているためだ。二〇二〇年のオリンピックで大量の観光客が来日することを想定して、日本観光振興協会は温泉業を営む者に対しタトゥーを入れているが暴力団とはまったく関係のない外国人について「配慮」をするよう求めたが、執筆時点では論争が続いている状態だ[126]。

温泉は自撮り禁止の場所でもある。携帯電話の持ち込みは禁止されている。泳ぐことも、お湯をバシャバシャすることも、大声で話すことも禁止だ。利用客は湯に浸かる前にシャワーを浴びて身体を清潔にしておかなければならない。しっかりと身体をきれいにする必要があるのだ。それによって人生が左右されるくらいのレベルで、だ。簡単に石けんで洗い流しただけでは怒りのまなざしを向けられることになる。現在では大半の温泉で男女別となっているが、混浴が残っているところもある。いずれの場合でも、目はほかの利用客の生体構造のほうではなく、自省する方向に向かうべしとされている。

日本に来てからの数カ月間、わたしは温泉に行くのをためらっていた。裸にならなくてはならいことに加え、単純に熱いお湯の風呂がそれほど大騒ぎするほどのものかいまひとつぴんとこなかったからだ。しかし、ようやく温泉に行ったとき——本州中部・長野県のリゾートだった——、身体を浸したその瞬間からわたしは大の温泉好きに生まれ変わった。そのあまり、わたしは二月に子どもの学校が中休みになったとき、日本最北部の北海道で過ごすのはどうかと家族に提案するに至った。正直、わたしは寒いのが嫌だったしスキーをやるつもりもなかったが、スノードームのような冬のワンダーランドの中で温泉に入ってくつろぐのは、バケットリスト〔死ぬまでにやっておきたいことを記したリスト〕の中でもぜひやっておきたいことだったのだ。

リゾートの温泉で雪の降る中、わたしは冷たい空気を吸い込みながら、摂氏四二度のお湯がもたらすリラクゼーションの世界に身体を溶け込ませていった。雪が積もった松の枝を手に取って、粉雪の柔らかさを感じた。雪はわたしの髪の毛にも積もっていた。まさにこういうことしてみたかった――わたしは一茶の俳句を思い出していた。

**お知らせ**

入れ墨・タトゥーがある方は、該当部分を覆わない限りプールエリアにご入場いただけません。入れ墨・タトゥーがある場合は、水着の上にラッシュガードをご着用いただくか、テープで隠していただくようお願いいたします。

ほかの利用客やお子さまが恐怖心を抱くことなく、みなさまに安心してプールエリアをご利用いただけるよう、ご協力をお願いいたします。

プールご利用の際にはラッシュガードもしくはテープの持参をお願いいたします（貸出も行っておりますが、数に限りがございます）。

初雪のふはふはかかる小鬢《こびん》哉

そのとき突然、あることが脳裏にひらめきかけていた。この宇宙についての真理が、雪と湯気で感覚が弛緩していたわたしの前に解き明かされようとしていた。そのときだ。タイ人の女性二人がはしゃぎながらドボンと温泉に入ってきて、その日のスキーについて大声で話し始めたのだ。水しぶき？大声でのおしゃべり？わたしは温泉の隅に移動し、彼女たちのほうに受動攻撃性のまなざしを向けた――そうしたところで何の効果もなかったのだが。それから数分して、今度は若い中国人女性が凍えるような寒さの中を慎重な足取りで歩き、温泉に入ってきた――絶叫する子ども連れて。温泉で絶叫？

わたしは気分を害した面持ちで――誰にも気づいてはもらえなかったが――大急ぎで建物の中に戻ることにした。だがそこで出くわしたのは、室内の風呂に半分身体を浸し、スマホをいじって写真を見ながらくつろいでいる女性の姿だった。温泉における秩序の崩壊状態にショックを受けたわたしは、よろめきながら洗い場のところまでたどり着いたのだが、そこにはブロンドの女性がおり、全身タトゥー姿なのをまったく気にすることない様子でシャンプーをしていた。

わたしが思い浮かべたような黙示録の世界ではなく、単にそこは外国人にとりわけ人気の温泉リゾートが繁忙期の真っただ中というだけだった。だが、わたしは現地化していたようで、このような振る舞いをする訪日外国人をにらみつけるのはその一プロセスになっていた。

＊

温泉は日本の鉄道駅と同じくらいわたしの身体をきれいにしてくれた（日本に住んでいる者だけが実感できる比喩だろう）。しかしそれは衛生的な意味を超えて、入浴を美学にまで高めたものだった。このありふれた行為を芸術に転換させることこそまさに「日本ならでは」と言えるが、それがもっともよく表れているのがこの国におけるマンホールのふただ。

　日本での生活が長くなるにつれて、わたしは目線を空や花に向けるよりも、下を向いて路上のマンホールを探すようになった。この一見たいして重要ではなさそうなマンホールのふたが、日本各地で独特のアートになっているのである。緻密なデザインで、なかには彩色されたものもあり、下水管が走るその街のユニークな歴史や文化を伝える役割を担っている。東京では桜の花びらをかたどったものが一般的だが、大阪では大阪城がもっともよく使われるモチーフだ。港湾都市の場合は灯台や海の景色が、漁村であれば魚、といった具合だ。提灯や特定の料理といった地元の祭りを表すアイテムというケースもよくある。「日本マンホール蓋学会」（はい、そういう学会が存在するのです）によると、こうした芸術的なマンホールのふたは全国に六〇〇〇枚ほどあり、木や風景、花や鳥などを描いたものが大半を占めるという。

　わたしが手短に調べたところでは、マンホールと呼ばれる地上からの進入口を備えた現代の下水道システムの歴史は十九世紀後半にまでさかのぼる。淡褐色でとくに目を引くわけではない幾何学模様のマンホールのふたが今日のような芸術的な作品に変化を遂げたのは一九八〇年代だった。当時、日本ではいくつかの都市で下水道システムの改修が計画されていたが、コスト面で住民からの反発もあり難航していた。そうしたなかで、ふたを魅力的なものにすれば下水道改善の重要性を住民に受け入れてもらえるだけでなく、より敏感に意識してもらえるのではないかという案が役所で提起され、実現の運びになったという。

　ほどなくして、各地の自治体がデザインコンペを開催し、発信力のあるデザインを競い合うようになった。しかもそこはやはり、無名のものに対して情熱を傾けることにかけては人材の宝庫と言える日本とあって、「マンホーラー」のグループが自分の時間を費やしてユニークなデザインのマンホールを探し当て、写真を撮り、なかにはしゃがんで「ふた拓」を取る者すらいるのだ。

　この数十年で、マンホールのふたをテーマにした本が何冊も出ている。最近のもので一冊例を出すと、『マンホール——意匠があらわす日本の文化と歴史』という本がある。書いたのは石井英俊という東京都庁の元職員で、二〇年を費やして一七〇〇にのぼる各地の自治体を自転車で訪ねてマンホールのふたを撮影したという人物だ。アマゾンで検索すると、『マンホールのふたでキルティング（*Quilting with Manhole Covers*）』という本も見つかった。こちらはキルト愛好家向けのデザイン本で、そこで取り上げられているのはすべて日本のマンホールのふただ。[127]

　マンホーラーのためのサイトやSNSのグループは数え切れないほどある。「下水道広報プラットフォーム（GKP）」という団体からは、魅力的なマンホールのふたのデザインを紹介するカードを作成した。このカードは下水処理場をはじめ公共施設で無料配付されている。GKPによると、二〇一六年四月に最初のカードを発行して以来、一〇〇万枚以上が配付されている。また、日本全国におおむね一万二〇〇〇万種類のマンホールのふたが存在するという。[128]『ジャパンタイムズ』に掲載された記事では、東京近郊の埼玉県にある旅行会社が各地のマンホールカードを集めるためのバスツアーを企画したと紹介されていた。[129]マンホーラーは二〇一四年以来、毎年「サミット」を開催しており、愛好家が集まってデザインについて意見を交わすことも行っている。

　日本のマンホール愛好家を人間的興味の対象として面白おかしく取り上げることはたやすい。しかし、わたしにとってこれはマンホールのふたについて真摯に向き合うこと、もっと言えば核心を突くことなのだ。

　マハートマ・ガンディーは、真の自由と尊厳に対する社会のコミットメントは私的および公的な衛生管理に対するアプローチに見出すことができると考えていた。この評価基準に基づけば、インドは公私どちらにおいても成果を上げることができていない一方、日本は成功していると言える。魅力的なマンホールのふたは、人間の生活において汚く、恥ずかしいものとずっと考えられてきた側面を美しき芸術品に昇華させ、注目や称賛、驚嘆の対象となった。これはすばらしいことではないだろうか。わたしはこれこそ、日本が世界に対してアピールすべき大切なメッセージであると指摘したい。

光明寺でほかの参加者とともに清掃活動に加わった朝、友人で僧侶の松本はこのメッセージをコンパクトにまとめて説明してくれた。『お坊さんが教えるこころが整う掃除の本』は、掃除が楽しい作業であることを示すために書かれた本だったのだ。「楽しむための機会を逸してしまうべきではないですよね」と彼は言った。それは本心からの言葉だった。

# 第8章 僧侶、映画スター、革命家、そしてゾウ

中国に住んでいたとき、わたしの出身国から連想されるステレオタイプと言えば、何はさておきヒンディー語映画と仏教だった。北京でわたしがタクシーの後部座席に乗っていると、運転手がニンニクの香り漂う息で一九五一年の映画音楽「アワラ・フーン」をいきなり歌ってくれるということが何度もあった。こちらを敬うように頭を下げて「インドゥ（インド）！ フォーチャオ（仏教）！」と小声で言ってくる運転手もいた。

中国では、タクシー運転手と会話をすると必ずと言っていいほど声を立てて笑ったり、唾を吐いたり（こちらは前者のみ）していた。東京のタクシー運転手は声を立てて笑うこともなければ唾を吐くこともない。運転手は白い手袋をはめ、気品の高い執事のような雰囲気を漂わせていることが多い。雑談をすることはあまりない。四年間を通じて、インドについて何か話をしてきたり、いきなり歌い始めたりする運転手は一人もいなかった。だが、こうした違いがある一方で、日本がインドに対して抱くイメージは、中身の部分で中国の場合とあまり変わりがない。そう、結局は宗教と映画なのだ。

仏教は中国と日本の両方で社会の基盤となったが、インドはその発祥の地だ。そして、二十一世紀の

いまでもインド、中国、日本は仏教を通じて互いを理解し合っている。わたしたちは行動や気質といった面では異なるが、互いの文明における信仰や信念に関わるものを直感的に理解できるのである。

わたしが調べた限りでは、記録に残っているものとしては菩提僊那《ぼだいせんな》（ボーディセーナ）というマドゥライ出身の僧が最初に日本を訪れたインド人ということになる。彼が日本文化にもたらした巨大な影響は、中国で禅宗を確立したもう一人の南インド出身の僧、菩提達磨《ぼだいだるま》（ボーディダルマ）に比肩するだろう。[130]

菩提僊那は八世紀初めに生まれた。彼の生涯と旅は、多方面にわたる仏教の影響の展開と、それがアジアの諸地域を結びつけ文化的一体性をもたらしていった複雑な過程を自ら示すものだ。多くの南アジア出身の僧と同じく、菩提僊那は文殊菩薩（智慧を司る菩薩）が中国の五台山に住んでいると信じ、中国滞在中、彼は日本から来た遣唐使と出会い、仏教を篤く信仰していた聖武天皇（七〇一－七五六）からの来日招請を伝えられ、それを受け入れることにした。菩提僊那は、ほかの高僧とともにカンボジアとチャンパ（現在のヴェトナム中部および南部）を経由して日本に赴き、彼らの教えは日本仏教の基盤の多くや宮廷文化をかたち作っていった。[131]

菩提僊那とともに船に乗っていた者の一人に、玄昉《げんぼう》という僧がいた。彼はのちに奈良の聖武天皇のもとで政治に関わることになる学問僧で、唐で一八年過ごした後に仏典五〇〇〇巻を携えて帰国の途についていた。吉備真備《きびのまきび》も乗船していた。彼は、今日の日本語でも使われている片仮名の開発に関わったという説がある。片仮名におけるサンスクリットの影響は、吉備真備が菩提僊那と航海をともにし、その際に知識を得たことに理由を求める指摘もある。[132]また彼が日本にもたらしたものには、中国の刺繍に加えて古箏《こそう》があり、これが「琴」として日本の宮廷音楽で用いられる基本的な楽器の一つになった。

チャンパで菩提僊那に弟子入りした仏哲《ぶってつ》〔ブッダスティラ〕という僧がおり、渡航した僧侶たちのまとめ役をしていた。仏哲は、インド神話を題材にした楽舞——南アジアではありふれたリズムだが、当時の日本にはもたらされていなかった——を伝える役割も担った。こうした楽舞は林邑楽《りんゆうがく》の名で知られるようになり、日本の芸術体系に取り込まれていった。

菩提僊那を乗せた船は七三六年に大阪の港〔難波津〕に着岸し、一行は奈良の都に向かった。仏教が唐王朝のもとで得られた教えに支えられ、それまで神道に傾倒していたエリート層を脇に追いやり、日本でしっかりと根を張るようになったのは奈良時代（七一〇－七八四）〔平安京遷都までとする場合は七九四年まで〕のことだった。聖武天皇のもとで、仏教は公に認められることになった。奈良の寺院は広大な土地を蓄積し、絶大な政治的影響力を手にするようになった[133]。

菩提僊那の来日はこうした経緯の中で起きたことだった。それまで、日本における仏教の知識はすべて朝鮮か中国を経由してもたらされてきた。インド人の菩提僊那は直ちに畏敬の念をもって遇され、当時の重要な仏教教育・研究拠点だった大安寺に住むことになった。彼はサンスクリット語を教えるとともに、日本における華厳宗の確立でも役割を担った。菩提僊那はその後、七六〇年に亡くなり、霊山寺に埋葬された。

一部の仏教宗派とは異なり、華厳宗は現在でも存続している。総本山は奈良の東大寺で、ここはユネスコの世界遺産に指定されている。東大寺は前身の寺院が七四一年に創建され、七五二年には盧舎那仏の開眼供養会が行われた。この大仏は重さ二五〇トン、高さ一五メートルで、当時としては世界最大の銅像だった。開眼供養会は、深刻な飢饉が続き天然痘が広がる社会状況を転換させるべく、仏の加護を得たいと願った聖武太上天皇によって執り行われた。

わたしが家族と一緒に奈良を訪ねたのは、開眼供養会から一二六六年後、つまり二〇一八年四月のことだった。桜の見ごろは終わってしまったばかりだったが、山沿いではまだ花をつけている場所がところどころで見られた。奈良の街はコンパクトで、京都ほど観光客だらけというわけではなかった——野生のシカが公園や寺社をゆっくりと歩けるほどに。わたしたちのガイドがくれた名刺の裏には、役に立つ日本語の表現がいくつか掲載されていた。「おはようございます」や「ホテルまでお願いします」に続いて記されていたのは、「助けてください！　シカに地図を食べられた」だった。旅行会社の一風変わったユーモアにわたしはくすりとしたが、その翌日にはシカが観光客の地図を口で取り、むしゃむ

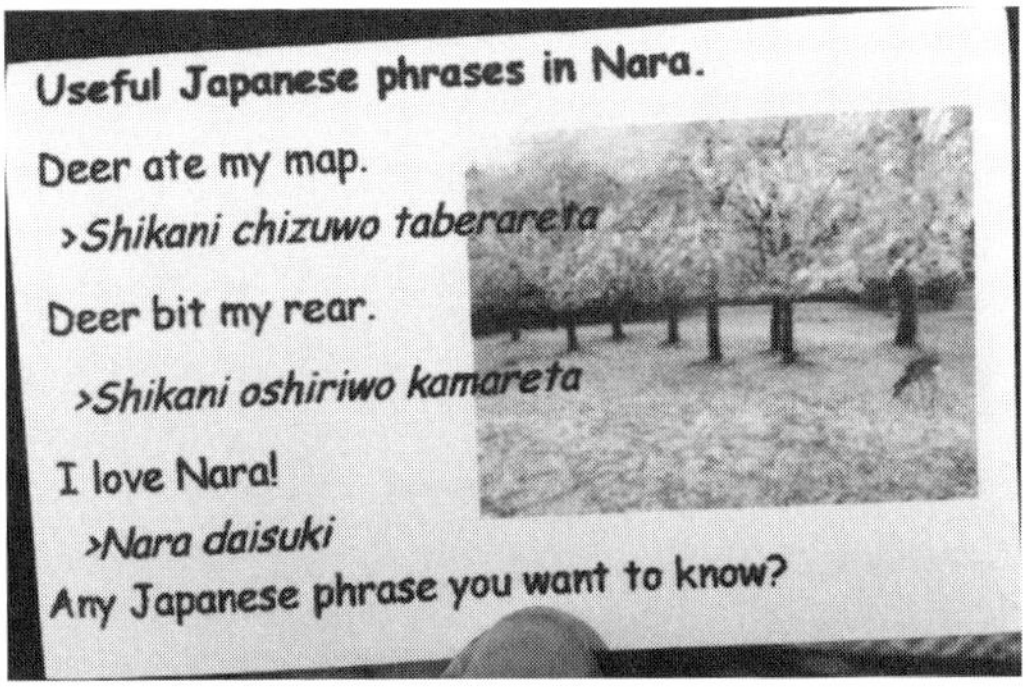

しゃと食べる様子を実際に目の当たりにしたのだった。

　地図を食べてしまうシカはたしかにチャーミングではあるが、奈良の最大の見どころというわけではない。その栄誉はやはり東大寺の大仏が手にしており、大勢の人びとが参拝に訪れている。大仏は巨大な木製の堂に鎮座しており、京都から日帰りで来て自撮り写真に興じる観光客でいっぱいだった。観光客の多くは口を開けて仏像を見つめたのち、大仏殿を支える柱に開けられた穴に向かう。この穴は大仏の鼻の穴と同じ大きさで、ここをくぐった者は来世で悟りを開くことができると信じられている。この穴は子どもしかくぐれないほどの大きさなのだが、それでも大人の中国人観光客はひるまず挑戦していた――当然ながらお尻のところでつっかえてしまい、引っ張ってもらう羽目になったのだが。

　夫や子どもたちは寺の庭を散策してもらうことにして、わたしは東大寺別当の居住エリアに向かった。第二一八代別当と華厳宗管長を務めた森本公誠《こうせい》と面会するアポイントメントを取っていたのだ。居住区は寺院の敷地と隣接する場所にあった。低層の家屋群が屋根付きの通路でつながっており、そこから伝統的な様式の庭園を見渡すことができた。応接間に通されると、森本長老（敬意を込めて彼はこう呼ばれている）が両手でお茶を持ってわたしを待ってくれていた。外では遅咲きの枝垂れ桜が見えていた。

　森本は驚くほど快活で、ハーフリムの眼鏡をかけ、生き生きとした目をせわしなく動かしながら菩提僊那について古い友人のように語っていた。彼は、聖武天皇が奈良の高僧のなかから大仏開眼供養会の導師を選ぶ際、インド出身の菩提僊那に決めた経緯を説明してくれた。ペルシャ、朝鮮、ヴェトナム、中国、中央アジアからの使節を含む大規模で国際的な参列者の前で、菩提僊那は大仏の眼に瞳を描き入れることで魂を吹き込んだ。「インドだと、魂を物体に吹き込むということがおわかりいただけるのではないでしょうか？」と森本長老が尋ねてきた。「この概念を欧米人に説明するのは非常に難しいのです」

そのとおりだった。わたしには彼が言っていることを理解することができた。日本文化には、インド人が本能的に理解できる部分が多くある。中国とは異なり、日本では共産革命は起こらず、そのため過去から切り離されることもなかった。宗教行事があちこちで行われ、寺社が今日でも存在していることは、インドとの共通項なのだ。

実は、日本仏教にはバラモン教ないしヒンドゥー教の神々の一部が守護尊や菩薩として取り込まれており、日本語では「天」と呼ばれている。たとえば、ヒンドゥー教のシヴァ神は「大自在天」となって観音菩薩と、ブラフマー神は「梵天」として文殊菩薩と、それぞれ何らかの関連がある。インドラ神（帝釈天）やヴァルナ神（雷神）は、寺院の門を守る役目を与えられている。ほかに日本仏教に取り入れられた神々としては、ヤマ（閻魔天）やガルーダ（迦楼羅《かるら》）、ラクシュミー（吉祥天）がいる。サラスワティー（弁財天）はとくに人気があり、これを本尊とする寺院は日本各地に何百山もある[134]。

だが、インドから中国を経て日本に至る長い伝播の中で、こうした神々は外見的にも哲学的意味合いの点でも変貌を遂げた。普通の日本人にとっては、自分たちが寺院で常日頃崇拝する対象にヒンドゥー教のルーツがあることは、あまり伝わってこなかった。ガネーシャについて言えば、ゾウの頭をした像が公開されることはめったにないため、文字どおり目にすることができない。ガネーシャは非常に強い力を持つため凝視することは危険と考えられており、像は秘仏扱いになっているのだ。

＊

奈良から帰ってきても、こうした新しい情報が頭を駆け巡っていた。そこでわたしは、インド以外でガネーシャ像を本尊とする最古の寺院の一つ、待乳《まっち》山《やま》聖天《しょうでん》を訪れることにした。この寺院は東京の北東部を流れる隅田川の川岸近くにあり、周囲にはところどころ江戸時代の浮世絵を思わせる風景が広がっていた。着物や手工芸品を扱う店が軒を連ねていた。

わたしは寺院の応接室で定番の緑茶をいただきながら、平田真純《しんじゅん》住職に話を聞いた。有名なガネーシャ〔聖天〕像を拝観できないかと尋ねると、彼はとことん凶暴なスズメバチに刺されたかのように身体を引きつらせ、次いで両手を顔の前で交差させた。答えが「ノー」であることは疑いようもなかった。こちらのリクエストが引き起こした動揺から立ち直ると、彼は自分ですら像を見たことは一度もないのですと説明した。実際、最後に像が人の眼に触れたのは第二次世界大戦後に防空壕から運び出されたときで、そのとき本堂に安置されて以来、非公開のままとなっている。

住職いわく、秘仏とされていることが、聖天の霊験に対する信仰の強さにつながっているという。だが、ほかにも理由はある。日本では、ガネーシャは歓喜天、聖天、毘那夜迦《びなやか》といったかたちをとっている。歓喜天の場合、ゾウの頭をしたもう一つの像とエロチックに抱擁を交わすかたちで描かれており、公開するには性的に露骨すぎると考えられたのだ。

歓喜天が持つ「慈愛の天」という位置づけは、日本仏教だけのものではない。本家のインドでは次のような神話がある。母のウマー〔パールヴァティーの別名〕は自らの左側に一五〇〇人の「悪」の子を産み、そのうち最初に生まれたのがガネーシャ（毘那夜迦）だった。右側には一五〇〇人の「善」の子を産み、そのうち最初に生まれたのが観音菩薩の化身でもあるセナーヤカ（扇那夜迦）だった。毘那夜迦を善の側に向かわせるべく、扇那夜迦は転生して毘那夜迦の妻になった。二人の結びつきがもたらした歓喜によって、毘那夜迦の悪から善への転向が実現したという[135]。

こうした背景から、歓喜天は障害の創造者ではあるが、怒りは容易に鎮められる存在でもあり、大根を何本か渡せばその障害を取り除いてくれると考えられてきた。待乳山聖天の軒《のき》や階段、柱など境内のあちこちには、大根の絵が彫られたり描かれたりしていた。大根はお供え物用のものが販売されており、本堂にはそれが山積みになっていた[136]。

日本のガネーシャは味覚を現地化させた結果、好物がインドの砂糖漬け菓子ラドゥーからしゃきしゃきした大根に変わったが、甘党だった過去を完全になくしたわけではなかった――歓喜天は甘い餅をもらい、それを日本酒と一緒に飲み込むと気持ちが落ち着くというのだから。

住職によると、江戸時代には歓喜天を本尊とする寺院の数は日本各地で一〇〇〇山をはるかに上回っていたという。歓喜天は古くから商店主に支持されてきた神で、彼らは成功への障害を取り除いてくれるよう祈願してきた。待乳山聖天がある地域は東京の歓楽街だったところで、劇場や食堂、旅館が集まっていた。これらの経営者は歓喜天のご加護を求めてこぞって寺に参詣していたのだ。時代の推移とともに、参詣者の構成は変わっていった。いまでは、大半は三十代から四十代の年齢層に属するという。平田住職いわく、多くの女性が理想の夫に出会えるための障害を取り除いてほしいと願い、歓喜天のご加護を求めに来るそうだ。

本堂の周囲の参道には、商店主や業界団体から奉納された鳥居や額が点在していた。住職が隅田川の方角を指し示し、かつては遮るものがなく富士山まで見渡せたことで、人気の絵画スポットだったと教えてくれた。いまではその景色は高層ビルで埋め尽くされ、なかでも高さ六三四メートルの近未来的な東京スカイツリーが雲に向かって屹立している。寺では、川からの緩やかな風が境内を漂っていき、軒先にかけられた提灯がゆらゆらと揺れ始めた。提灯に描かれた束ねた大根が前後に揺れるさまは、見る者に、歓喜天は満腹でご機嫌ですよと伝えているかのように映った。

*

日印間の宗教面のつながりは魅力的で強固な文明的紐帯をもたらしたのは確かだ。とはいえ、二十一世紀にあっては少々時代遅れという印象をもたらしかねない。ここで出番となるのが、現代ではかつての仏教に相当する存在感を持つインド映画だ。その影響力は、アジアにおけるインドのソフトパワーを考える際、代表選手の座を宗教から奪ったほどだと言えるだろう。

わたしが最初にこのことに思い至ったのは北京に住んでいたときで、中高年という一部の年齢層のあいだでボリウッド草創期のレトロな歌をいきなり歌い始める傾向があることを知ったのだ。「アワラ・フーン」を歌いながら籠に入れた小鳥を携えて散歩をする歯のない男。掃除機を振りかざしながら、一九七一年の映画『キャラヴァン』の歌「ピヤー・トゥー・アブ・ト・アージャー（わが恋しい人よ、いまこちらにおいで）」をまずまずの調子で口ずさむ無表情なメイド。当時の記憶は中国から去った後もわたしの中にずっと残り続けた。

中国のインド映画と音楽に対する偏愛は、文化大革命（一九六六―七六）直後の時期にまでさかのぼる。鄧小平によって開始された「改革開放」期では、ヒンディー語映画はその社会主義的なテーマが適切だと見なされたことで、中国の劇場で公開された外国映画作品群の中に含まれていた。『アワーラ（放浪者）』（一九五一年制作）や『ドー・ビーガー・ザミーン（二人の地主）』（一九五三年制作）といったインド独立後間もない時期の映画が中国で上映されたのは本国での公開から約二〇年後のことではあったが、大ヒットし、とてつもない数のファンがついた。

日本におけるインド映画の展開はかなり違う道をたどった。第二次世界大戦後に親米路線をとったことで、日本の外国映画市場は欧米の作品によって占められることになった。とはいえ、日本がどれだけアジア的な要素から距離を置こうとしたとしても、この地域に共通するメロドラマへの偏愛を捨て去ることはできなかった。表向きには自己を抑制し感情をコントロールする一方で、日本人もインドや中国、東南アジアの人びとと同じように、ほとばしる情熱の物語をカラフルな映像で描いた作品を愛してきたのだ。こうしたなか、日本におけるインド映画は、中国のようなかたちでメインストリームとして位置づけられて人気を博すことこそなかったものの一部の人びとに強くアピールし、特定のスター俳優を熱烈に支持するファンのグループもできていった。

わたしが武田尋善《ひろよし》と初めて会いランチを食べながら話をしたのは、在日インド人が多く住む江戸川区のインド料理レストランでのことだった。武田は典型的な日本人男性とは違ったタイプだった。スーツやネクタイの代わりに、ひげを生やした南インドの映画スターのイラストがくっきりと描かれたTシャツを着ていた。お辞儀をするのではなく、踊ってみせた。彼はメトロには乗らず、タミル・ナードゥ〔インド南部の州〕から輸入したという派手な塗装を施したオートリクシャーで東京の街を疾走した。ほかの日本人がするように声を潜めて話をしたり、身ぶり手ぶりは控えめにしたりといったことは彼にはなかった。武田は人さし指を上に向けて振りかざしながら、大きな声で話をしていた。自分の髪を後ろに振り払うのと同時にサングラスを取る仕草は、思わず口笛を吹きたくなるほど鮮やかだった。武田はほぼすべての一挙手一投足を通じて、シャツを叩きつけ、タバコを投げ捨て、ルンギ〔南アジアの男性が着用する腰巻〕姿で踊るヒーローと、意識的に気持ちを一体化させようとしていたのだ。そのヒーローとは、タミル映画のスーパースター、ラジニカーントだ。

彼がタミル映画界で巨人と言える存在であることは知っていた。ファンのなかにはラジニカーントを崇拝するあまり、彼をかたどった厚紙と一緒にミルク風呂に入るという、本来ならヒンドゥー教の神々の偶像に対してする行為に出る者までいるほどだ。しかし、わたしはタミル系の名字を持っていながら、彼の出演作品を一本も観たことがなかった（わたしはタミル語ができないし、もう少し落ち着いた雰囲気の映画スターのほうが好きなのだ）。このテーマについて自分がよくわかっていないなかで武田や

「東京ラジニ・ファンクラブ」のメンバーと会うことに、わたしは普段とは違った落ち着かない気分を感じていた。自分の無知をさらけ出してしまったら、彼らを卒倒させてしまうのではないかという懸念を強く抱いていたのだ。

その日、武田とわたしのほかに、四人のラジニカーントの熱烈なファン——男性と女性が二人ずつ——が集まってドーサを一緒に食べながら話をした。彼らは食事を箸ではなく手づかみで食べ、「タライヴァル」——「ボス」という意味で、ラジニの崇拝者は彼をそう呼ぶ——についての話で盛り上がっていた。彼らによると、ラジニカーントのファンクラブには、東京だけで三〇〇〇人程度のメンバーがいるという。大阪や神戸にも同様のグループがあるとのことだった。

この食事会に先だって、わたしはラジニカーントがいかに日本で人気を博しているかについて少し予習をしておいた。彼が日本の映画館のスクリーンに初めてお目見えしたのは、一九九八年六月のことだった。主演映画『ムトゥ 踊るマハラジャ』が日本語字幕付きで公開され、二三週間にわたり上映された結果、一六〇〇万ドルの興行収入を挙げたのだ。ラジニカーントと妖艶な共演女優ミーナ、それにエキゾチックな雰囲気を醸し出そうとゾウを描いた広告ポスターが、数カ月間にわたり東京各地の目立つ場所に掲示されたという。『ムトゥ』の上映館では満席が続いた。

タミル映画の大衆的王者の大げさな演技スタイル、頻繁に変わる衣装、熱狂的なダンスの何かが、外面は礼儀正しく内面は感情を抑え込む日本の観客に、意外なほど刺さったのではないか——わたしにはそうとしか考えられなかった。当時、日本ではバブル経済の後遺症で景気も国民の心も落ち込んでいた。ラジニカーントの小気味よい会話や驚くほど堂々とした振る舞いは、笑いと現実逃避をもたらし、さらには多くの映画ファンにとって内面に抱える不安を和らげてくれたのかもしれない。

二〇一〇年に『ヒンドゥスターン・タイムズ』〔インドの代表的英字紙〕に掲載された記事で、ラジニファンの一

人、イナガキ・ノリコは初めて『ムトゥ』を観たときのことを振り返っている。当時、彼女は勤めていた会社の業務縮小のあおりで職を失い、外との接触を一切絶っていた。しかし、『ムトゥ』に出会ったことで落ち込んだ気分が高揚し、それからしばらくして新しい仕事を見つけられたという[137]。

一人ひとりがラジニの魅力を自分の言葉で説明してくれた。武田の友人の一人、浅沼晋也は、初めて劇場でラジニを観たときに彼の表現のすごさに衝撃を受けたという。「ああ、彼の顔の動かし方！　あの表情は、わたしたち日本人とはまったく違うものでしたから」。そう語る浅沼の目は潤んでいるように見えた。「みかん」と名乗る女性も同席していた。彼女が『ムトゥ』に魅せられたのは、「お金持ちでなくても平和に暮らしていけること」を描いたストーリーに惹かれたからだと説明してくれた。

だが、タライヴァルの影響は『ムトゥ』だけで終わることはなかった。『ムトゥ』に初めて接してから二〇年近くの歳月の中で、わたしが会ったラジニファンたちは彼に触発され、さまざまな活動を展開していった。たとえば、武田は二〇〇八年に、ラジニファン仲間の鹿島信治と組んで「マサラワーラー」という南インド料理のケータリングサービスを東京で始めた。二人はいま、サンバルやワダ、ラッサムといった南インド料理をバナナの葉に載せる伝統的なスタイルで出すことで生計を立てている。みかんは東京のダンススクールでインドムービーダンスの講師になり、もう一人の女性メンバー、あつこはメヘンディ（ヘナ）アーティストになっていた。

武田と鹿島はチェンナイに一〇回以上行っているという。浅沼はちょうど一カ月間のタミル・ナードゥ旅行に出発する前なのだと教えてくれた。武田は銀幕のヒーローを少しでも近く感じたいという想いから、初歩的なタミル語を学ぶことすらしたそうだ。彼はとびっきりの宝物を見せてくれた——チェンナイに行ったときに撮ったという、タライヴァル本人の写真だ。ラジニカーントに訪日経験はない。だが、「山もしわれに来たらずば、われ山へ行くべし」というムハンマドの名言があるように、ラジニファンも自分のほうからラジニという山へ向かっていったのだ。

ただ、ラジニカーントの映画が彼を支持する日本のファンの人生に絶大なインパクトを与えたとはいえ、インド映画が印日関係全体を動かすほどの力を持っているかというと、その役割はかなり限られたものにとどまっている。ラジニカーント主演の『ヤジャマン 踊るマハラジャ2』『バーシャ！ 踊る夕陽のビッグボス』『ロボット』『アルナーチャラム 踊るスーパースター』といった作品が日本で公開されたはしたものの、『ムトゥ』のような成功が再現されることはなかった。熱心なファンの存在を別にすれば、レオナルド・ディカプリオやブラッド・ピットのようなハリウッドの大スターと同じレベルの知名度を誇るインド映画スターはタライヴァルも含めて存在していない。

武田やファン仲間たちは、ラジニカーントがメジャーな存在になれないのはプロモーションのやり方がまずいせいだと指摘した。だが同時に、自分たちの親でもラジニの映画となると乗り気になってくれないという現実を認めもした。日本の映画ファンにとって、タライヴァルは気軽に飲める南インドのフィルターコーヒーのように誰もが受け入れられる存在とは言えないようだった。

ランチが終わりに近づくなか、彼らはラジニのポスターを取り出して記念写真を撮った。その後、クジャクとラジニカーントのステッカーで彩られたオートリクシャーに乗って帰ろうとしていたとき、武田が決めぜりふを言った。「Naa eppa varuveen, epdi varuven-nu yaarukkum theriyaathu. Aana, vara vendiya nerathila correct-aa varuven!」——おれがいつ来るのかは誰にもわからない。だが、おれが来なくてはならないときは、間違いなく現れる、と。わたしは後でグーグル検索をして言葉の意味を調べてみた。『ムトゥ』に出てくるせりふだった。

*

仏教とボリウッドは、いわば印日関係を両脇から支えるブックエンドのような存在と言えるが、その間にも数々の要素がある。なかでも特筆すべきものとして、二十世紀前半のアジア主義運動がある。反植民地を掲げる民族感情がアジア各地で高揚したことで、インド、中国、日本に共通の理想が形成されていった。アジア主義の目標や具体的な形態は国や個人によって開きがあったが、そのなかで日本は運動の要として台頭していった。

日本が西洋による植民地化を回避し、一九〇五年に日露戦争で勝利したことは、アジアの民族主義者の感情をいたく刺激した。アジアの国が欧州列強を敗北させたことは誇らしいことであると同時に、可能性を感じさせてくれたのである。だが、それよりも前にプロタップ・チュンダル・マズムダルやスワミー・ヴィヴェーカーナンダといったインドの社会改革者が日本を訪れており、滞在中の見聞をインドの若者に伝えてそこから学ぶべきだと呼びかけていた[138]。

二十世紀初頭、中国を代表する知識人の多くが東京に逃れていった。一九〇五年には、革命家の孫文が「中国同盟会」を東京で結成した。日本に亡命中で、機関紙『民報』の主筆を務めた章炳麟《しょうへいりん》は、西洋の植民地主義によって奴隷化された世界の中で中国、インド、日本のあるべき関係をテーマとした一連の記事を発表した。[139]彼は帝国主義による侵略をともに受ける立場として、インド人との連帯を公然と主張した。「アジア」が彼の著述活動を貫くテーマとなり、そこで示された確信《エピステーメー》は、美術批評家の岡倉覚三（天心）（一八六三－一九一三）[140]や右翼民族主義者の大川周明（一八八六－一九五七）といった日本のアジア主義者を含むほかの知識人の言論活動とも重なるものだった。

章炳麟をはじめとする革命家は、中国人民と清帝国に起こりうる最悪のシナリオとしてインドをとらえるというそれまで一般的だった見方を改めるようになった。たとえば、清朝のもとで改革に取り組み、章炳麟にとってはかつて師でもあった康有為《こうゆうい》は、自国がインドのような運命をたどり、「国家の崩落」を招くようなことがあってはならないと警告を発していた。[141]

インド人革命家のなかには、中村屋にチキンカリーを伝えたラーシュ・ビハーリー・ボースのように、日本のアジア主義から恩恵を受けた者も何人かいた。ボースは一時期、大川周明の自宅に匿われていたことがあり、超国家主義団体の玄洋社を率いる頭山満（一八五五－一九四四）などからも保護を受けていた。ボースを頭山に紹介したのは孫文だったが、[142]これは東京を拠点としていたアジア各地の民族主義者のあいだにつながりがあったことを示すものだ。ボースは一九二〇年代に日本の支援者から協力を得て、インドの民族主義者へ積極的に武器を送ることもしていたようだ。[143]

ラーシュ・ビハーリー・ボースは、『新亜細亜』という日本で発行された雑誌の編集にも携わり、インド独立運動を支持する論調を展開した。一九四二年三月には、「印度独立聯盟」の立ち上げに参画し、のちに「もう一人のボース」、つまりスバース・チャンドラ・ボースが指揮することになるインド国民軍の創設に道を開いた。

インドの歴史ではチャンドラ・ボースが自由の闘士《フリーダム・ファイター》として敬慕されているが、日本では、後世に伝わる遺産を残したのはラーシュ・ビハーリー・ボースのほうなのだ。後者の言論活動は、一九三〇年代に日本で極端な愛国主義と軍国主義の高まりを後押しすることになり、こうした流れは日本こそがアジアの再興を先導すべき選ばれた国だという自覚によっていっそう強まった。

*

　アジア主義運動が推し進められた時期に印日間に築かれたつながりがもたらした成果は複雑で、常に前向きというわけではなかった。反植民地という理想主義は、日本の右翼的プロパガンダである「大東亜共栄圏」と混交し、第二次世界大戦で日本軍が中国や朝鮮、東南アジアで行った暴走に理論的な正当性を与えた。

　アジア初のノーベル賞受賞者にして、詩人で哲学者のラビンドラナート・タゴールは、一九三一年に日本が満州事変を起こす前からこうした傾向があることに懸念を抱いていた。一九一六年に初めて訪日した際、彼は日本が好戦的なナショナリズムに傾いていくことに戸惑いを募らせていた。東京の慶應義塾大学で行った有名な講演で、彼は「国民の心の中に、自分の優越性に対する病的な虚栄心を吹き込んだり、道徳的無感覚と、その結果たる不当な富を誇ることを教え込んだり」[144]〔高良とみ訳。タゴールの講演の訳文は以下同〕するヨーロッパの傾向を日本が模倣することに警告を発したのだ。

　だが、インドの詩聖タゴールは日本人が自然との近さを大切にしていることに感銘を受け、手放しで称賛している。「あなたがたは『自然の線』が語る言葉や、色彩の持つ音楽や、自然がもつ不規則の中の均整や、また自然の自由な動きの中にある韻律を、知ってこられたのであります」。さらに彼は日本の強さは「簡素を求める才能、清潔を愛する心、（中略）限りない力を内蔵する克己心」にあり、そのことを再認識するべきだと指摘していた。
タゴールは自分の考えは非現実的に見えるかもしれないことを自覚しており、講演の最後をこう述べて締めくくった。「けれどもある日、（中略）横浜の郊外に佇んで、南の海に沈んでゆく落日を眺めた時、松に被われた丘と丘との間に、平和と威厳とが溢れてくるのを感じました。（中略）永遠の音楽が夕暮れの静寂の中にわき起こるのを聞いたとき、わたしはひしひしと感じたのであります、天と地と、そして黎明と日没のあの詩情は、詩人や理想主義者と共に在る（中略）ということを」

こうしたタゴールの言葉を知ったその瞬間から、わたしはタゴールが「永遠の音楽」を聴いたという場所に自分も立ってみなくてはならないと思った。しかし、わたしが知っている横浜と言えば、活気に満ちた東京の衛星都市で、中華街とショッピングモール、それに野球のスタジアムが有名だというくらいだった。

調べたところ、タゴールは横浜の三溪園という庭園で、絹で財をなした豪商で茶人の原富太郎の客人として三カ月近く過ごしたことがわかった。当時、三溪園は原が所有する敷地の一部だった。タゴールの友人で画家の横山大観（一八六八－一九五八）が原に対し、タゴールと同行者たちを滞在させてくれるよう頼んだという。この結果、一行は三溪園で一九一六年六月中旬から八月下旬まで過ごした。

タゴールが日本で行った講演の原稿を書いたのは、この庭園で過ごした日々のあいだだった。そこで彼は、自身の心に近い普遍主義と同じく好ましい想いを抱いていたアジアらしさを融合させる試みを表現するのにふさわしい言葉を選ぶべく、推敲を重ねた。

タゴールには『迷い鳥』という俳句から影響を受けた短詩集があり、これはわたしにとって彼の著作のなかでも大好きな作品の一つだ。彼がこれを書き上げる際に着想を得たのも、三溪園で出会った景色からだった。「迷い鳥」という表題と同じ名前の詩についてわたしが初めて知ったのは、中国語に訳されたものを通してだった（わたしの中国語の先生はタゴールのファンで、学校で彼の詩に出会ったと話していた）。英語版〔元の詩は英語で書かれた〕を読んだのはずっと後になってからだったが、よりはっきりと理解できたことでさらに好きになった。

Stray birds of summer come to my window
to sing and fly away.
And yellow leaves of autumn,
which have no songs,
flutter and fall there with a sigh.[145]

夏の迷い鳥が、わたしの窓にきて、うたをうたい、飛び立つ。
そして、秋の基盤だ木の葉が、うたうでもなく、吐息まじりに舞い散る。
（川名澄訳）

詩の各節からは、もののあわれ、物憂げな心情、禅といった日本的要素が醸し出されていた。『迷い鳥』に収録されているほかの詩もこれと似ており、花や蛍、曇を題材にしたり、一見何事でもないが思いがけず人間の深遠な真理を表すような自然界のはかない瞬間を描いたりした作品で埋め尽くされている。

The raindrop whispered to the jasmine,

'Keep me in your heart for ever.'
The Jasmine sighed, 'Alas,' and dropped to the ground.

雨のしずくはジャスミンにささやいた、「わたしを忘れないで、いつまでも。」
ジャスミンの花は「ああっ、」とためいきをついて地に落ちた。

（川名澄訳）

こうしたことを知ったことで、わたしはいてもたってもいられなくなり、三溪園を訪問してタゴールの神聖な足取りを追体験してみようと思った。こうした経緯で、十二月初めの午前中に三溪園保勝会で広報を担当する吉川利一とともに庭園を歩くことになった——期待と寒さで少し身体を震わせながら。

庭園の基本的なかたちは、過去一〇〇年で変わることはなかった。ゴツゴツした松、繊細さを感じさせる梅、それに堂々とそびえ立つイチョウは、木のオーケストラのようだった。敷地内には寺院や茶屋、歴史的建造物が点在しており、そのいくつかは原が京都や鎌倉から移築させたものだという。吉川は外苑の奥にある蓮池のほうを指差し、タゴールの滞在期間中の一時期にはハスが花を咲かせていたのではないかと語った。「ハスの花はインドでもよく知られていますから、彼にとって響くものがあったのではないでしょうか」

原が収集した美術品を展示する記念館では、タゴールが訪日した際の写真を展示してある壁があった。タゴールはトレードマークのジョッバ——長いローブのような服で、着物と似てなくもない——を着た姿で写っているものが多かった。

わたしたちは丘を登り、松風閣の一部が残っている場所に行った。タゴールが滞在中に寝泊まりしていた建物だ。松風閣が一九二三年の関東大震災で大きな被害を受けたため、残存するのは建物のごく一部だった。慶應義塾大学での講演でタゴールが語った海の眺めは長い時を経ても変わっておらず、庭園も同様だった。コンクリート製のビルや建設作業のクレーンがいくつも彼方に見えた。それでも、わたしたちの髪を斜めになびかせるそよ風は、それ自体が詩的だと言えた。わたしはふと、一句詠みたい気分になった。吉川にとって幸いなことに、その気持ちはすぐに消え去ったため、彼は丁重な対応をする義務を遂行せずに済んだのである。

日本で行った講演から、タゴールが近代日本人のアイデンティティの中核にある矛盾を感じ取っていたことは明らかだ。日本人はありのままでいることに安らぎを覚えると同時に、ひどく落ち着かない気持ちを抱いているのだ――西洋の植民主義者とは異なる道を歩まんと切望する一方で、彼らの役割や力を模倣するといったように。アジアとの連帯を求める感情と、そのアジアに対する優越感が同居していたのだ。日本における存在論的命題に対しては彼ら自身も答えを出せておらず、それは今日に至るまで続いているようだ。わたしは何者なのか？　この命題を受けて何をすればよいのか？　こうした問いが未解決のままなのは、これまで正面から議論されてこなかったことが一因であり、近代との相克、戦争の発動、日本人論から来る国粋主義といった混沌の中にのみ込まれてしまったのではないか。

*

日印関係におけるアジア主義というチャプターは、第二次世界大戦の終結によって完全に打ち切られてしまったわけではないものの、中断を余儀なくされた。様変わりした戦後の戦略地政学環境は、日本が戦時中、周辺国に侵攻した記憶とも相まって、アジア諸国が一致団結して西洋植民地主義の暴虐に立ち向かうなかで、日本がそれを率いるという考えを受け入れられなくした。

それでも、戦争が終わり植民地が独立した後の世界秩序においてインドと日本が自らを再定義し自国の主張を展開しようとしていくなかで、アジア主義は引き続き印日関係に影響を及ぼし続けた。アメリカが仲介した講和条約は日本の主権を制限することになるという考えから、インドは一九五一年のサンフランシスコ講和会議に出席しなかった。代わりに、インド政府は一九五二年に個別に平和条約を結び、これはのちに日本政府の「自由な諸国からなる共同体において栄誉と平等という当然の地位」を保障するものとされた[146]。インドは日本に対する戦争関連の請求権もすべて放棄した。こうした善意に応えるかたちで、日本政府は一九五八年に対印円借款の供与を開始した。一九八六年には日本はインドにとって最大の援助供与国となり、これは現在に至るまで変わっていない[147]。

第二次世界大戦終結から間もない時期の印日関係の中でもっとも重要な人物はと言えば、ベンガル人法律家のラダビノード・パルをおいてほかにいない。実は、東京に来るまでわたしは彼のことをまったく知らなかった。しかし日本では、彼は他の国であればマハートマ・ガンディーに向けられるような敬慕の念をもたらす存在なのだ。彼の伝記ドラマが数回に分けて日本のテレビで放映されたこともあるし、東京と京都には彼の記念碑が建てられている。また、彼の遺産を論じる本が数年おきに出版されているのである。

わたしが初めてパル判事の存在を知ったのは、東京の靖国神社を訪ねたときのことだった。そこは広大な敷地に記念碑や桜の木があちこちにあり、一八六九年から一九四七年にかけて大日本帝国の軍人として命を落とした者が顕彰されていた。わたしが行ったのは春の半ばで、桜の花が強い風に吹かれて地面に落ち、雪が積もったようになっていた。そのさまは、靖国に矛先が向けられている非難の激しさとは対極にある、心を落ち着かせる風景だった。

靖国神社は日本と近隣諸国、とりわけ中国との張り詰めた関係を象徴する存在になっている。靖国で祀られている二〇〇万人のうち、一〇六八人は戦犯として有罪判決を受けた者だ。さらにそのなかの一四人は、一九四六年に始まった東京裁判〔正式名称は「極東国際軍事裁判」〕で、連合国出身の判事一一人からなる法廷から「平和と人道に対する罪」という特別なカテゴリーで有罪判決を言い渡された「A級戦犯」なのだ。

日本の大物政治家が靖国神社を参拝すると、日本軍の侵攻を受けた近隣諸国からは、それを挑発行為であり、戦争犯罪を否定するものだと見なされる。だが、日本の民族主義者にしてみれば、参拝は主権の当然の行使であり、第二次世界大戦での行いについて過度に謝罪していると彼らが考える姿勢からの転換を示唆するものだった。

日中関係を長年取材してきたことで、靖国神社の存在はわたしの中で大きな位置を占めていた。国境を越えた激しい論争で焦点となってきた現場にいることに神経質になっていたのか、わたしは慎重な足取りで歩みを進めていった。そうした心配は杞憂で、その日の午前中は心地よい陽気だった。桜は散りつつあったが、それでも美しさをとどめていた。軍馬や軍鳩、軍犬の慰霊碑があり、カメラを持った観光客を和ませていた。

だが、ある記念碑がわたしの目を釘づけにした。そこには、法服に身を包んだインド人の白黒の写真がはめ込まれていた——名はラダビノード・パルということもわかった。ある日本人の訪問者が記念碑をじっと見つめて、そこに記された言葉を小声で読み上げていた。「時が熱狂と偏見をやわらげたあかつきには、（中略）そのときこそ、正義の女神は、その秤を平衡に保ちながら、過去の賞罰の多くに、そのところを変えることを要求するだろう」〔パルが反対意見で記した文言〕

わたしは帰宅すると、すぐにこの新たなベンガル出身の登場人物——二人のボースとタゴールに続いて——について調べにかかった。東京裁判までパルは「一九二二年インド所得税法」についての専門家として知られており、一般受けするテーマとは到底言えなかった。だが、東京裁判の判事団に加わったこと、そして反対意見を発表したことで彼の国際的知名度は高まった。日本の最高レベルの戦争指導者二五人が、この裁判で設定された「A級戦犯」として有罪判決を受けた。連合国出身の判事による判決に異議を唱えるかたちで、パルは一二三五ページにおよぶ反対意見を発表し、その中でA級戦犯というカテゴリーの設定は事後法にすぎないと指摘した。さらに彼は、裁判について「復讐の渇望を満たすために法的プロセスを用いたもの」と一蹴した。彼はまた、原子爆弾によって広島と長崎を壊滅させたことも重大な戦争犯罪としてとらえられるべきだとも主張した[148]。

　その後の数十年で、パルは自国の戦争責任を否定しようとする日本の歴史修正主義者によって評価されてきたが、日本に罪がないと言っているわけではなかった。そうではなく、彼の意図は東京裁判における法的プロセスの瑕疵を明確に指摘することにあったのだ。すべての判事が戦勝国によって任命されていたため、裁判にはバイアスがかかっており、復讐心によって突き動かされているとパルは考えた。パルの反対意見は二五万語にも及ぶが、都合のいい部分のみが日本の民族主義者によって抜き出され、自分たちの主張にお墨付きを与えるものとして用いられることが多いというのが現状だ[149]。

　二人のボースとパルはワンセットになって、印日関係を長期にわたり固く結びつけてくれる存在となっている。いまでは彼らの物語について詳しいことは忘れ去られているかもしれない。だが、日本にとってインドが歴史問題を気にすることなく良好な関係を築いていける稀有なアジアの国であることを証明してくれる存在なのだ。日本政府が推進する「自由で開かれたインド太平洋」構想——インドはそこで重要な役割を期待されている——のような現代の取り組みの中でも、彼らの亡霊はうっすらとではあるが、するりと忍び込んでいるのである。

*

戦後の印日友好関係を語る上で無視するわけにはいかない、重みを持った——この場合、文字どおり重い——存在がもう一つある。それはゾウだ。一九四九年、インド初代首相のジャワーハルラール・ネルーは、ゾウを東京の上野動物園に「日本の子どもたち」への贈り物として送るという巧みな動物外交を行った。ちなみに、ゾウは彼の娘の名をとって「インディラ」と名づけられた。このゾウは上野動物園の名物となっただけでなく、インドの親日感情を末永く示すシンボルにもなった。

しかし、ゾウにまつわる全体のエピソードは、この上なく悲劇的で、その前にいたインドの大使——トンキーとジョンというゾウだ——も関わっていた事態によって引き起こされたものだった。メスとオスのつがいとして、二頭のゾウは一九二四年にインドから上野動物園にやってきた。それから約一〇年後、タイからはなこ〔本来の名前は「ワンリー」〕というゾウも加わり、全部で三頭となった。

第二次世界大戦中、上野動物園の「猛獣」は空襲時に逃げ出す可能性があるとして、殺処分にすることが決まった。その後、三頭のゾウは餓死させられた。三頭のうちいちばん最後まで生きていたのはトンキーで、客がゾウ舎の前を通るたびに食べものをもらおうと必至に芸を披露したという記録が残っている[150]。

日本では、このおぞましい処置はあまり話題にされないが、子どもむけに穏当な内容にしたバージョンならいくつかある。その一つは『かわいそうなぞう』という絵本で、一九五一年初版だが、現在でも版を重ねていて根強い人気がある。全体的には、戦時中に上野動物園のゾウがたどった悲しい末路はインディラが来たことで光が当てられなくなったと言える。このゾウがマイソール〔インド南部の都市〕のジャングルから日本に来ることになったのは、早熟な二人の小学生が日本の参議院に送った一通の請願書がきっかけだった。二人は上野動物園でゾウが見られないことを悲しみ、新しいゾウを連れてくることはできないかと訴えたのだった。子どもたちの請願書への賛同は雪だるま式に広がっていった。東京都庁に子どもたちから寄せられた手紙は最終的に一〇〇〇通以上にのぼり、どれもがインド首相に宛てたもので、新しいゾウを贈ってほしいと嘆願する内容だった。

ネルーはこれに応じることにし、一九四九年九月二十五日にインディラが上野動物園に到着したときは、東京で一大センセーションを巻き起こした。新しく来たゾウをひと目見ようと、上野動物園には収容人数いっぱいになるほど客が詰めかけた。当時園長を務めていた古賀忠道は、インディラの受け入れは人生でもっとも幸せな出来事の一つだったとのちに振り返っている。[151] インディラはカンナダ語〔インド南部の主要言語の一つ〕での命令にしか応じなかったので、菅谷と渋谷という二人の飼育係は、マイソールから付き添ってきた二人のインド人ゾウ使いにコミュニケーションの取り方を教えてもらわなくてはならなかったという。[152] 習得するまでには二カ月を要したが、彼らは次第に自分たちだけでインディラと信頼関係を築くことに成功していった。一九五七年、インディラはネルー首相、それに自分の名前の由来であるインディラ・ガンディーが来日した際に、彼らと「直接の対面」を果たした。この一件はメディアで大きく報じられた。[153]

一九七〇年代になるとゾウの人気にかげりが見えるようになり、七二年に中国から二頭のジャイアントパンダが来るとその流れはいっそう強まった。それでもインディラは愛され続け、八三年に死亡したときには東京都知事の鈴木俊一が次のようなお悔やみの言葉を発表したほどだった。「インディラは日本の子どもたちに大きな夢を与え、三〇年以上にわたり日印友好において重要な役割を担ってくれました[154]」

海を渡ってやってきた僧侶、逃亡者、料理人、詩人、映画スター、そしてゾウ――この数世紀にわたり、多種多様な背景を持つキャラクターが日印関係を彩ってきた。本章を締めくくる目的のために彼らをひとくくりにするのは、誠実な姿勢ではないように感じられる。むしろ、ジャワーハルラール・ネルーがゾウを贈った際に日本の子どもたちに宛てた手紙を引用することのほうが、ふさわしいと思われる。「インディラはしっかりしたゾウで、しつけもきちんとされています」と彼は記している。「インドの子どもたちと日本の子どもたちが成長したとき、偉大な両国のためだけでなく、アジアと世界全体の平和と協力のために尽くしてくれることを願っています。ですから、みなさんがインディラと名づけられたこのゾウを見るとき、インドの子どもたちからの愛情と善意の使者として受け止めてほしいのです。ゾウは高貴な動物なのです。賢くて忍耐深く、強くもあり優しくもあるのです。わたしたち全員も、こうした資質を身につけていけることを願っています」

第9章

# 親安倍か、反安倍か(それが問題だ)

インドのナレンドラ・モディ首相は評価が分かれる人物であり、彼を題材にした本が数多く書かれている。本書はそうした類いの本ではない。だが、彼は現代の印日関係の中で、「モディ・安倍パートナーシップ」の半分として重要な登場人物であるのは間違いない。わたしが東京で過ごした歳月では、日本の安倍晋三首相とモディ首相が数カ月おきに世界各地で会談し、右派で保守的な相手を互いに見つめ合う様子がカメラにとらえられていた。二〇一四年に安倍首相がツイッターのアカウントを開設した際、彼が真っ先にフォローした外国の指導者はモディ首相だった[155]。

ナショナリスティックで、リビジョニスト的とも言える傾向があることで、両指導者はイデオロギー的に馬が合うと言える。だが、二人を結びつける差し迫った要因は台頭する中国の存在であり、両者は戸惑いを感じながらこの国を注視してきた。二〇一八年にモディ首相が来日したときはわたしも取材に参加したが、最後に行われた記者会見では両首相とも質問を受け付けなかった(ジャーナリストが好きではないという点でも彼らは共通していた)。その代わりに、モディ首相と安倍首相はあらかじめ用意したステートメントを読み上げただけだった。そこで繰り返し言及されたのは「法の支配」や「民主主義的価値観」といったフレーズだったが、これは「中国以外ならどの国とでも（Anybody But China）」を意味する「ＡＢＣクラブ」に属する国が戦略地政学的な発言をする際によく用いられる決まり文句だ。

長きにわたりアジアのトップ国として君臨してきた日本にとっては、台頭する中国によってその座を奪われるという見通しは腹立たしいものだった。だが、日本は自国だけで中国に対抗できるだけの戦略的影響力を持ち合わせていなかった。同盟国のアメリカは、ドナルド・トランプのもとで予想不可能性を急速に増していた。こうした要因が重なったことで、インドとのパートナーシップ強化が非常に魅力的に映り、安倍首相はそれを実践するべくさまざまな手を打つことにした。

日本はインドのインフラ整備に向けて何十億ドルもの投資や融資を約束した。二〇一七年半ばには、印日民生用原子力協定が日本の国会で承認されたことで――野党側からは異論も出たが――、二転三転した七年にわたる交渉を経た合意が結実した[156]。二〇一八年の首脳会談では、日本の艦艇がインドの港湾で給油や補給を受けることを可能にする「物品役務相互提供協定（ＡＣＳＡ）」の交渉開始が発表された〔二〇二〇年に署名され、二一年に発効〕。さまざまな閣僚級の対話枠組みが設置され、了解覚書（ＭｏＵ）が何件も締結された。

だが、わたしが日本から印日関係を報じていた歳月の中で、一連の首脳会談で最大の関心事だったのは、ムンバイとアーメダバード〔インド西部グジャラート州の最大都市〕を結ぶインド初の高速鉄道建設に一二〇億ドルの円借款を提供する案件だった。安倍首相は二〇一七年九月に訪印した際、起工式を執り行った。しかし、このプロジェクトは両国関係全般に共通するメタファーのような存在になった――「前途有望」だが「多難」という意味においてだ。

カモノハシの口先のようなかたちをした青と白の新幹線が雪に覆われた富士山の前を猛スピードで走り去るというのは、日本を代表するイメージの一つだ。一九六四年十月の新幹線開業によって、東京と商都大阪を結ぶ五五二キロの移動に要する時間は四時間に短縮された（いまではさらに速くなり、二時間二二分だ）。このとき以来、新幹線は第二次世界大戦で灰燼と帰した日本が経済超大国として不死鳥のようによみがえったことのシンボルになった。インドへの新幹線輸出が発表された時点で、日本の新幹線は累計一〇〇億人以上の旅客を無事故で死者を出すこともなく、さらには平均遅延を一分以内に収めて運んできたのである。

　だが、こうした称賛すべき運営実績にもかかわらず、日本は新幹線のノウハウを輸出するという点では苦戦した。安倍首相は新幹線技術の海外輸出を日本経済再生の鍵と位置づけていたが、それでも難航した。インドとの合意前の時点では、日本が売り込みに成功したのは台湾が唯一のケースだった。しかし、台湾の高速鉄道では二〇〇七年の開業以降、多くの事故は発生しており、広告塔にはなれそうもない。

　高速鉄道ネットワーク計画で必ずと言っていいほど厳しく問われるのは、収益性だ。日本の場合、東京・新大阪間に代表されるようなドル箱路線があるが、それを実現するためには高いレベルで旅客数を確保するとともに料金設定も高めに設定する必要があった。東京から新大阪までは、片道で約一三〇ドルかかる。この路線では一日三五〇本以上が運行され、年間の累計旅客数は約一億六三〇〇万人にものぼる。この路線がカバーする地域は人口密度が高く、日本の総人口の半分以上が集中している。こうした条件をクリアするのは容易ではなく、日本でもほかの路線は苦戦している。

　ムンバイ・アーメダバード路線がこの条件に対応するのは至難の業だ。驚くことではないが、新幹線プロジェクトに対して、インドではコストや安全、優先順位が間違っているのではないかといった観点から批判が寄せられた。日本側でも、インフラ整備目的の土地収用についてインドの実績が芳しくないことや、コストが当初よりも上昇する傾向があることを踏まえて、反対論があった。実際、こうした懸念の多くは正しかったことが証明された。本書の執筆時点では、約五〇〇〇億円（四五億六〇〇〇万ドル）の予算不足が明らかになったほか、当初二〇二三年とされていた開業が土地収用の遅れを理由として五年後の二〇二八年に先送りされたのである[157]。

しかし、多くの戦略的決定がそうであるように、インド新幹線プロジェクトも鉄道や利益以上に中国を意識したものなのだ。日本にとって悔しいことに、中国の圧倒的なインフラ輸出は自分たちの専売特許だと思っていた新幹線にも及ぶようになっていた。過去一〇年で中国は国内で総延長二万二〇〇〇キロに及ぶ高速鉄道ネットワークを築き上げ、規模の面でも建設のスピードの面でも日本を上回った。時速四三〇キロを実現した世界最速の電車、「上海トランスラピッド」〔リニアモーターカー〕も自慢だ。また、中国の技術は安価で、コストに敏感なアジアの発展途上国や中所得国にとって魅力的に映っている。

二〇一五年、中国はインドネシアの高速鉄道プロジェクトで、優勢と見られていた日本を最終段階で振り切って受注を勝ち取った。中国が予想外の勝利[158]を手にできたのは、インドネシア政府に償還を求めない条件で借款を提供したのが一因だったとされる。中国はタイ初の高速鉄道プロジェクトでも日本に競い勝った。日中両国は、シンガポールとクアラルンプールを結ぶ路線も含め、ほかの東南アジアの高速鉄道プロジェクトでも受注をめぐってつばぜり合いを展開している[159]。

高速鉄道輸出をめぐる競争は、アジアでの影響力を確保したい日中両国の対立の表れだ。インド新幹線プロジェクトもこの文脈の中でとらえる必要があるが、それでも日本にとっては苦心の末に手にした勝利だった。一二〇億ドルの円借款を金利〇・一パーセントで提供し、償還期間は五〇年と設定された。さらに日本は、技術支援や研修に関するパッケージについても資金を拠出することにして、寛大な姿勢を示すこともした。

日本がインドの大型インフラ整備プロジェクトに参画したのは先例があり、なかでもデリー・メトロが代表例だ。デリー・メトロは二〇〇二年の開業以降、路線を拡大して総延長三八九キロ（二〇一九年十二月時点）に達しており、現代の都市を象徴する景観の一つとなっている。日本は初期段階から建設費の借款や技術協力を通じて支援を提供してきた[160]。

それでも、わたしはインド新幹線の妥当性に対して懐疑な見方を拭えなかった。二〇一七年の安倍首相訪印の数日後、わたしは国土交通省鉄道局国際協力室長の中野智之に話を聞きにいった。その途中、わたしは学生時代にデリーから南部のコチ（コーチン）まで列車で移動したときのことを思い出していた。距離にして二八〇〇キロ、所要時間は約四五時間ということだった。ところが、わたしが乗った列車はまるまる二四時間遅延してしまったため、コーチン到着は、わたしがデリーを発った次の日に発車した列車が着いたのと同じ時刻だった。鉄道局の特徴のない廊下を歩いていたときは、事故による死者が年間二〇〇〇人にものぼるムンバイの通勤列車について考えていた。新幹線をインドに移植するという案はどうにもうまくいかないように感じられた。

こうした疑問をぶつけてみたところ、中野はわたしの話に真剣に耳を傾けた上で、次のような事実を指摘して反論した。日本が最初に新幹線を開発したのは一九六〇年代だったが、当時はまだ貧しい国だったので、世界銀行に融資を求める必要があったのだ、と。さらに彼はこう続けた――たしかに、このプロジェクトを進めていくに当たっては、日印間の気候の違いを踏まえながら日本の技術にマイナーチェンジを加える必要はあるかもしれません。停電の可能性や空気中の粉塵の量がはるかに多いことも考慮に入れておかなければならないでしょう。ですが、全体としてはインド側との協議を通じてこうした課題をクリアしていけると確信しています。

インド新幹線プロジェクトは、多くの点で今後の日印関係がどう展開するかを前もって示すものだと言える。成功裏に進めば、インドの重要なインフラ整備案件に日本の投資が増える可能性が広がり、信頼関係のさらなる強化や第三国での協力推進にも弾みがつくことになるだろう。だが、もし失敗に終わってしまうと、将来、日印が別の共同プロジェクトに取り組む際に思わぬ落とし穴が潜んでいることを示すことになる。「ジュガールと職人」論が示すように、日本とインドは多くの点で文化的な違いを有している。日本では時間厳守は宗教信仰にも近い意味合いを持っているのに対して、インドでは時間とはフレキシブルに対応するものなのだ。

だが、中野は前向きな姿勢を崩さなかった。「以前、インドの関係者がこちら（東京）に研修で来たことがあったのですが、一行のなかにかなり時間に遅れて来る人が何人かいるのに気づいたんです。でも、二週間後にはみんなしっかり時間どおりに来るようになりましたよ」――彼はそう言って話をまとめた。わたしにも納得だった。#TwoWeeksInTokyo というのは、すばらしいハッシュタグではないだろうか。わたしはこれがインドのあらゆる問題を解決できる鍵になるのではないかと考えた。遅刻が日常茶飯事になっている？ #TwoWeeksInTokyo にお任せあれ。仕事は手抜きで怠け者？ #TwoWeeksInTokyo はいかがでしょうか。規律を高めたい？ #TwoWeeksInTokyo さえあれば十分です、と。

*

ムンバイ―アーメダバード路線の起工式が行われた後、インド新幹線プロジェクトはインドのほかのインフラ整備案件の多くがたどったのと同じかたちで難航することになった（フェアに言えば、高速鉄道プロジェクトは東南アジア各地でもトラブルに直面している）。効率的とはとても言えないこうした進捗状況は、日印ビジネスの中で生じる、より大きな問題の予兆だと言える――紙の上ではたやすいものに見えるが、いざ実践しようとすると苦戦するのである。

二〇一八年末の時点で、インドに進出した日系企業は一三六九社にのぼり、四八〇〇カ所以上の業務拠点を持つに至っている。二〇一六－二七年度の日本の対印投資額は四七億ドルで、前年度から二六億ドル増と急激に伸びた。日本はインドで最大の投資国の一つとなっている。

それでも、日印の経済関係はもの足りないレベルにとどまっている。それは、ポテンシャルの面だけでなく、中国という両国がともに警戒する国との関係と比べてみても、見劣りするのだ。日本貿易振興機構（ジェトロ）によると、一九九六年から二〇一五年にかけての日本の対中投資額は一一六〇億ドルで、これは同期間の対印投資額二四〇億ドルのおよそ五倍にもなる規模だ。日印の二国間貿易（二〇一八－一九年度で一七六億三〇〇〇万ドル）も、三五〇〇億ドルという巨大な規模の日中貿易からすればほんのわずかでしかない。印中貿易ですら九二六億八〇〇〇万ドル（二〇一八－一九年度）と、日印の規模を大きく上回っている。[161] 日本の総貿易額に日印貿易が占める割合は一パーセントにすぎず、インドの総貿易額でも二パーセントを若干上回る程度でしかないというのが現状なのである。

理論的な完璧さと実践面で生じる困難のギャップは、インド新幹線プロジェクトも含めインド案件で外国人投資家を悩ませてきたお決まりの犯人の存在だけでは全貌を説明することができない。汚職、低水準のインフラ、複雑怪奇な租税制度に土地収用問題が重要な課題であることは確かだが、それが厄介な問題のすべてではないのだ。

ジェトロの海外調査部で課長代理を務める西澤和史は、二〇一一年から一五年までの約五年間にわたり所属先のニューデリー事務所で勤務した経験を持つ。わたしはある日の午後、彼に話を聞きに行った。場所は東京都心に高くそびえるスタイリッシュなアークヒルズのジェトロ東京事務所だった。彼はインドに進出した日系企業の姿勢について、無邪気と慎重のあいだを漂っていると指摘し、懐疑的にとらえているようだった。その結果、日系企業はインド市場向けに製品をいかにローカライズするかについて、韓国企業や中国企業に大きく後れをとることになってしまったというのだ。

彼はエアコンを例に出して詳しく説明してくれた。日本人は、エアコンを長期にわたって修理の必要なく使い続けられるよう、製品の品質をもっとも重視する。だが、インドではエアコンの修理費用は安く、修理作業員もたくさんいる。したがって、消費者は耐用年数よりもコストのほうを気にかけるのです、と。

西澤は、エアコンメーカーのダイキンはインド特有の傾向に気がついた企業の一つではないかと指摘した。ダイキン・インディアは当初日本から高価な部品を輸入していたが、それをやめて現地調達に切り替えたのだった。同社の二〇一六－一七年度の売上高は三二五億ルピーに達し、二〇一七年後半にはラージャスターン州に第二工場を開設した[162]。

だが、西澤によると、最大の課題は「インドに対する時代遅れかつネガティブなイメージ」という、文化的なものだという。彼は予想外に率直な人物で、秘密を打ち明けるかのように身体を前に屈めて、企業でインド駐在を命じられた社員は貧乏くじを引かされたかのように振る舞う者が多いのだと話してくれた。大企業はインドのポテンシャルを認識しているかもしれないが、中小企業となるとこうした認識がいちばん根強く残っているのだという。「わたしたちの姿勢は差別的と言われてしまうかもしれません。こうした認識はなかなか変わりません」と彼は言った。

結論として言えるのは、日系企業はリスク回避傾向がきわめて強く、そのため自由奔放でジュガール的対応が自慢のインドでビジネスをしていくのは彼らにとって容易ではない。なにせ、インドではその場その場で素早く決断を下せることがビジネスで求められるスキルなのだから。「わたしたち（日本人）のやり方は世界標準とは言えないでしょう。ですが、そのやり方でやっているのが現状です。わたしたちがもっともっと柔軟になってほかのやり方にうまく適応していかない限り、成功できないかもしれません」と、西澤は話の終わりに言った。日印のビジネス関係を確実に牽引していくためには、好ましい政治的関心が不十分であることは明らかだった。

＊

加えて、モディ首相も安倍首相も、国内の混乱によって自身の外交政策に制約を課せられている。二〇一九年十二月、物議を醸した「市民権法改正法案」をめぐりアッサム州〔インド北東部の州で、日印首脳会談が予定されていた〕で暴力的な抗議デモが起きたのを受けて、安倍首相は訪印予定を無期限に延期した[163]。だが、ここで取り上げたいのはインドの舵取りをするモディ首相の数々の問題点ではない。テーマは日本なのだ。それはすなわち、過去一〇年のほとんどの期間、スーツをまとった巨像のごとく日本の政界に君臨した安倍首相ということになる。二〇一九年十一月、彼は一九〇一年から一三年にかけて首相を三度務めた桂太郎を超えて日本で最長の在任記録――二八八六日間――を持つ首相となった。

安倍首相の家系は多士済々で、彼が当然のごとく政界で頂点を極めていく基盤でもあった。母方の祖父は一九五七年から六〇年にかけて首相を務めた岸信介で、父方の祖父の安倍寛《かん》は衆議院議員だった。父の安倍晋太郎は外相を務めた。一九六四年から七二年にかけて首相を務めた佐藤栄作は大叔父に当たる。

安倍首相は間をおいて、二度にわたり政府の長を務めた。一回目は二〇〇六年九月から〇七年九月までの短い期間で、二回目は二〇一二年十二月から二〇年九月にかけての長期にわたった。二度目に政権を担当した際には、傷ついた政治体制に安定をもたらすとともに、国際社会で日本が新たに積極的な役割を担っていくなかで、それを牽引する強力なリーダーとしてのイメージを鮮明に打ち出していった。彼は日本経済をデフレから脱却させ、成長とは言わないまでも景気低迷を食い止め、少なくとも下振れを起こさない安定した状態に持っていこうと取り組んだ。また、日本の防衛力強化を推進するとともに、従来の対米依存の枠を超えるかたちで自国の戦略的オプション拡大にも乗り出した。

　その一方で、安倍首相の遺産は彼の在任期間のように長く続くものではなさそうだ。日本にいると、安倍首相が政権を維持できた唯一の理由は、野党が弱く、魅力が感じられないためだと感じざるを得なかった。別の言い方をすれば、世界各国の有権者にとっておなじみのＴＩＮＡ（「ほかに選択肢がない」を意味する There is no alternative. の頭文字をとったもの）ファクターによるもの、というわけだ。

　わたしが東京に来てから一年あまりが経過した二〇一七年九月、安倍首相は衆議院を解散し、一カ月後の十月二十二日に総選挙を実施すると表明した。総選挙は衆議院の任期満了よりも一年以上早い段階で行われることになった。権力を手にする者は誰もが最後までそれにしがみつく国から来た身にとって、危機的状況ではないにもかかわらず選挙を前倒しで行うことはそれだけでも十分奇妙に映ったが、それ以上に当惑したのはその後の展開だった――たいしたことは起きなかったのだ。

　日本に来る前に四年間過ごしたインドネシアの場合、選挙と言えばインドと同じスタイルのお祭り騒ぎで、候補者による騒々しい集会や率直な物言いの労働組合、自由で舌鋒鋭いメディアによって彩られていた。ところが日本の選挙運動はとにかく地味で、スパイスが足りないのではと思わせるほどだった。投票日まであと一週間という段階でも、新聞の一面で報じられるニュースは次のとおりだった――「Ｇ20財務相、世界経済の先行きを楽観」「進む再生可能エネルギーへの転換」「日本の剣道、外国人にとっては不可解」、それから「日本の動物園、アニメ好きのセレブペンギンの死を悼む」。

　わたしが日本人の友人に選挙では誰に投票するつもりかと尋ねると、誰もが気まずそうに沈黙し、それが咳払いに変わった。その様子から、安倍首相が率いる自由民主党の候補者に入れるのだろうと想像がついた。その人たちは彼を支持していたわけではなかったが、有力な野党は存在せず、結局のところ首相が誰になるかによって自分たちの生活が大きな影響を受けると考えていた者はほとんどいなかったのである。

有権者が望んでいることと当選を果たした候補者が熱心に推進したい政策には、不可解な隔たりがあった。それがきわめて明確に示されているのは、安倍首相がもっとも重視する政治目標、すなわち日本の軍事力に制限を課した憲法第九条の改正をめぐる問題だ。憲法第九条では、「国権の発動たる戦争」を「永久に放棄する」とし、戦力を保持しないことが明確に謳われている。この条項は平和主義が日本の統治形態を定めた憲法に組み込まれていることを意味し、日本が攻撃を受ける事態が生じた場合には防衛を約束するアメリカとの間に結ばれた安全保障条約によって確実なものになっている。

だが、安倍首相のようなナショナリストにとっては、憲法第九条は第二次世界大戦での敗北とアメリカが憲法草案を用意しそれを日本に押しつけたという過去を想起させる、苦々しい存在だった。さらに、核・ミサイル開発を進める北朝鮮と日本近海で活動を活発化させる中国の存在がもたらす地域の安全保障環境を踏まえれば、憲法第九条は日本が自国の力を誇示し、国を守る能力に不当な制約を加えるものにほかならないと見なされたのだった。

この数十年で、第九条は何度か再解釈が行われている（正式な改正ではない）。一九五四年以降、日本は自衛隊を保持してきたが、この組織は名称を抜きにすれば立派な軍隊に成長を遂げている。自衛隊の兵力は約二五万人で、アジア全体の中でも最先端のものを含む装備で訓練を受けている[164]。安倍首相は二〇一五年に「集団的自衛権」の行使を可能にするため自衛隊法を含む関連法を改正し、これによって同盟国が攻撃を受けた場合に自衛隊が支援のため出動できるようになった。二〇一九年四月には、エジプトのシナイ半島でアメリカが主導する——国連ではなく——多国籍軍監視団に自衛官二名を初めて派遣した。

奇妙なことに、安倍首相が選挙で支持を集める一方で、こうした変革はいずれも不人気だった。二〇一五年の平和安保法制をめぐっては、国民のあいだで大規模な反発が巻き起こった[165]。世論調査では、首相がめざす憲法改正に対しては日本人の多くが反対の考えを変えていないという結果が常だった[166]。

実質的には、安倍首相がやろうとしていたのは自衛隊という現実を憲法に書き込むことで正式に承認を与えたいということにすぎないものだった。だが、問題はその変化の含意で、首相と自民党が日本の戦時中の罪を目立たなくしようとしてきた経緯を踏まえると、疑念はいっそう強まった。いくつか例を挙げてみよう。一九九五年に衆議院で不戦決議をめぐり議論が行われた際には、太平洋戦争はアジアを植民地主義から「解放」するための戦いだったと強く訴える声が自民党内から上がった。一九九七年には、「日本の前途と歴史教育を考える若手議員の会」というグループが歴史修正主義を唱える自民党の若手議員によって立ち上げられた。このとき安倍首相は、創設メンバーで会の事務局長に就いた。その後、一期目の政権で、彼は「慰安婦」について、強制性を否定する見方を公の場で披露した[167]〔二〇〇六年十月六日の衆議院予算委員会で「狭義の強制性」を否定したと受け止められた発言を指していると思われる〕。

ここで論じたいのは、安倍首相がめざす憲法改正のメリットについてではない。日本の民主主義は中身よりも形式的な部分に重きが置かれてきたが、焦点は深いレベルに見られる亀裂なのである。繰り返し行われる選挙で有権者の前には幅広い政党の選択肢が示されるが、自民党は一九五五年の結党以来、ほぼすべての期間で政権の座を守ってきた。例外は、一九九三年から九四年までと、二〇〇九年から一二年までの短い期間だけだった。

対照的に、インド政治の辞書の中でもっともポピュラーな語彙の一つは「反現職」、つまり時の権力者を選挙でその座から引きずり降ろそうとする傾向のことだ。インドは世界でもっとも高い反現職率を示す国であり、政権与党の現職候補が再選される確率は五〇パーセントを切っているのだ[168][169]。

ところが日本となると、自民党がほぼ一貫して権力にとどまっていられるほどの支持の源泉がどこにあるのか、見つけることができないままでいた。それどころか、自民党が獲得した票のかなりの部分は、これまでもずっと同党に入れてきたので今回も当然と、最初から決めている有権者によるものなのだ。政治家と有権者のすれ違いはある種の空想的感覚をもたらし、そこでは国民は自分たちの国の指導者を決めることよりも、動物園でのペンギンの死のほうを気にかけているかのようだった。

中国と日本の政治体制が好対照をなしていることに、ジュリオとわたしはたびたび驚嘆させられてきた。中国では権威主義の政府が政治的主張の強い国民を支配する一方で、日本では民主主義体制のもとで政府が政治的には受動的な国民を統治しているのである。皮肉な対照関係だった。

一般の中国人は、街頭デモやメディアといった自由主義国ではよく見られる方法で自分の意見を自由に表現することはできないが、政治的ゴシップの話題には目がない。国民は天安門事件のような「タブー」を取り上げることには慎重だが、「ニーハオ」と挨拶を交わした後に、必ずと言っていいほど相手はわたしに向かって世界情勢（きわめて深刻だ）、民主主義（混乱の極みだ）、腐敗（各地に蔓延している）について自説を展開し、通信政策（競争をもっと活発にすべきだ）に話題が及ぶことすらあった。一方、日本では、選挙で誰に投票するかよりも、猫の歯をどう衛生的に保つかといった話題になることのほうが多かったのだ。

日本についてフェアな姿勢で言えば、二〇一七年の総選挙に先立ち、ささやかながら高揚感がわき起こったことがあった。人気の高い東京都知事の小池百合子が、新党「希望の党」を突如立ち上げ、そこに当時最大野党だった民進党の勢力が合流した。民進党は総選挙を一カ月後に控えるタイミングで崩壊し、日本政界で乱立する数々の新党に新たな材料を提供することになった。民進党からは多くの議員が希望の党に参画したが、リベラル派の議員は立憲民主党という新党を立ち上げた。

だが、小池都知事が繰り出した変化球にもかかわらず、野党勢力は滑稽なほどの混乱状態で選挙戦に突入することになり、十月二十二日の投開票日には安倍首相の続投が確実になった。日本の有権者はこの必然的結果にため息をつき、紅葉の様子のような、より身近なテーマに関心を移していった。

＊

野党が精彩を欠いていたとはいえ、安倍首相にとって総選挙後の船出は順風満帆というわけにはいかなかった。在任期間中、安倍首相は季節が変わるごとに浮上する汚職疑惑にさらされることとなった。わたしのように大規模きわまりない政府のスキャンダルに慣れているインド人からすると、日本式の汚職は少々おとなしいものに映った。首相や政府に持ち上がったのは、獣医学部の開設許可や現職閣僚が地元選挙区にカニやメロンを賄賂として贈った問題、「桜を見る会」の招待客をめぐる疑惑だった。こうした疑惑は一見取るに足らないものに見えるが、そうとは限らない。そこで明らかになった実態は、日本の組織に深く根づいている縁故主義と不正を明るみに出したのである。

二〇一八年、安倍首相は二つの疑惑をめぐり集中砲火を浴びていた。一つは三〇年ぶりとなる獣医学部新設の認可を友人の一人に出したことをめぐるものだった。もう一つは、幼稚園を運営していた森友学園に対し大幅に減額した価格で国有地を売却した件に首相自身が関与していたのではないかという疑惑だった。森友学園の理事長は安倍首相の妻と関係を築き、国有地を評価額よりも八億円以上安い価格で取得した。森友問題が最初に浮上したのは二〇一七年初めだったが、売却に際し安倍夫妻の関与に触れた内容の公文書が改竄されていたことが発覚すると、疑惑が再燃した。安倍首相夫人の昭恵は当初、学園側が取得した土地に建設を予定していた小学校の名誉校長として名前が記されていたが、疑惑が報じられると辞任した。獣医学部問題では、安倍首相は自らの友人を支援するために影響力を行使したことについて繰り返し否定する一方、政府側の文書ではそれとは異なる内容が示唆されていた[170]。

こうしたなか、安倍首相はすべての疑惑を否定した。森友学園問題では、改竄前の文書には自分の名前が示されていたかもしれないが、そのことが国有地売却に自分や妻が関与していたとの証拠になるわけではないと主張して、批判をかわした。

それから一年後の二〇一九年後半、安倍政権はさらなる糾弾に直面することになった。まず、十月に就任したばかりの閣僚二名が相次いで辞任するという事態が発生した[171]。一人目は重要閣僚である経済産業相を務めていた菅原一秀で、選挙区内の有権者に高級メロンやミカン、カニを贈ったと『週刊文春』が報じたのを受けて、就任からわずか一カ月で辞任に追い込まれた。彼は支援者の親族の通夜で、香典として二万円を渡していた〔手渡したのは本人ではなく秘書とされる〕とも報じられた[172]。

それから一週間もしないうちに、今度は法相の河井克行がやり玉に挙げられた。このときも発端は『週刊文春』で、秘書が選挙区の有権者にジャガイモやトウモロコシ、マンゴーを配っていたと報じられた〔このほか、現金のばらまきやウグイス嬢への規定額以上の報酬が問題とされた〕。安倍首相は河井の辞表を受理し、辞職した閣僚を任命した自身の不行き届きについて国民に謝罪した。首相は辞表を受理した直後に、「河井氏を法務大臣に任命したのはわたしだ。こうした結果となり、責任を痛感している。国民のみなさまに深くお詫びしたい」と述べた[173]。

だが、彼はその数週間後に浮上した自身に対する疑惑については責任を認めなかった。この件では、約五五〇〇万円〔二〇一九年の実際の支出額〕の公費をかけて行われた「桜を見る会」に支援者を招待したことが問題となった。さらに、参加者のなかに反社会的勢力に属する者が含まれていた可能性や、野党が招待者に関する情報の開示を求めた当日に招待客名簿がシュレッダーにかけられて廃棄されたことが明らかになると、疑惑は不透明感を増していった[174]。

疑惑が持ち上がるたびに、安倍首相の支持率は落ち込んだ。だが、彼は毎回、数週間以内にそうした状態から脱することに成功し、総選挙では勝利を収めたほか、二〇一八年には自民党総裁三選を果たしたことで、さらに三年間続投することになった。

インドやインドネシア、中国で起きている途方もないレベルの汚職を踏まえると、安倍首相やほかの与党政治家に向けられた疑惑は、日本では法律に違反するかどうかの判断がいかに厳格かを示すものとして理解できるのではないか。少数の友人を花見に招待するのがそれほど悪いことなのか？　マンゴーやメロンを何個か支持者に渡すことは本当に悪質なことと言えるのだろうか？

こうした「贈答品」は日本の汚職において氷山の一角にすぎないのかと問われれば、わたしの答えはおそらく「ノー」ということになるだろう。だが、それらはごく一部でしかないというとらえ方も広く見受けられる。日本では、細かい規則にこだわるあまり、大規模な逸脱に目を向けないという、「木を見て森を見ず」の傾向があるように感じられる。

大企業のほうも、これまですぐれた品質や製造工程を喧伝してきたが、海外が抱くイメージほどに「クリーン」ではないことが明らかになった。いくつか例を見てみよう。日本の鉄鋼大手で業界第三位の神戸製鋼は、自社製品の強度や品質に関するデータを改竄して多数の取引先に販売していたことで、二〇一八年に起訴された[175]〔二〇一九年三月に罰金一億円の判決が言い渡された〕。その数年前には、原発や半導体を手がける大企業の東芝が有価証券報告書に虚偽の記載をして投資家をミスリードしていたことが発覚した[176]。カメラや医療機器を取り扱うオリンパスでも、歴代経営陣が一七億ドルにものぼる巨額の損失を隠蔽し、長年――数十年に及ぶと見られる――にわたり粉飾決算をしていたことが判明した[177]。これを受けて、二〇一七年には東京地裁が菊川剛元社長を含む旧経営陣三人に対し、約五九〇億円の損害賠償を命じた[178]。

東京のテンプル大学ジャパンキャンパスの教授で、『ジャパンタイムズ』のコラムニストを務めたこともあるジェフ・キングストンは、安倍首相を手厳しく批判する姿勢を鮮明にしていた。わたしがキングストンに初めて会ったのはジャカルタで、そのとき彼はアジアの民族主義運動に関する本を書くために調査で来ていたのだった。わたしが東京に引っ越すとコンタクトが復活し、数カ月おきに会うようになった（蕎麦を食べながらのことが多かった）。彼は日本関連のさまざまなトピックについてジャーナリストから意見を求められることがあまりに多くあったため、社会的なテーマであっても短い言葉で聞き手に刺さる言葉で説明できるようになっていた。「政官財による『鉄のトライアングル』はいまでも健在で、癒着や腐敗が広がっていながら、めったに摘発されることはないんですよ」。ある日の午後に会った際、彼はにゅうめんをすすりながらそう語った。菅原経産相が果物を贈った汚職疑惑について彼の見方を聞こうと、彼にメールを送ってみた。すると、こんな答えが返ってきた。「メロンやマンゴーは日本では高価な果物ですが、それを支持者に贈答するのは、高級さに見合わないイメージをもたらすものと言えます」

　キングストンの見方は辛辣だったが的を射ていた。日本の政治には閨閥主義が蔓延している。国会議員の約三〇パーセントは、地盤を「受け継いだ」世襲議員によって占められている。自民党では、所属議員の約四〇パーセントが世襲だ。また、戦後に首相を務めた三〇人のうち、政界関係者が親族にいない者はごくわずかだ。安倍首相のように、大半のケースは元首相や閣僚経験者の息子や孫なのだ[179]。日本の民主主義は、選挙によって正当化されるとともにいっそう強固になっていく特権的な世襲政治が基盤にあると言える。

　日本だけが「民主主義的封建制」の国というわけではないが、政治がダイナミックさを欠き、硬直的になっているのではないか。日本の政治エリートが過去にこだわる一方で一般国民から乖離している状況は、二十一世紀に求められる柔軟性やイノベーション——権威主義国の中国はこれを実現する能力をたびたび示しているように見える——に取り組んでいくなかで自国を不利な環境に置くことになっている。

＊

二〇二〇年八月、大混乱の数カ月（次章で詳述）を経た後に、安倍晋三は任期がまだ残っているなかで健康問題を理由に突如辞任を表明した。自民党総裁としての任期は二〇二一年九月までのはずだったにもかかわらず、だ。

彼の遺産に対する評価は、アナリストがどのような主観を持っているかによって開きがある。在任中、安倍前首相は大きな力と地位を手にしていた。彼は一年ずつしかもたなかった直近五人の首相に見られたように、すぐに忘れ去られてしまうことはなかった。とはいえ、彼の名前が歴史に刻まれるのは間違いないとわたしは考えるが、卓越した成果を伴ったものではないかもしれない。長期政権を築いたという点では「優」だが、それ以外はよくて「可」という評価にとどまるのではないか。

安倍首相は二〇一二年に再度政権の座に就くと、景気上昇に向けた一連の経済改革を優先課題に据えた。「アベノミクス」の名で知られる経済政策は、民間投資を促進するための金融緩和、財政出動、規制緩和という三本の矢からなっていた。時を二〇二〇年初めまで早送りすると、その後に起きる大混乱の前の時点でさえも、日本経済は弱々しいままだった。日本企業は二十一世紀のテクノロジーをリードする存在に生まれ変われていなかった。そして、安倍首相のもとで経済成長と失業率の低下がもたらされはしたものの、日本は低成長と巨額の財政赤字、デフレという罠から脱却できない状態が続いている。

安倍首相の日本経済再生プランには、「ウーマノミクス」と名づけられた女性の社会進出拡大に向けた取り組みも含まれていた。だが、世界経済フォーラムが毎年発表する「グローバル・ジェンダー・ギャップ指数」の二〇二〇年版で、日本は前年から順位を一〇位落として一二一位となり、先進国ではもっとも低い結果となった。

ジェンダー・エンパワーメントの分野では、日本は世界からネガティブなイメージを持たれている。日本は女性を蔑視する男性と従順で忍耐強い女性の国だというステレオタイプは広く流布している。インド人ですら、わたしが東京に住んでいると知ると舌打ちをして悲しげに顔を振り、「女性にとっては厳しいところなのではないですか。とても気の毒です」と言ってくることがたびたびあった。

いくつかの面で、そうした指摘は現実とはかけ離れている。まず、なんと言っても日本では女性を取り巻く環境は安全だ。たとえばインドのような国とは異なり、女性は家の外で堂々と振る舞うことができる。着たい服を自由に着ることができる。好きなものを自由に飲むことだってできる。国際的な規範からすると、日本の女性は性的に解放されているように見える。家庭では財布の紐を握るのは女性で、夫はそこからお小遣いをもらうのだ[180]。

日本の女性は家庭にとどまり、職場では歓迎されないという見方自体も改める必要がある。実は、日本の女性の労働力率（生産年齢人口に占める就業者と求職者の割合）は、アメリカよりも高いという結果が出ている。二〇一六年の女性の労働力率は日本が七六・三パーセントで、アメリカの七四・三パーセントを上回っていたのである[181]。

問題は、女性の労働市場への進出増加がそのままエンパワーメントの強化につながっていないことにある。日本の女性は男性に比べて、パートや非正規雇用で働くケースがはるかに多い。日本では、企業の役員に女性が占める割合が他の国に比べてかなり低い。市場調査会社の帝国データバンクが二〇二〇年七月に発表した調査によると、日本では管理職に女性が就く割合はわずか八パーセントだった[182]。これがアメリカとなると五一・八パーセントで、フランスでは三七・三パーセントだった[183]。

さらに、政界での女性の少なさも深刻なレベルだ。ジュネーブに本部を置く列国議会同盟によると、日本は女性議員の割合がG20諸国のなかでもっとも低かった。衆議院議員四六三人中、女性はわずか一〇・二パーセントだったのである[184]。

二〇一八年十月に内閣改造が行われた結果、女性閣僚は地方創生と女性活躍を担当する片山さつきだけになった。男女比にかなり偏りがあるかたちになった内閣の陣容について、安倍首相は差別を助長すると取られかねない発言をした。彼は片山大臣について、「超人的なガッツの持ち主」だとし、「今回、女性の入閣は一人だけ」だが「二人分も三人分もある持ち前の存在感」があると語ったのである。

片山大臣は、皇居での認証式の直前に、ドレスを新調する羽目にもなった。説明に来た内閣府の職員から、彼女が当初用意した衣装は上下色違いであることを理由にふさわしいものではなく、同色（シルバーが望ましいと伝えられる）のロングドレスとジャケットが「ドレスコード」だと指摘を受けたためだった[185]。

家父長制が日本に深く根づいていることは疑いがない。その影響は相撲から大学まで、広い範囲に及んでいる。注目されたのは以下に紹介する二つの事件だ。

二〇一八年四月、舞鶴市の市長が地元で開かれていた大相撲の巡業で、土俵の上であいさつをしていた際に意識を失って転倒する事態が発生した。二人の女性——一人は看護師だった——が救助のため土俵に駆けつけた。ところが、動転していた行司は謝意を示すのではなく、彼女たちに対し直ちに土俵から降りるよう求めたのだった。女性だから、というのが理由だった。

相撲は単なる巨漢の力士による闘いではなく、神事として神道に深く根ざしていることをわたしは知った。取組に臨む力士には神道の神が宿ると信じられているのだ。塩まきのような大仰に行われる浄めの儀式も取組の見どころの一つになっている。いずれにおいても、女性はまったく歓迎されていない。月経や出産をする存在として不浄と見なされているためだが、こうした忌避はヒンドゥー教や仏教、神道の多くの慣行で見られるものだ。このため、土俵という神聖な場所に女性が上がると「汚されてしまう」ため、禁じられているのである。

テレビやSNSではこの問題が大きな話題になった。ツイッターでは、「これが人命を救おうとした人への対応と言うのなら、わたしたちは相撲協会の頭に塩をまくべきではないのか」というツイートもあった。その後、日本相撲協会は会見で謝罪し、人命に関わる状況だったことを踏まえると行司の対応は不適切だったとの見解を示した。だが、協会の女性と相撲に対する基本的な姿勢に変化はなかった。そのわずか一日後、宝塚市長の中川智子が大相撲春巡業「宝塚場所」で自身が土俵に上がりあいさつをしたいとの希望を伝えたが、却下されてしまったのだ。

「わたしは女性市長ですが、それ以前に一人の人間なのです」――日本のメディアによると、彼女はそう語ったという。「ですが、市長ではあるが女性だからという理由で土俵上でのあいさつを許されませんでした。残念だし、悔しいです[186]」。さらに二日後、群馬県では、大相撲の春巡業に際して開かれるちびっこ相撲で、女子児童の参加が日本相撲協会によって禁止された〔当時、静岡や長野など他県でも同様の対応があった〕。「女子児童の安全」を考慮した結果というのが表向きの理由とされた。

インド人からすれば、宗教的見地から女性が排除されるのは、それがどれだけ理不尽であったとしても、必ずしも珍しいことではない。しかしその数カ月後に発覚した、東京の有名医科大学が一〇年以上にわたり女性受験者の入学試験結果を組織ぐるみで操作していた問題は、性差別をめぐる日本の深刻な水準を考慮してもショッキングとしか言いようがなかった。二〇一八年八月、東京医科大学は、入試ですべての女性受験者の得点を減点する行為が常態的に行われていたことを認めた。同大は、在学生全体に女子が占める割合を三〇パーセント程度にとどめるべく、得点を引き下げる具体的な方法を記載したマニュアルまで作成していた。彼らの言い分はこうだ。女性医師が増えすぎてしまうと、仕事を辞めたり育児休業をとったりで人員不足の問題がいずれ生じることになる、と。

二〇一八年に厚生労働省が行った調査によると、日本における女性医師の比率は二二パーセント以下で、これは経済協力開発機構（ＯＥＣＤ）加盟国中でもっとも低い数値だ[187]。医師会や関係学会で意思決定に関わるレベルでは、女性の割合は二、三パーセントにまで落ち込んでいる。

働く日本の女性が困難に直面していることには、複数の理由が考えられる。差別はずっと前から彼女たちの足を縛ってきた。東京医科大学の事件が示しているように、女性は男性の競争相手よりも懸命に取り組み、彼らよりも自分が有能であることを証明してみせなくてはならないのだ。こうした試練の多くは万国共通で、女性にふさわしいのは「家庭」であると見なす家父長的価値観がいまでも残っていることからもたらされている。

しかし、日本で特徴的に見られる障害が一つある。それは、フレキシブルな働き方を戒め、職場で過ごす時間が長ければ長いほど報われるオーバーワークという慣行だ。神聖と言えるほどのレベルでハードワークを尊ぶ姿勢は、日本の企業文化に組み込まれている。従業員はストイックに耐え忍ぶことが美徳とされており、上司よりも早く退社すると眉をひそめられてしまう。先輩が帰る前に自分が退社するときは、「お先に失礼します」と声をかけるのが通例だ。

こうした勤労規範と育児のバランスをとるのは、ほとんど不可能と言っていい。わたしの友人の一人は、かつて三菱に勤めていたが、いまでは家で男の子二人の世話をしている。彼女は、職場で上司に対し長時間勤務と育児を両立させることが難しくなっていると相談したときのことを話してくれた。上司は同情するかのようにうなずき、事情はわかったと言ってくれたので、その一瞬だけ、問題解決に向けたさまざまな案を出してくれるのではないかという期待が彼女の脳裏をよぎった。ところが、上司は退職したほうがいいのではないかと言ってきた。彼女はそれに従った。

日本は暴力的な犯罪という意味では世界でもっとも安全な国の一つかもしれないが、飛び抜けて多い数の死をもたらす恐るべき殺人者がいる――仕事だ。オーバーワークによる死は、日本語で「過労死」と呼ばれている。この言葉が最初に使われるようになったのは一九七〇年代のことだが、いまでもメディアでトップニュースになることがある。

わたしたが日本から報じた初期のテーマの一つは、二〇一五年十二月に起きた高橋まつりの自殺だった。当時二十四歳の彼女は、日本最大級の広告代理店、電通に勤めていた[188]。高橋が社員寮から飛び降り自殺をしたのは、デジタル・アカウント部に配属されてから八カ月が経ったときのことだった。彼女は数週間にわたり、一週間の睡眠時間が一〇時間程度しかとれなかったと見られている。日本の法定労働時間は一日当たり八時間で、一週間の上限は四〇時間だ。

政府の白書によると、二〇一五年にオーバーワークが原因で自殺したか自殺未遂を起こした者は九三人にのぼる。これとは別に、同じ年に起きた脳や心臓の疾患による九六件の死亡が過労に起因するものだとされた。高橋の自殺後、政府と企業によるさまざまな過労死対策が発表された。「プレミアムフライデー」と名づけられたキャンペーンは、毎月最後の金曜日には従業員が早く仕事を終えて退社するのを奨励するものだった。時間外労働を一カ月当たり六〇時間までとする法律も制定された。

こうした試みは機能しなかった。プレミアムフライデーだからといって従業員が早く退社することはなかった。厚労省の統計によると、二〇一七年に過労死と認定された死亡は一九〇件にのぼった。この数字には、自殺のほか、過労に起因する疾病によってもたらされた死亡も含まれる。このうち九〇パーセントのケースで、一月当たりの時間外労働時間が八〇時間を超えていた。

職場で長時間勤務するのは、上司の要求に応えたり、美徳を示すためであったりもするが、もう一つ理由がある。従業員にとっては、ほかに行くところがないというケースが多いのだ。家は狭く長時間通勤は当然という状況のもとで、多くの社員にとって会社は落ち着けるスペースだったり、「ねぐら」になったりしている。デリーの大学に通っていたときの友人で、日本での生活が二〇年以上に及び、大手会計事務所に勤めているというインド人がいる。彼によると、勤め先で従業員が死亡し、厚労省のよる調査の結果、過労死と認定されたケースがあったという。これを受けて、すべての従業員は夕方の適当な時間に帰宅するよう命じられ、照明も午後一〇時に強制的に消灯されることになった。わたしの友人は自分のチームが新しい規則を遵守しているか確認する役割を任された。彼の任務は、毎日チームのメンバー全員が退社するのを見届けるまで残って仕事をすることだった。ところが、頑固な同僚が帰るよう促されても従わないため、彼自身も夜遅くまで残らざるをえなくなってしまった。同僚は頼むから会社にいさせてほしいと懇願してきたのだが、その際に言ってきたのは、働くわけではなく、単にオフィスで読書や勉強をしたいだけだからということだった。

　こうした行動を理解できるようになったのは、初めて日本人の友人宅を訪問してからだった。東京に引っ越してからの数カ月間、わたしたちは誰の家にも招かれない状態が続いた。友人に誘われるときの場所は、いつもレストランだった。子どもを一緒に遊ばせるときも、公園のように屋外で計画された。日本の地価が高いことやマンションの多くが狭いことはわかっていた。だが、それでも外国人ではない友人宅に初めて招かれたときには、気持ちの準備ができていなかった。

　ジュリオには、イギリスで学生生活を送っていた頃、親しい日本人の友人――ユウジと呼ぶことにしよう――がいた。彼は一九九〇年代後半に一カ月ほどかけてこの友人と一緒に日本各地を旅したことがあった。しかしその後、二人はコンタクトを失ってしまった。東京に引っ越す前、ジュリオはＳＮＳにユウジがいないか探してみたが、うまくいかなかった。それだけに、ある日、受信トレイに思いがけずユウジからのメールが届いていたのを知った彼は、天にも昇る心地だった。そこには、宇宙の絶妙な設計を崇拝したくなるような経緯があった。ユウジは大人になり、日本の自動車大手で欧州での業務を担当する中間管理職になっていた。彼は業務に関係する法令をチェックしようとEUのウェブサイトを閲覧していたところ、ジュリオが最近になって駐日代表部に着任したことを知ったのだった。

　約二〇年の時を経て再会を果たしたジュリオとユウジは、これまでの時間を埋め合わすかのように数週間おきにあちこちの居酒屋で会うようになった。そしてある日、わたしたちはユウジの自宅に招かれ、彼の家族と会うことになった。わたしたちの家がある東京都心からユウジが住む郊外までは、電車で一時間の移動だった。ユウジの勤務先は都心にあるため、このルートを毎日往復するということになる。最寄り駅から歩いてすぐのところにユウジが住む団地――一九六〇年代のブルータリズム建築様式の典型の中の典型と言うべき外観だった――があった。建物は巨大な箱を思わせるコンクリート製で、長くて人けのない廊下の前に小さな部屋が連なっていた。ユウジと朗らかな雰囲気の妻、それに二人の活発な子どもがわたしたちを招き入れてくれた。その先には中規模の部屋が一つと風呂、小さなキッチンがあるだけで、実質的にはワンルームマンションだった。

「これだけ？」うちのちびの一人が、わたしがシーッと静かにさせようとするのも聞かず、大きな声で言った。「ベッドはどこ？」もう一人のちびも、ジュリオが足を踏んで注意するのにも構わずに訊いてきた。わたしたちはイチゴなどの果物が盛りつけられたテーブルを囲んで床に座った（これは日本では普通のことだ）。おそらく寝るときには布団を使っているのだろうと思った。普段は押し入れにしまってあり、夜になるとそれを出して、テーブルを片づけてから敷くというわけだ。部屋にはおもちゃや本、さまざまな雑貨があふれていた。わたしたちは笑顔で素敵な部屋だと伝えはしたが、友人夫婦はスペースの狭さを暗に示す言葉を何度も口にしていた。夕食は彼らに連れられてレストランでとった。それが終わると、わたしたちは都心まで長い時間をかけて戻らなくてはならなかった。

息子たちは最初にユウジの家に足を踏み入れたときの驚きをすぐに忘れ、先方の子どもたちと仲良くなり、お互いが知っている冗談を言い合って爆笑していた。しかし、ジュリオとわたしは、イギリスで教育を受け、世界で名を馳せる企業でいいポジションの職に就いている友人が、わたしたちからすると困窮状態のように映る部屋に住んでいるという現実を受け入れるのに少々時間を要していた。

　ユウジの妻は、夫は毎晩のように同僚と飲み歩き、家族が寝静まった後に帰宅するのだと教えてくれた。しかし、彼女はそれがいちばんいい方法なのだと打ち明けた。ユウジが夜早めに帰ってくると、子どもたちが勉強や就寝前の準備をしているところに割り込むことになるから、というのだ。それからの数年でわたしたちは家族ぐるみで付き合うようになり、夏には休暇をともに過ごしたこともあった。わたしと打ち解けていくなかで、ユウジは平日の夜に早く家に帰るときは気まずいのだと話してくれた。帰ってもリラックスできる場所があるわけではなく、自分の家なのに侵入者のような気分がするのだという。

　日本にとってより根本的な問題は、職場で女性の数が少ないことではなく、男女を問わずワークライフバランスの実現を表面上だけですらきわめて難しくする、過酷な労働文化にあるように思われた。オーバーワークの文化は女性を経済活動から遠ざけてきたことに加え、きわめて低い水準にある日本の出生率を上昇させるという点でもほとんど役に立ってこなかった。その結果、多くの日本人が子どもを持たないか、そもそも結婚しないようになってきている。そして、オーバーワークによって従業員の生産性が高まるわけではなく、逆にストレスを強める結果をもたらしている。二〇一八年に日本の一時間当たりのGDPは四七ドルで、韓国よりは高いがG7諸国のなかではもっとも低かった[189]。したがって、日本に必要なのは労働のあり方を根本的に見直すことだと言える。労働時間の短縮化と効率化によって、男性も女性も、そして家族も恩恵を受けることができるのではないだろうか。

現在の日本の状況のままで選べるのであれば、わたしは典型的なサラリーマンよりも平均的な主婦のほうがいいと思う。長い時間をかけて通勤し、腹に据えかねる上司から嫌な思いをさせられ、取引先にぺこぺことお辞儀をし、大量のアルコールを毎晩のように飲む生活は、とてもではないが魅力的とは思えないからだ。

＊

二〇二〇年は無風の中で明けた。二つの「二〇」のあいだには待望の夏季オリンピックが控えており、これによって国際社会における日本の復興を印象づけた安倍首相は歓喜のうちに任期を全うして退任することになるはずだった。わたし個人について言えば、引っ越しをする年を意味していた。東京での四年間を経て、わたしたち一家は夏にはスペインに移る予定になっていた。最後の数カ月はとことん旅行に当てて、バケットリストでまたチェックが入っていない日本各地の行き先を制覇しようと計画を立てていた。しかし、わたしたち家族が次の旅行の行き先について相談を始めた頃には――子どもたちはスキーに行きたいと言い、わたしは雪景色の中の寺を見たいと考えていた――、すでにある言葉が新聞の一面に登場するようになっていた。多くの人とは異なり、わたしにとってはなじみのある言葉だった――コロナウイルスである。

## 第10章

# コロナウイルス

二〇〇三年の春、わたしは北京広播学院という、当時は北京の中心部にあった大学で英作文を教えていた。三月に入ると、非典型肺炎が発生しており、多数の症例が中国南部で報告されているとの報道が外国の新聞に掲載されるようになった。この病気は「重症呼吸器症候群（Severe Acute Respiratory Syndrome）」の頭文字をとってＳＡＲＳと呼ばれるようになった。その一方で中国国内の新聞には、これについて取り上げた記事はごくわずかしかなかった。四月三日になって、中国政府で衛生部長（日本の厚生大臣に相当）を務める張文康が記者会見を開き、北京のＳＡＲＳ感染者数はきわめて少ないと発言した様子がテレビで報じられた。しかし、この恐ろしいウイルスの実際の感染状況を隠蔽する活動が数カ月にわたって行われていたことがすぐに明らかになった。

わたしはＳＡＲＳの検疫を大学という最前線で受けることになり、その様子を報じた記事はわたしが海外からインドメディアに送った最初の重大ニュースとなった。その後、わたしは中国での日々を扱った『煙と鏡』というデビュー作を書いたが、本では第三章のタイトルを「コロナウイルス」――ＳＡＲＳもこのカテゴリーに属していた――としたのだった。

時間を二〇年近く早送りして、二〇二〇年一月に移ろう。中国で新型コロナウイルスが流行しているとのニュースがメディアで大きく取り上げられるようになるなか、わたしはＳＡＲＳのときの記憶を思い起こそうと、自著をあらためて手に取ってみた。一月下旬、わたしは新型コロナウイルスと二〇〇三年のＳＡＲＳに対する中国の対応を比較し、今回のほうが有効に対応できてはいるが、国際的な風当たりは前回よりも強いと指摘する論説をインドの『ヒンドゥー』紙に寄稿した。[190] この記事が掲載された時点では、ＣＯＶＩＤ-19と命名されたこの新型コロナウイルスの感染者はまだ六万三〇〇〇人強にとどまり、そのうち死者は一三〇〇人だった。ほとんどの症例は中国でのものだった。

二月に入っても、わたしはまだ楽観的だった。夕食会では、心配を表すかのようにおでこに皺を寄せながらコロナの話題を持ち出す友人も何人かいた。わたしはと言えば、ＳＡＲＳを生き延びた——もっと言えば、あの状況下でも仕事を続けていた——自信があった。それに、わたしはインド人だ。ウイルスなぞいちいち怖がっている暇はないのだ。ウイルスや細菌が身近にあるなかで育ってきた。ウイルスにやられたことは何度もあるが、だから何だと言うのか? インド人であるということは、マラリアやデング熱、チクングニア熱、アメーバ症、チフス、黄疸、結核といったリスクに毎日のように晒されることを意味する。だからといって、こうしたリスクが自分たちを規定する要素になるということはない。こうしたことから、わたしはコロナ感染の恐怖を先進国特有の問題と考え、ことさら深刻にとらえようとはしなかった。

ＳＡＲＳが蔓延したとき、パニックに陥った外国人が中国から脱出したが、わたしはそうした人たちの臆病さを軽蔑していたところがあった。わたしの授業をとっていた中国人学生は政府による隠蔽を疑い始め、彼らの多くが大学の検疫規定を破って実家に避難していたが、わたしはそれを「過剰反応ではないか」と独善的に見ていた。その後の感染状況の推移を見ていくなかで、わたしは自分の見方が正しかったことを確信した。二〇〇三年夏にはＳＡＲＳは消え去り、世界の現代史の中でごくわずかな痕跡を残しただけだったのだから。

こうした経緯があっただけに、コロナに対する不安が最初に高まった頃、日本人の友人宅に呼ばれたわたしは、人びとが抱く不安を上から目線で論評し、今回のコロナも含めてウイルスのことなら自分はよく知っているとうぬぼれた話を応接間で語っていた。それがいかに愚かなことだったか。それは言い換えれば、問題の正体を知らなければ危険なほどに尊大とも言える見方をしてしまうということである。

二月のあいだ、日本の新型コロナウイルス対策は海上での対応がメインのように映った。その月の初め、乗客乗員合わせて三七〇〇人がいたクルーズ船「ダイヤモンドプリンセス」が横浜港に入港したのだが、その数日前に香港から乗船した客の一人が検査の結果コロナ陽性と確認されたことで厳戒態勢がとられた。それから二週間にわたり、さまざまな失敗が起きたり、連絡態勢のまずさが露呈したりすることとなった[191]。

まず、日本の政府当局は、ダイヤモンドプリンセスで起きた最初の感染者について報告を受けてから乗客に対し下船を認めず待機する命令を出すまでに七二時間を要した。このため、停泊が始まった翌日の時点でも、何百人もの乗客が船内でのアクティビティに参加したり、同じ場所で食事をとったりするといったことが行われた。また、二週間にわたって一〇〇〇人強の乗員がデッキ下の狭い船室にとどまることを余儀なくされた。このうち八五人が感染していたことが確認された。体調不良の船員もほかの船員も同じ船室で寝ており、後者は船内業務を継続したため、結果として検疫の効果を低くさせてしまった。船員は何十もの客室に食事を配送する際、ずっと同じ手袋を着用していたし、料理やリネンを届けたり回収したりするときは乗客と直接顔を合わせていた。

ダイヤモンドプリンセスで発生したクラスターでは、最終的に感染者は七〇〇人以上——検疫状況の確認のため乗船した政府関係者数名も感染した――にのぼり、八人が死亡した。この過程で判明したのは、感染症対策に当たった経験がほとんどない政府職員がコロナの検査や封じ込めに取り組むチームに含まれていたことだった。複数の報道によると、完全な防護服を着用していなかった者がいたという。また、停泊中に上船した厚生労働省の職員約九〇人のうち大半が、その後すぐに通常業務に戻ったという。

世界最大規模の経済大国を自認し、最先端技術のノウハウを持っているにもかかわらず、日本政府は検査実施のために必要な医療体制を提供することもできなかった。船内で待機を命じられた乗客の多くから、何らかの症状が出ても医療サービスが受けられないことについて不満の声が上がった。中国ではコロナ患者専門の病院が一週間で造られる一方、日本では船内で感染が広がっていることがわかっていながら、乗客を収容する代替施設を用意することができないでいた。その結果、ウイルスに曝露した可能性のある乗客は、対策指針とは異なり、下船させて隔離するのではなく、検査が行われるあいだ船内にとどまることになった。

ダイヤモンドプリンセスの停泊状態が続くなか、いつもの日本の整然とした対応は、「洋上の実験シャーレ」と呼ばれるほどの混乱に取って代わられた。アメリカなど一部の国は、帰国後に「適切な監督のもと」で行うとした検疫を独自に受けることを条件に、日本側による二週間の待機期間が明ける前に自国民の乗客を下船させた。一方、日本の場合は、検査で陰性と判定された一〇〇〇人近い乗客について、ウイルスに曝露しその後発症する可能性もあるとの専門家の警告があったにもかかわらず、二月十九日に下船を許可された。日本の厚生労働相はのちに、適切なタイミングに検査を受けずに下船し、公共交通機関を利用して帰宅した乗客が二三人いたと発表した。

ダイヤモンドプリンセスは、発生源の中国以外で起きた最初の大規模クラスターだった。このニュースを注視していた者にとっては、事態の推移はあたかもテレビのリアリティー番組を見ているかのように映り、高みの見物から恐怖感、「あの場所以外ならどこでも行きます」といった安心感までさまざまな感情が露わになった。しかし、豪華クルーズ船の事態は世界中で起きる闘いの前兆にすぎなかった。後手後手の対応や準備不足の計画、実施時の不手際、誤情報といったものは、世界各地で試みられた新型コロナウイルス対策の特徴を示す予告編と言えるものだったのだ。

三月になると、このコロナウイルスは「新型」と言えないほどにヨーロッパ各国に広がり、そのさらに西へ拡大し、アジアでも状況が悪化したことで、感染症によって世界が統合されたかのような状況が生じた。この大騒動とは無縁の国はどこにもなかった。だが、公衆衛生の対応の未熟さという、どこでも等しく見られた結果は、対策方法の違いを見えにくくした。

多くの欧米諸国で失敗をもたらした最大の原因は、この病気は出所不明の食べものを食べる、遠く離れた異国で起きているものにすぎないという誤った思い込みから来る傲慢さだった。わたしの夫の勤め先である東京のＥＵ駐日代表部では、マスク着用をはじめとする日本で行われていた対応はばかばかしい気休めでしかなく、医学的な効果もないとして、職員が守る必要はないと言われていた。問題がこれほど深刻になっていなければ、日本はこうした態度を一笑に付して済ませていたかもしれない。

さらに、思いがけず奏功したマスク文化は別として、ダイヤモンドプリンセスでの事態が示したように、日本ならではの欠点が露呈した。同船の検疫をめぐる対応のまずさは、急激な環境の変化に柔軟な対処ができないことを浮き彫りにした。その背景には、前例を過度に重視する役所の姿勢や、それに伴う透明性が低くなりがちな危機管理があった。物事が計画どおりに進むときには、日本は精密なメンテナンスを施された機械のように動くのかもしれない。だが、思わぬ変化球――この場合はコロナが広がったクルーズ船――が来ると、普段は効率的な日本が残念なミスを連発してしまうのだ。

二月末には、日本では感染拡大を未然に防止するべく学校の休校が決まったが、その一方でサービス業にとってお得意さまである中国人観光客はまだ入国が可能だった（河北省と浙江省の者は対象外とされた）。三月の一カ月間で、新型コロナウイルスは武漢での感染拡大から世界中を覆うパンデミックにまで変化した。こうしたなか、日本では安倍首相はウイルスの深刻さを直視しようとせず、東京での夏季オリンピックを予定どおり実施すると言い続けた[192]。

もちろん、日本政府に同情しないわけではない。主催側はオリンピックの準備に二五〇億ドルを費やしていた。安倍首相にとっては、東京オリンピックは自らのレガシーを確かなものにするとともに、二〇一一年の東日本大震災からの復興を世界に印象づける総仕上げの仕事になるはずだった。

だが、オリンピックを理由にコロナの深刻さを認めようとしなかったことで、日本に住む多くの者が感染拡大に対して十分に注意を払わなくなった。春は人びとが集団で外出する季節だ。冬が過ぎ、桜の蕾が膨らむなかで空気を吸い込み、花見に向けた準備をする。政府がソーシャルディスタンス呼びかけるなか――もちろんうれしいものではなかったが――で、首相夫人の安倍昭恵が花見の会に出席している様子を撮影した写真も出回った[193]。

こうした深刻さを欠いた対応の影響を思いがけず受けることになった者の一人に、カマル・ヴィジェイヴァルギヤというジャイプル〔インド・ラージャスターン州の都市〕のビジネスマンがいる。紅茶やハーブ製品の輸出を手がける彼は、四日ほど滞在して関係先に売り込みを図ろうと考え、三月十八日に東京に飛んだ。ヴィジェイヴァルギヤは、オリンピックは予定どおり開催するという日本政府の姿勢に安心していた。「わたしはそれを知って、日本に行っても大丈夫だという意味に受け取りました」と、彼はわたしに語った。ところが日本到着の翌日にインド側が国境を封鎖する措置をとったため、彼は東京で数カ月にわたり足止めを食うことになり、以前からの取引先の厚意で、ソファで寝泊まりさせてもらうことでなんとかしのいだのだった。

三月二十四日に安倍首相がついにオリンピック延期を発表したことと、その直後に公式に発表される東京の新規感染者数が急増したことは「偶然」にすぎないとアナリストの多くが指摘する。延期発表の翌日、東京都知事が都民に対し週末の「ステイホーム」を呼びかけたが、他の多くの国がすでにロックダウンに踏み切っていたことを踏まえると、遅きに失した感のある要請だった。その後、四月七日に非常事態宣言が安倍首相によって発表された。

これを受けて、ショッピングモールや娯楽施設には休業要請が出され、企業は従業員にテレワーク勤務をさせることが望ましいとされ、国民は外出を控えるよう求められた。他の国とは異なり、こうした対策はすべて「命令」ではなく「要請」だった。日出ずる国に発令された緊急事態宣言は、過酷な措置がとられたどの国ともタイプの違うものだった。こうした違いが生じた背景には、日本の政府当局はコロナ感染拡大防止措置に重みを持たせるために、罰金を科すといった強制措置を実行するための法的手段を持ち合わせていないことがあった。

戦時中に公民権が制限を受けたという過去の記憶は、戦後アメリカによって起草された日本国憲法に反映され、市民的自由が保障される一方で国家の力は制限された。したがって、憲法の内容を踏まえて、政府の指導者は国民や企業に対しソーシャルディスタンスのガイドラインを守るよう要請することはできるが、どこまで執行できるかは周りの目や同調を尊ぶ文化にかかっているのである。

政府がとりうるオプションのなかでもっとも恐れられたのは、要請に従わない企業の名前を公表することだった。これが「普通」の国であれば政府当局は無能だとして笑いの種になってしまいそうだが、日本では「自発的なロックダウン」というのは「超大国《スーパーパワー》」と同じくらい矛盾を感じさせない表現なのだ。公衆衛生の危機は、清潔さや控えめな社会、マスク着用の習慣、国民の規律の高さといった以前から確立されていた規範を持つ日本社会の強みが発揮される舞台なのである。

マスクは世界のコロナ対策をもっともわかりやすいかたちで表すシンボルとなった。だが、日本ではコロナが広がるずっと前からマスクが普及しており、その歴史は過去のパンデミックや自然災害、大気汚染、植生の変化、アレルギー、テクノロジーの進化といった過去一〇〇年に及ぶのである。まず、二十世紀初頭に発生したインフルエンザの大流行によって布で口を覆う習慣が生まれた。次いで、一九二三年の関東大震災では、地震発生から数週間にわたり火災による煙や灰が首都東京の空に漂い続けた。このとき、東京や隣接する横浜の路上ではマスク姿の人びとが当たり前に見られるようになった。

一九五〇年代には、戦後の急速な工業化によって大気汚染が蔓延した。また、多くの花粉が飛散するスギの木が大量に植えられ、空気中の二酸化炭素の濃度上昇もあって繁茂していった。これにより、日本人の多くがスギ花粉によるアレルギー症状に悩まされることになった。二〇〇三年にＳＡＲＳ騒動が起きると、技術革新によって不織布を用いた新しいタイプのマスクが流通するようになったことも手伝って、着用する者がふたたび急上昇した。

このようにマスク着用の先例はいくつも挙げられるが、一連の対応の結果、日本は新型コロナウイルスの脅威を回避するという点で世界の中でもっとも安全な国の一つとなった。一回目の緊急事態宣言中、状況がもっとも深刻だったときでさえも、東京の一日当たりの新規感染者数は数百人を超えることはめったになく、世界の多くの都市で何万人もの感染者が報告されていたのとは対照的だった。

わたしたち一家はマンションに完全に閉じ込められるといったことはなく、自由に散歩に出たり買い物に行ったりすることができた。近所の青果店では、一度に入店できる客の数が制限され、そのため長い行列ができることもあった。それでも誰もが楽しくは思わないにしても、礼節と適切なソーシャルディスタンスをとって耐え忍んでいたものだった。バターなどの商品の買いだめが起こったが、最大の犠牲者はトイレットペーパーだった（他の国の人に比べ、インド人の場合はさほど困らないかもしれないが）。ロックダウンによって世界中でホームベーカリーを始める者が増えたが、日本も例外ではなかった。SNSからはパンが焼き上がる香りが漂ってくるようだった。わたしはと言えば、それまでの人生をオーブンに手を触れることなく過ごしてきたのだが、いまや手作りのチョコレートブラウニーをちょくちょくご近所にお裾分けするまでになった。ジグソーパズルに挑戦するようにもなったし、「サウンド・オブ・サイレンス」をはじめとするメロディーに合わせてコロナをパロディーにした歌詞を書くこともした。自分が住む日本という国を象徴する忍耐と慎重さに守られているような感覚を覚えたものだった。日本はコロナという暗雲を振り払う秘訣を手にしようとしていた。

　それまで疑問に感じていたことが急に腑に落ちるようになったこともあった。一つ例を挙げると、わたしは以前から日本人の友人を自宅に招いた際、その多くが着いてすぐにやたら長く洗面所で時間を過ごすことが不思議でならなかった。ガラガラという音やペッと水を吐く音、それに蛇口から水が流れる音を聞きながら、わたしは友人が出てくるのを待っていた。「ハッピー・バースデイ」を二回分歌えるくらいの時間をかけて手を洗い、さらにうがいもしていたのだ。日本の母親が子どもにしっかり身につけさせる、入念な手洗いとうがいの習慣だ。コロナが広がったいまでは、これらはもはや「特異な習慣」ではなく、智慧と受け止められている。

　残念なことに、日本の指導者はこうした智慧を活かせていないように見えた。四月に入り、緊急事態宣言が発令されるなか、不安を募らせていた国民は政府による包括的なコロナ対策の詳細が発表されるのを待っていた。固唾《かたず》をのんで待ち構えていた国民に伝えられたのは、布製のマスク二枚を国内の全戸に配布するというものだった。このマスクは首相が推進する経済政策「アベノミクス」をもじって「アベノマスク」と呼ばれるようになり、税金の無駄遣いとして各方面から批判の声が上がった。マスクの送付が始まると、汚れが付着しているとか、髪の毛やほこりが混入しているといった苦情が寄せられ、かなりの枚数が回収される事態になった[194]。

わたしたちの家にもマスクが送られてきた。子どもたちが着けてみようとしたが、分厚すぎてしっかりと息をすることができなかった。未使用のものを寄付しようとしたが、受け取ってくれるところが見つからなかった。結局、台所でこぼれたオレンジジュースを拭き取るときに使わせてもらった。

不評のアベノマスク送付以外に安倍首相がとったパンデミック対策のなかに、ＳＮＳに動画を投稿し、国民に対し家でくつろごうと呼びかけたものがあった。動画では、ゆったりとした自宅で愛犬を撫で、大きめのグラスで温かそうな飲み物を手にし、テレビを見ながらリラックスする首相の様子が映し出されていた[195]。

しかし、日本人の大半は狭い家に住み、世界の多くの人と同じように、先行き不透明な経済環境の中で、なんとかして育児と仕事の両立を図ろうとしていた。大阪では医師が防護服の代わりにごみ袋をかぶる事態になり、市長がレインコートを寄付してほしいと呼びかけていた。そうした最中に投稿された安倍首相の動画は、感覚が少々ずれているのではないかと受け止めた者もいた。あるツイートでは、「たくさんの人が徐々に（コロナウイルスに）やられるのではないかと感じているときに、実に優雅に見えますね。戦場と化している病院の様子を見に行ってみてはいかがでしょうか？」と問いかけていた。

自分たちが作った政策からいかに恩恵を被っているかを示すリーダーは、ほかにもいた。次に的外れな発言をしたのは、大阪の松井一郎市長だった。彼は記者団に対し、パンデミックのあいだはスーパーでの買い物は女性ではなく男性に任せたほうがいいのではという発言をしたのだ。ずいぶんと奔放な発言だったが、松井市長は発言の意図をこう説明した。男性のほうが買うべきものに集中でき、店でぶらぶら過ごすことがない、と。女性は「いいものかどうかかってね、いろいろ商品を手に取るんで、時間がかかる」〔正確には松井市長が自身の妻を例にした発言〕が、「言われたもんだけ買うとなれば、男性のほうが早い。（中略）そういう人が買い物に行くほうが『三密』は避けられるんじゃないか」と語り、自分の発言がどれだけ深い墓穴を掘っているかに気づいていないようだった[196]。

事態が進んでいくなかで、日本のコロナ感染拡大状況は、多くの先進国ほどに深刻ではなかった。全面的なロックダウンなしに感染爆発を防ぐことに成功し、死亡率も相対的に低い水準を維持できた。四月末の時点で、日本の人口一〇〇万人当たりの死亡者数は二・八五人だったが、アメリカでは一六四・五人、スペインでは四九〇人にのぼっていた。この要因についてさまざまな議論が交わされたが、決定的な理由はまだわかっていない。おそらくは文化的規範、幸運、そして将来明らかになるであろうその他のファクターが重なり合った結果ではないか。

しかし、コロナによる死者数という点では日本は比較的優秀な結果を見せた一方で、パンデミックによって驚くほど時代遅れな側面が明らかになり、「最先端をゆく日本」というイメージとはかけ離れた実態にも光が当てられることになった。

東京に引っ越して最初の数週間で、わたしは日本のアナログさを認識させられることになった。支払いは現金以外、一切受け付けないケースが多かったため、クレジットカードを持っていても役に立たないことがよくあった。オンラインで買い物をする際も、新しい支払い先を追加するたびに銀行まで足を運ばなくてはならなかった。インタビューのためのアポイントメントを取りつける際に、ファックスを送ってほしいと言われたことも一度や二度ではなかった。二〇一八年に政府のサイバーセキュリティ戦略副本部長を務めていた桜田義孝〔衆院議員。当時は東京五輪・パラ五輪担当相を兼務〕が、これまで仕事でパソコンを使ったことはないと認めたことがメディアで大きく取り上げられたことがあった。この一件は、デジタル化についていけていない日本が二十一世紀の世界の中でどう映るかを如実に示すものだった[197]。

平時であれば、役所の担当部局に情報提供の要請をファックスすることも、愛すべき古めかしさではないかと受け止めることも可能ではある。だが、コロナの世界では、デジタル・トランスフォーメーションに適応できない日本の状況が招くマイナスの影響は深刻さを増していた。

　緊急事態宣言の発令以降、国民はステイホームを心がけ、仕事はリモートで行うことが奨励されたが、多くの企業はテレワークに切り替える態勢が整っていなかった。ＩＴ調査会社のＩＴＲが三月に行った調査では、四五パーセントの企業が社員の在宅勤務を可能にするシステムが存在していないと回答した[198]。テレワーク移行の準備ができていると回答した企業は二八パーセントしかなかった。従業員のなかには自宅にノートＰＣを持っていない者もいた（日本では三分の一の世帯にファックス機はあるのだが）。職場の厳格な上下関係を表すかのように、上司の監督や承認なしで仕事をすることに困難を感じる者もいた。

　そうしたなかで、ソーシャルディスタンスの最大の障害としてとらえられたのが印鑑だった[199]。日本ではいまでも公的書類で社印を必要とするケースがほとんどで、その印鑑は会社に保管されているのだ。このため、会社員が在宅勤務要請に応じない理由としてもっともよくあるのが、書類に押印するため出社する必要があるというものだ。政府が緊急事態宣言に際し企業に求めたのは、出社の七割削減だった。だが、宣言発令の翌日、つまり四月八日にヤフーがとりまとめたデータによると、ユーザーの人流は二八パーセントしか低下しなかった。

　オンライン医療も、パンデミックによって重要な問題があることが明らかになった分野だ。政府は長年にわたり初診患者のオンライン診療を認めてこなかったが、その一因は日本医師会のような業界団体が反対していたためだった。コロナの感染拡大を受けて政府はようやくこうした規制の一部を撤廃することにしたが、それでもなおさまざまな障害が残っている。オンライン診療を行うに当たってもっとも基本的な要素はクレジットカードによる診療費の支払いということになるが、日本の医療機関の多くがカード払いを受け付けておらず、カルテの約六五パーセントが未だに紙で保管されているという[200]。

　わたし個人について言えば、学校に通う子どもの母親という立場だったためだと思うが、デジタル化の遅さをもっともショッキングに感じたのは、教育の分野だった。わたしの子どもたちは私立のインターナショナルスクールに通っていたため、オンライン授業への切り替えは総じてスムーズに行われた。子どもたちは授業の時間を家で過ごし、Ｚｏｏｍで受講する授業とオンライン上の教室に掲示される課題に取り組む自習をこなしていた。課題を提出すると、すぐに採点されて先生からのフィードバックとともに返却された。

　だが、そう理想的に事は運ばなかった。子どもたちが分数の問題に取り組む代わりにビデオゲームに興じたり、課題に集中せず、さっさと済ませたりしているのを目撃したことも何度かあった。しかし、その結果として余った時間は、別のかたちで有意義なものになった。上の子はスフレを作ってくれた。弟のニコはブラックホールに心を奪われた。六月に学校が再開した頃には、ニコはユーチューバーになりたいとはもう思わず、宇宙物理学者をめざすと言っていた。こうした状況だったので、休校措置に対して直情的な怒りをさほど感じずに済んだ。

　しかし、日本の学校に通う子どもの親を取り巻く状況は大きく異なっていた。友人のコヤマさん――以前、息子さんの学校に掃除の様子を見学しに行かせてもらったことがある――は、とてもではないが落ち着いていられなかった。彼女から二日おきに送られてくる長文のメッセージには、中世かと見まがうような学校の対応が綴られていた。その学校がとった対応は、算数と国語の練習問題が印刷されたプリントを各家庭に郵送で配付するというものだった。保護者には正解の表が渡され、自分たちでチェックし、採点が済んだプリントを学校に郵送で返送するよう指示されていたというのだ。先生はときどき保護者に電話をかけて学習状況について確認することはあったが、生徒と直接話すことはなかったという。羽根ペンとインクを使って練習問題を作成するようなことがなければいいのだが、と願わずにいられなかった。

休校中、コヤマさんの息子さんが通う学校は、オンライン授業のシステムを整えて、先生が動画をアップロードしたり、生徒と教師のあいだで双方向のやりとりを可能にしたりするにはどうすればいいかわからないままだった。「本当はそんなに大変なことだとは思いません。思うに、あの人たち（学校の運営者）が教育委員会からの指示に従うだけで、自分たちでイニシアチブを取れていないことが問題なのです」。あるときのメッセージで、友人はそう書いて不満を露わにした。

もう一人の友人であるフルヤさんの場合は、子どもさんが通う学校が今上天皇の母校だった。彼女によると、このきわめて高貴な学校がオンラインでの活動を開始するのに六週間を要したという。そしてようやくオンライン授業が始まったが、やったことはと言えばクラスの生徒が共通のチャットで交流するだけで、母親（父親ではなかった）は子どもと同じ部屋で見守っていることが望ましいとされたそうだ。

六月初旬には緊急事態宣言を受けて行われていた東京での措置は次第に解除されていき、学校では毎日生徒たちが登校して、数時間ながら授業を受けることができるようになった。わたしも慎重を期して、換気が徹底されている場所で一部の友人と会うのを再開した。新型コロナウイルスの毒性の強さを思い知らされたわたしは、数カ月前のようにパンデミックの深刻さを軽んじるということはなくなっていた。とはいうものの、友人の会話が個々の野菜やバッグの除菌を具体的にどうするかという新たな作法の話題で持ちきりになると、わたしは気を失ってしまいそうな気持ちになったものだった。率直に言って、わたしはコロナウイルスのことを四六時中考えてはいられないと思った。これまで大気汚染や水質汚濁による病が蔓延する国々に住んできたが、そうしたところでは、汚染レベルを考えれば空気を吸うだけでも危険だと言えた。東京を中心とする首都圏には三〇〇〇万人が住んでいたが、そこでの新規感染者数が一日当たり二〇〇人ということであれば、インドで子どもたちが下痢で亡くなることのほうが深刻なように思われた。[201] そこでの違いは、当然のことではあるが、お金があったり恵まれた環境にあってもコロナを防ぐことができないか、少なくとも下痢を防ぐほどに有効な手立てにはなり得ないということにある。コロナについてこうしたことを考えているうちに、わたしの恐怖心は和らいでいった。

それに、わたしにはほかにやるべきことがあった。ジュリオの東京での任期は四年で、少しずつ終わりが近づくなかで、日本に別れを告げる準備をしなくてはならなかったのだ。八月にはスペインに引っ越さなくてはならなかった。これまでであれば、旅立ちを前にさまざまな人や場所に別れを告げるのだが、パンデミックによってかなわなくなっていた。旅行関係のバケットリストは未達成のままだった。日本で出会ったさまざまな背景を持つ友人との涙と酒の集まりもできなくなった。オリンピック観戦はわたしたちの東京滞在を締めくくるものになるはずだったが、この年には開催されないことになった。

いつもなら、最後の一カ月はその国での多様な経験を一枚のタペストリーに仕立て上げ、思い出をしっかりしたかたちで残すことに費やしていた。しかし、コロナ禍での海外引っ越しにまつわる複雑な手続きにかかりきりになり、それも難しくなっていた。検疫の諸規定は次々と変わり、フライトは大幅減便、引っ越し荷物の発送日程もめどが立たなかった。ジュリオとわたしは、飼い猫を東京から連れていく方法を理解するまで何日も費やさなくてはならなかった。コロナによって、引っ越し準備を進めるうちにわたしたちは不条理な気持ちになった。どうやっても見通しの立ちようがなくなったことで、準備を進めること自体が無駄な努力のように感じられたからである。

そこで、保険関係の手続きで荷物のリストを作成していた際、別のリストを作ることにしようと思い立った。人からよく訊かれたのは、日本でとくに好きなことは何かという質問だった。それは、これまでに住んだどの国でも必ずと言ってよいほど訊かれる質問——好きな色は何かと訊かれるのと同じくらい陳腐で答えに困ってしまう——だ。わたしは正直に答えることをほとんどしてこなかったが、このときはペンを手に取って思いを書いてみることにした。

自分の意識の中から次のようなワードがあふれてきた。

桜、餃子、耳栓、かかりつけの歯医者（歯根の治療があれほど心地よいものだと知っている人はいるだろうか？）、他者への配慮、集中、味噌。それにトイレ。

日本のトイレは芸術品だという認識はすでに確立されている。だが、トイレの真のすばらしさは、便器そのものにあると言うよりは、その清潔さと簡単に見つかることにある。外出の機会が多い女性として、きちんとしたトイレがあることは天恵だった。女性は男性よりもトイレが近いし、生理もある。それに、出産を経た女性の場合、桜の開花時期のように思わぬタイミングで尿意をもよおすときがある。公園やメトロの駅、高速道路のサービスエリアをはじめとして、外出時に安心してトイレを使えること自体が生活の質を高めてくれたのであり、わたしにとって日本でいちばん好きなものがトイレなのもそのためだ。

出発の日が近づくにつれ、スペインについて書かれた本を読んだり、過去の旅行の記憶を引っ張り出したりすることに多くの時間を割くようになっていった。スペインと言えば騒々しく、「日本の対極」という表現がしっくりくるような国だ。わたしは準備にと、オンラインでスペイン語を習い始めた。講師の先生は、スペイン人は「お願いします」を意味する「ポルファボール」というフレーズは状況を見きわめた上で使うのだと教えてくれた。あまりに多用すると、皮肉と見なされかねないというのだ。自分の人生がいかにカルチャーショックの連続かということを思い知らされた一幕だった。

わたしは長い時間をかけて家の周りを散歩し、東京生活のいわば壁紙のようになっていた景色を見て、わき起こるさまざまな感情に身を浸していた。通り沿いに並ぶモクレンの木にさよならを言った。マンション向かいの作業現場で、頭にバンダナを巻き、塗料の付いた鳶ヤッケズボン姿の作業員がタバコを一服している様子をこっそり写真に収めた。近くのセブンイレブン——ライバルのファミリーマートよりもわたしはこちらのほうがずっと気に入っていた——にも入り、店内を回ってみた。犬を乗せたペットカートを押しながら歩く人や、あり得ないほど愛らしい園児を近くの公園まで散歩に連れて行く幼稚園の先生の姿があった。公園では、「すべての生き物を大切にしましょう」と書かれた看板を眺めた。園内のトイレも使わせてもらった。その後、自転車に乗り、数え切れないほど何度も朝に坐禅をしに行った寺の前を通った。死を前にしたセミの鳴き声が響き渡っていた。

出発の数日前、わたしはコロナに感染してしまう危険があるなかでも会いに来てくれた日本人の親しい友人二人とランチをともにした。彼女たちは、三年間通った太鼓道場の仲間だった。わたしたちの友情は道場だけにとどまらず、春や秋に長い時間をかけて一緒に散歩に行き、草花を愛でたこともあった。

わたしは来るべき引っ越しの不安について話をした。スペインへの転居は、夫とわたしの立場が初めてフラットではなくなるという点で、これまでと異なるものだった。ともに目を見開いて新しい国を探検していくのではなく、わたしは夫のテリトリーにアウトサイダーとして足を踏み入れるのだから。この力関係の変化は、わたしたちの結婚生活にどんな意味をもたらすのだろう？——わたしは大きな声で疑問を口にした。それに、歩いて行ける距離に義母が住んでいるという状況に自分はどう対処していけばいいのだろうか？

わたしの物思いを聞かされた二人の友人は、穏やかにではあったが驚いた様子だった――それまでの交友で語り合った話題よりも個人的な内容だっただけに、その反応は理解できた。最初は同情を示す沈黙が続いたが、それだけで十分に思えた。なぜなら、日本での歳月は、友情とは気持ちを言葉に出すだけでなく、相手の話に耳を傾けることでもあると教えてくれたからである。その後、一人が口を開いた。これは自分の経験なのだけど、と彼女はソフトな口調で話し始めた。期待値をすごく低くしたほうがいいですよ、そのほうががっかりさせられる可能性が低くなるし、満足感が得られやすいですから、と。この受け止め方はかなり古風な感じがしたし、個人の「幸福」をことさらに強調する現代文化の潮流とは異なるものだった。そこにあったのは、わたしが日本のさまざまな場面で慣れ親しんだ感性だった。中庸の力。簡素の中の複雑。そして足るを知ることの包容力だ。

その日の午後、わたしは帰宅すると、ラビンドラナート・タゴールが一九一六年の訪日時に慶應義塾大学で学生らに向けて行った講演「日本の精神」をあらためて手に取ってみた。[202] 彼は講演の初めに、こう語っていた。「わたしのように滞在期間の短いものには日本について話す資格などまだないとお思いになる方もおられるかもしれません。わたしは『おまえはほかの多くの面に気づかず、ある限られた面のみを理想化して考えている（中略）』と誰かに言われそうな気がしています」〔高良とみ訳〕

この言葉は、わたしはもちろん、その国での滞在を終えて数年後にそれをテーマに何か書こうとする者にとって、心に刺さるものだ。一つの国について書き、説明を試みることはどんなときでも無謀な行為だ。より率直に言えば、困惑と歓喜、洞察と予感、全体の中で一場面をとらえるだけなのを認める一方で、権威の押しつけには抗うということなのだ。おそらく、この本は究極的には日本について書かれたものであるのと同時に、観察者としてのわたし本人、自分が置かれた状況や個人的好みについてのものと言えるだろう。それをもっともよく表現できるのは、その場の雰囲気や興味を引いた一瞬の出来事、それに真実——数ある真実のうちの一つということだが——を主観的に示すことができる、俳句かもしれない。

＊

日本に別れを告げる前に、もう一人会わないわけにはいかない人がいた。ある日の午後、家の呼び鈴が鳴り、そこにミチコさん——わたしにかつて日本語を教えてくれ、猫の歯の衛生にこだわっていた彼女だ——がいたのは、そうした想いがあったからだった。お茶を飲みに来ませんかと誘ったところ、彼女はすぐに返事をして、行きますと言ってきた。彼女は着物姿で、この機会を大切にとらえてくれていることが伝わってきた。わたしは自分が無意識に茶道のような手つきで緑茶を淹れていることに気がついた。そのことが滑稽に感じられることはなく、適切なことに思えた。「日本語はどうですか？」と、話の途中で彼女が尋ねてきた。わたしがほほ笑みを浮かべ、よく聞き取れない言葉をつぶやくと、彼女はそれ以上聞きはせず、寛大に受け止めてくれた。わたしたちは多くの時間をキャラメルとトーフちゃんの話題に費やし、二匹の性格や食欲について語り合った。彼女が帰るとき、ドライですぐにへそを曲げる十歳にもならない上の子も、どこか寂しげだった。この別れを済ませたことで、出発に向けた気持ちの整理がついた気がした。

日本での最後の夜、わたしはなかなか寝つけなかった。マンションの部屋からは家具がなくなり、そこで過ごした日々の痕跡は消えて箱の中に詰め込まれた。自分のマットレスのそばの床に、わたしは本を一冊置いておいた。眠りを誘えるようにと、その本を開いてみた。それは俳句を収録した薄い本だった。本書の締めくくりに、二句紹介したい。どんなときでも、最後の言葉は詩人に任せるのがいちばんなのだから。

啄木鳥の柱をつゝく住居かな

——菅沼曲水

酔ふて寝て夢に泣きけり山桜

——正岡子規

# 謝辞

一つひとつ理由は挙げないが、以下の多くの方々に感謝の意を表したい（順不同）。

シェーカル・アイヤール、ギータンジャリ・アイヤール、ジュリオ・アリアス、スワミナタン・アイヤール、キラン・ガングリー、ジャン＝ピエール・レーマン、モコ・イガラシ、ジェフ・キングストン、ベス・トーマス、ソヒニ・バサク、ウダヤン・ミトラ、ミコ・ヤマノウチ、ジェームズ・コンドウ、プリーティー・コタリ、ヴィヴェーク・コタリ、ユミコ・ワタナベ、ヨーコ・レンナー、ワカコ・チェン、ミユキ・ハヤシ・スヤリ、オビアゲリ・オニェクペ、ズビン・アトレ、アリサ・コヤマ、マホ・フルヤ、シュン・ナガオ、松本紹圭、ソル・ラモス、サントーシュ、バルン・ミトラ、ジュンイチ・ヤノ、クミ・フジサワ、アンナ・ジャッセム、ブラジェーシュワル・バネルジー、ヴィクラム・シャハニ、ミチコ・タカイシ、グウェン・ロビンソン、ムアンプイイ・サイアウィ、ムクンド・パドマナバン、イシャーン、ニコ。

# 訳者あとがき

日本人ほど自国民論が好きな人びとはいないとしばしば言われる。とりわけ、自分たちが外国人にどう見られるかは気になるようだ。たしかに、幕末維新期に来日した欧米人の旅行記や回顧録から現代のコミックエッセイに至るまで、日本と日本人について外国人が書いた本は膨大な数にのぼる。テレビでも外国人が日本各地を訪れたり魅力を語ったりする番組は根強い人気があるように見える。

さすがに日本礼賛一色のものが続くと食傷気味になるが、それでも外国人の日本論・日本人論が興味深いのは、わたしたちが当事者であるがゆえに気づかないか、あるいは知っていても注意を払ってこなかったものの価値をあらためて認識させてくれるからではないだろうか。その点で、四年にわたる日本での滞在で著者が体験したこと、考えたことを綴った本書は多くの「新たな視点」を提供してくれる一冊だと言える。

こういう本が出るようです、と担当編集者から原書について相談を受けた際、まず目を引いたのは、著者のパーラヴィ・アイヤール氏がインド人であるという点だった。インドやパキスタンを中心とする南アジア地域を著述や翻訳、研究のフィールドにしているわたしにとって、気にならないわけがない。だが、そのことを抜きにしても、インド人による日本滞在記はあまりなく、多くの読者にとってもユニークな内容になるのではないかという期待があった。その道をとことん極めようとする日本の「職人」精神と、即興の対応で課題をフレキシブルに解決していくインドの「ジュガール」を比較したくだりは、なるほどとうならされた。また、インド出身で初めて地方政治家になった「よぎ」氏との対話、日本のカレーやインド映画、上野動物園のインドゾウといった具合に、インド人ならではの着眼点に基づくトピックも随所で取り上げられている。同時に、著者も日本滞在を通じて、「中村屋のボース」や東京裁判のパル判事の存在など、それまで自分が知らなかった自国とのつながりを発見していく過程も興味深かった。

　単にインドと日本を比較したものではないという点も特徴の一つだと感じた。著者は、インドを代表する英字紙『ヒンドゥー』の特派員として北京に駐在した経験に加え、欧州連合（ＥＵ）勤務の夫の転勤でブリュッセルやジャカルタにも滞在したことがある。日本滞在中、著者はさまざまな経験をするが、その際に「日印」だけでなく、「日印中」や「日中」、「日欧」といった複眼的な視点から比較を試みているのは、こうした彼女のバックグラウンドがあってのことだろう。仏教について発祥のインドと現在地の日本だけでなく中国についても触れたくだりやインド人として中国語と日本語の両方に挑戦した上での感想には、こうした側面がよく表れている。

　著者はこれが初めての日本滞在で、それまで日本そのものについて深く考えてきたことはなかったと記している。特別な思い入れがない、いわばニュートラルな状態で日本に接したわけだ。本書の原題 *Orienting* は「適応」や「順応」といった意味だが、まさに彼女にとって、日本に一から慣れ親しんでいった二〇一六年から二〇年にかけての四年間を象徴する言葉だったのだろう。著者は日本の治安やトイレ、マンホールに驚嘆し、松尾芭蕉や小林一茶の俳句の世界に魅了され、東京の小学校を訪問し生徒が自ら校内清掃をする様子を目の当たりにすることで自国との違いを痛感する。単に技術面だけにとどまらない「金継ぎ」の奥深さについては、わたし自身も訳しながらその世界に引き込まれたものだった。その一方で、懐石料理は好きになれなかったと記すなど、知的好奇心と敬意を保ちつつ、嫌なものは嫌、苦手なものは苦手と正直に告白しているところも、かえって好感が持てた。

なお、日本にもう少し長く滞在し、テーマに応じて日本人の専門家からも話を聞くことができていたら、過去の経緯を踏まえた、より深く、多面的な見方ができたのではと思われる記述が、現代の政治や社会、あるいは歴史に関する部分で気になったことも付記しておきたい。その意味でも、著者にとって日本での最後の半年が、新型コロナウイルスの感染拡大により外出がままならなくなってしまったことが悔やまれる。

訳者にとっては、日本をテーマにした作品の翻訳を手がけるのは、単行本としてはこれが初めてのことだった。文化や宗教をはじめ、各分野に関する用語や文章については、正確かつ自然な日本語にするべく、多くの資料を参照するなどして細心の注意を払った。至らない点があれば読者諸氏のご指摘をお願いしたい。

難関だったのは、随所で登場する俳句だ。原書に掲載されているのは英訳（著者ではなく第三者によるもの）のみだったため、そこから日本語の俳句を特定する作業を一つひとつ行った。最初は芭蕉や一茶といった誰もが知る俳人の作品ならすぐに見つかるだろうと思っていたが、英訳自体がかなり意訳されていることもあれば、元の俳句があまり知られていない句ということも少なくなかった。俳句だけに限らず、本書の訳出作業を通じて日本文化の魅力を再認識することができたのは、訳者にとって大きな喜びだった。

もう一つ悩ましかったのは、邦題をどうするかという問題だった。*Orienting: An Indian in Japan* という原題どおりに『順応——インド人の日本滞在記』とすると、本書のメッセージが十分伝わらないのでは、という話を企画の初期段階から担当編集者としていた。なかなかわたしのほうからこれはという案が出なかったのだが、最終段階で編集者から『日本でわたしも考えた』という案が上がり、これに決まった。多くの読者が察したのではないかと思うが、堀田善衞の『インドで考えたこと』、椎名誠の『インドでわしも考えた』を念頭に置いて、著者のアイヤール氏が「日本で考えた」ことを綴った本であるという意味が込められている。ちなみに、副題の最後が「と」で終わっているのは、禅やトイレ、温泉だけにとどまらない多彩なトピックが取り上げられていることを示唆したいという意図によるものだ。

なお、日本をテーマにした作品であることに鑑み、日本の読者には自明である用語等の説明については、必要に応じて著者の了解を得つつ、編集部と相談の上で削除したり記述を簡素にしたりした箇所がある。また、明らかな事実関係の誤認と思われる箇所についても、著者の文意を変えないよう配慮しつつ、可能な限り訂正に努めた。

今回も白水社編集部の阿部唯史さんにはひとかたならぬご尽力をいただいた。いつものことながら、企画の立ち上げから校了までの各工程で適切なフォローをしていただいた。校正の段階では、細かい部分まで丁寧に原稿を確認していただき、訳者の至らない点を適宜カバーしてくれた。また、友人の荊尾《かたらお》遥《はるか》さんには、ゲラの段階で内容に目を通していただき、適切なコメントやアドバイスを寄せてくれた。ここに心からのお礼の気持ちを表したい。

二〇二二年一月

笠井亮平

日本でわたしも考えた
インド人ジャーナリストが体感した禅とトイレと温泉と

二〇二二年二月一〇日 印刷
二〇二二年三月一〇日 発行

著者 パーラヴィ・アイヤール
訳者© 笠井亮平
装幀 谷中英之
組版 閏月社
発行者 及川直志
印刷所 株式会社理想社
発行所 株式会社白水社
東京都千代田区神田小川町三の二四
電話 営業部〇三（三二九一）七八一一
　　 編集部〇三（三二九一）七八二一
振替 〇〇一九〇-五-三三二二八
郵便番号 一〇一-〇〇五二
www.hakusuisha.co.jp


株式会社松岳社

ISBN978-4-560-09891-2

Printed in Japan

著者略歴

## パーラヴィ・アイヤール

Pallavi Aiyar

インド出身のジャーナリスト、作家。デリー大学ならびにオックスフォード大学を卒業後、ロンドン・スクール・オブ・エコノミクス、南カリフォルニア大学で修士号を取得。インドを代表する英字紙『ヒンドゥー』の北京支局長およびジャカルタ特派員、インド有力経済紙『ビジネス・スタンダード』の欧州特派員を務めた。中国での特派員経験を綴った *Smoke and Mirrors*（2008）、異国での育児と執筆の両立をテーマにした *Babies and Bylines*（2016）、北京とニューデリーの大気汚染問題を取り上げた *Choked!*（2016）などの著書がある。2014 年には世界経済フォーラムの「ヤング・グローバル・リーダーズ」の一人に選ばれた。EU 代表部に勤める外交官の夫の日本赴任に伴い、2016 年から 20 年まで東京に滞在。現在は夫および二人の息子とともにスペインのマドリード在住。

訳者略歴

## 笠井亮平

かさい・りょうへい

1976 年愛知県生まれ。岐阜女子大学南アジア研究センター特別研究員。中央大学総合政策学部卒業後、青山学院大学大学院国際政治経済学研究科で修士号取得。在中国、在インド、在パキスタンの日本大使館で外務省専門調査員として勤務。著書に『インパールの戦い』（文春新書）、『モディが変えるインド』『インド独立の志士「朝子」』（以上、白水社）、共著に『軍事大国化するインド』（亜紀書房）、『台頭するインド・中国』（千倉書房）、訳書に『アメリカ副大統領』『シークレット・ウォーズ（上下）』『ネオ・チャイナ』『ビリオネア・インド』（以上、白水社）などがある。

# 原注

(1)　'India has the lowest mobile data cost in the world: report', *telecomlead.com*, https://www.telecomlead.com/latest-news/india-offers-cheapest-mobile-data-plan-in-the-world-report-89450

(2)　Alec Ash, 'Beggars are cashless and loos recognise users in China's hi-tech boom', *The Times*, 03 June 2018, https://www.thetimes.co.uk/article/beggars-are-cashless-and-loos-recognise-users-in-chinas-hi-tech-boom-99m2jq87b

(3)　日本政府観光局（JNTO）によると、2018年に日本を訪れた中国人は838万人、インド人は約13万4000人だった。

(4)　富士山について記された初期の文献では、「三国一の山」、すなわちインド、中国、日本でなかでもっとも美しい山と描写されている。この表現は、富士山が世界「最高」の山であると言っているに等しい意味を持つ。たとえば以下を参照。'A Glimpse of Mt. Fuji in Legend and Cult' by Royall Tyler, *The Journal of the Association of Teachers of Japanese*, 16 (1981): 140.

(5)　C. Diep, 'Convenience store numbers in Japan 2010-2019', *statista.com*, https://www.statista.com/statistics/810901/japan-convenience-store-numbers/

(6)　Pamela Engel, 'How Japan's Murder Rate Got To Be So Incredibly Low', *Business Insider India*, 12 April 2014, https://www.businessinsider.in/How-Japans-Murder-Rate-Got-To-Be-So-Incredibly-Low/articleshow/33628667.cms

(7)　'Crime at New Low in Japan' 12 January 2021, https://www.nippon.com/en/japan-data/h00898/
これとは対照的に、同じ人口規模のメキシコでは、2018年に確認された殺人事件は3万3341件にのぼった。以下を参照。Eli Meixler, 'Cartel-Ravaged Mexico Sets a New Record for Murders', *Time*, 22 January 2019, https://time. com/5509216/mexico-murder-rate-sets-record-2018/
フィリピンで2018年に起きた殺人事件は6866件だった。以下を参照。Emmanuel Tupas, 'PNP: Total crime volume down in 2018', *Philstar.com*, 26 February 2019, https://www.philstar.com/nation/2019/02/26/1896714/pnp-total-crime-volume-down-2018

(8)　'Apology after Japanese train departs 20 seconds early', *BBC*, https://www.bbc.com/news/world-asia-42009839

(9)　Selena Hoy, 'Why Japanese Kids Can Walk to School Alone', *The Atlantic*, 3 October 2015, https://www.theatlantic.com/technology/archive/2015/10/why-japanese-kids-can-walk-to-school-alone/408475/

(10)　Mizuho Aoki, 'Lost: Struggling to cope with millions of unclaimed items in Tokyo', *The Japan Times*, 27 May 2017, https://www.japantimes.co.jp/life/2017/05/27/lifestyle/lost-struggling-cope-millions-unclaimed-items-tokyo/

(11)　Ibid.

(12)　'Why Japan's Lost and Found System Works So Well', *Bloomberg*, 2 October 2020, https://www.bloomberg.com/news/articles/2020-02-10/why-japan-s-lost-and-found-system-works-so-well

(13)　Pallavi Aiyar, *Punjabi Parmesan* (India: Penguin India, 2014).

(14) '"KOBAN," the Japanese policing system spreading across the globe', Keishicho: Tokyo Metropolitan Police Department, https://www.keishicho.metro.tokyo.jp/multilingual/english/about_us/activity/koban.html

(15) Hirotaka Fujibayashi, 'Rethinking Japan's refugee and asylum policy', *East Asia Forum,* 19 January 2021, https://www.eastasiaforum.org/2021/01/19/rethinking-japans-refugee-and-asylum-policy/

(16) Phillip Connor, 'India is a top source and destination for world's migrants', *Pew Research Center,* 3 March 2017, https://www.pewresearch.org/fact-tank/2017/03/03/india-is-a-top-source-and-destination-for-worlds-migrants/

(17) Pallavi Aiyar, 'Opening Up the border to immigrants', *The Hindu,* 10 November 2018, https://www.thehindu.com/news/international/opening-up-the-borders-to-immigrants/article25464006.ece

(18) 'Survey Findings Suggest Japan Has More than 1 Million "Hikikomori"', *nippon.com,* https://www.nippon.com/en/japan-data/h00463/survey-findings-suggest-japan-has-more-than-1-million-hikikomori.html

(19) Pallavi Aiyar, 'Working overtime to death in Japan', *The Hindu,* 19 February 2017, https://www.thehindu.com/news/international/Working-overtime-to-death-in-Japan/article17327183.ece

(20) 日本人の特質を説明しようとする言説は、「日本人論」と総称される。そのなかには、独特の気候や言語面での特徴、地理的に孤立していることにより、日本民族は他の民族とは異なる存在であるという主張も含まれている。

(21) 'Shinjuku Station is Enormous! Daily Passengers Equivalent to Population of Yokohama', *nippon.com,* https://www.nippon.com/en/features/h00273/shinjuku-station-is-enormous!-daily-passengers-equivalent-to-population-of-yokohama.html

(22) D.T. Suzuki, *Zen and Japanese Culture* (Tuttle Publishing, 1988), p. 12.

(23) Ibid., p. 1.

(24) Pallavi Aiyar, 'Believers at the Wall', *Outlook,* 14 April 2021, https://www.outlookindia.com/magazine/story/believers-at-the-wall/239956

(25) D.T. Suzuki, *Zen and Japanese Culture* (Tuttle Publishing, 1988), p. 4.

(26) Pallavi Aiyar, *Smoke and Mirrors,* (India: Harper Collins India, 2008).

(27) Georges Duthuit, *Chinese Mysticism and Modern Painting* (Paris: Chroniques du jour, 1936).

(28) Roger J Davies, *Japanese Culture: The Religious and Philosophical Foundations* (Tuttle Publishing, 2016), p. 97.

(29) 扇子は670年頃に日本で発明されたと一般的には考えられている。中国の宋朝期（960-1279年）について記された『宋書』では、988年に奝然の弟子が朝廷に扇子を献上したという記録があり、このことは扇子が数少ない日本発祥の品であることを示していると言える。'Origin of the folding fan', SOAS University of London, https://www.soas.ac.uk/gallery/traditionsrevised/origin-of-the-folding-fan.html

(30) 9世紀に茶道が日本に初めて伝えられた頃は、中国の影響が色濃く残っていた。茶会は有力な武士の屋敷で開かれ、翡翠、金、青磁といった中国から輸入した高価な茶器が用いられた。

(31) D.T. Suzuki, *Zen and Japanese Culture* (Tuttle Publishing, 1988), p. 23.〔鈴木大拙『禅と日本文化』北川桃雄訳、岩波書店（岩波新書）、1964年〕

(32) 禅という言葉は中国語の「禅（chan）」から来ており、その語源はサンスクリット語の「ディヤーナ（dhyana）」である。中国禅宗の開祖とされるインド僧ボーディダルマ（菩提達磨）は、有名な中国の少林寺で9年にわたり壁に向かって坐禅を組んだと伝えられる。ある伝説では、眠り続けていた彼は、7年経ったところで目覚めた。彼はそのとき怒りのあまり、今後は

眠るまいと自らまぶたを切り落としてしまった。すると、葉のような彼のまぶたが床に落ち、それが増殖して茶畑になるという奇跡が起きた。菩提達磨は直感的に歩み寄り、茂みの中から葉を数枚摘み取り噛んでみると、突然、爽快感を覚えた。思考が明晰になり集中力を増した彼は、ふたたび坐禅を組めるようになり、茶は僧が集中力を維持するための刺激剤として用いられるようになったという。Matt Stefon, 'Bodhidharma', *Britannica,* https://www.britannica.com/biography/Bodhidharma

(33) Alex Kerr, *Another Kyoto* (Seka Bunkai Publishing, 2016), pp. 98-99.

(34) Roger Davies, *Japanese Culture: The Religious and Philosophical Foundations,* (Tuttle, Publishing, 2016).

(35) Suzuki, *Zen and Japanese Culture,* pp. 26-27.

(36) Alex Kerr, *Another Kyoto* (Sekai bunka Publishing, 2016) p. 93.

(37) Junichiro Tanazaki, *In praise of Shadows,* trans. Thomas J Harper and Edward G Seidensticker (Tuttle Publishing, 1977).

(38) Ibid., p. 25.

(39) 東京のスーパーやコンビニでようやくレジ袋が有料となったのは、2020年のことである。

(40) Zoë Schlanger, 'Japan's single-use plastic problem on display at the G20 Summit', *Quartz,* 28 June 2019, https://qz.com/1655248/japans-single-use-plastic-problem-on-display-at-the-g20-summit

(41) 'Messy 'manshons' less visible than junk houses, but just as filthy', *JapanToday,* 7 May 2016, https://japantoday.com/category/features/kuchikomi/messy-manshons-less-visible-than-junk-houses-but-just-as-filthy. Amy Chavez, 'Japan has a reputation for cleanliness – just don't look in our closets', *The Japan Times,* 25 November 2018, https://www.japantimes.co.jp/community/2018/11/25/our-lives/japan-reputation-cleanliness-just-dont-look-closets/#.XWssL1CLkxc

(42) Pallavi Aiyar, 'A Touch of Recycling, Japanese Style', *The Hindu,* 18 March 2017, https://www.thehindu.com/news/international/a-touch-of-recycling-japanese-style/article17528941.ece

(43) Pallavi Aiyar, 'The Plight of Japan's Social Recluses', *The Hindu,* 25 August 2019, https://www.thehindu.com/news/international/the-plight-of-japans-social-recluses/article29244298.ece

(44) John Elflein, 'Rate of suicide Canada by age group 2019', *statista.com,* https://www.statista.com/statistics/437701/rate-of-suicide-canada-by-age-group/; 'Suicides in the UK: 2018 registrations', Office for National Statistics Website, https://www.ons.gov.uk/peoplepopulationandcommunity/birthsdeathsandmarriages/deaths/bulletins/suicidesintheunitedkingdom/2018registrations

(45) Pallavi Aiyar, 'A Japanese ceramic repair technique teaches us to embrace our scars', *Nikkei Asian Review,* 1 December 2016, https://asia.nikkei.com/NAR/Articles/A-Japanese-ceramic-repair-technique-teaches-us-to-embrace-our-scars

(46) Alex Kerr, *Lost Japan: Last Glimpse of Beautiful Japan,* (Penguin Books, 2015), pp. 88-90.

(47) Yoshida Kenkō, *Essays in Idleness: the Tsurezuregusa of Kenko,* trans. Donald Keene (Tuttle Publishing, 2018).

(48) 戦前期、京都帝国大学では「京都学派」と呼ばれる学術グループの拠点が形成された。哲学者の西田幾多郎と経済学者の河上肇というこの学派に属する二人は、銀閣寺に至る疎水沿いの小道をよく散策し、そのときの思索の中からきわめて重要な発想が生まれたことから、のちに「哲学の道」という名前がつけられた。

(49) Pico Iyer, *Autumn Light: Season of Fire and Farewells* (Vintage Books, 2020).

(50) Lafcadio Hearn, 'In a Japanese Garden', *The Atlantic Magazine* (1892), https://www.

theatlantic.com/magazine/archive/1892/07/in-a-japanese-garden/376180

(51) Robert H. Sharf, 'The Zen of Japanese Nationalism', *History of Religions* 33 (1993), pp. 1-43.

(52) Florian Coulmas, 'Japan's endless search for identity', *The Japan Times*, 24 June 2001, https://www.japantimes.co.jp/culture/2001/06/24/books/book-reviews/japans-endless-search-for-identity/#.XXmcPiWLkxc

(53) Alexander MacNeil, 'From Nature to Nation: Shizen and The Japanese National Imaginary', *Contingent Horizons* 3 (2017), https://contingenthorizons.wordpress.com/2017/02/25/from-nature-to-nation-shizen-and-the-japanese-national-imaginary/

(54) Benedict Anderson, *Imagined Communities: Reflections on the Origin and Spread of Nationalism* (Verso Books, 1983).

(55) '72 Seasons', *Kurashikata.com*, http://www.kurashikata.com/72seasons/

(56) Tadanobu Tsunada, *The Japanese Brain: Uniqueness and Universality*, (Taishukan Pub. Co., 1985). 以下も参照。Masaomi Ise, 'The Japanese Language Brain', August 2002, *Japan on the Globe*, http://www2s.biglobe. ne.jp/nippon/file/jog240e.html
この説に対する反論については以下を参照。Peter Dale, 'The Voice of Cicadas: Linguistic Uniqueness, Tsunoda Tananobu's Theory of the Japanese Brain, and Some Classical Perspectives', *ELECTRONIC ANTIQUITY*, November 1993, vol. 1 No. 6.

(57) Caitlin Sacasas, 'Japanese Numbers: Counting in Japanese from 1-100+', *fluentin3months.com*, https://www.fluentin3months.com/japanese-numbers/

(58) Yutaka Okada, 'Japan's foreign population hitting a record high', *Mizuho Economic Outlook & Analysis*, https://www.mizuho-ir.co.jp/publication/mhri/research/pdf/eo/MEA180913.pdf

(59) Justin McCurry, 'Japanese politician in baby row thrown out again – for sucking cough drop', *The Guardian*, 1 October 2018, https://www.theguardian.com/world/2018/oct/01/japanese-politician-thrown-out-of-meeting-for-sucking-cough-drop-yuka-ogata-breastfeeding-row

(60) Tsukuru Ikeda, 'Tokyo's Nishikasai a second home for Indians in Japan', *The Statesman*, 20 May 2018, https://www.thestatesman.com/world/tokyos-nishikasai-second-home-indians-japan-1502638470.html

(61) 東京都庁の統計による。

(62) 'Foreign IT workers seen as solution to industry shortage', *The Japan Times*, 30 June 2017, https://www.japantimes.co.jp/news/2017/06/30/national/foreign-workers-seen-solution-industry-shortage/

(63) Panos Mourdoukoutas, 'Japan Tries to Recruit IT Engineers from India, But it Won't', *Forbes*, 30 June 2017, https://www.forbes.com/sites/panosmourdoukoutas/2017/06/30/japan-tries-to-recruit-it-engineers-from-india-but-it-wont-work/

(64) Pallavi Aiyar, 'Foreign-born candidate shows Tokyo, all politics are local', *Nikkei Asian Review*, 29 May 2019, https://asia.nikkei.com/Editor-s-Picks/Tea-Leaves/Foreign-born-candidate-shows-Tokyo-all-politics-are-local

(65) Baye McNeil, 'The empty seat on a crowded Japanese train: 10 years on, the 'gaijin seat' still grates', *The Japan Times*, 17 October 2018, https://www.japantimes.co.jp/community/2018/10/17/our-lives/empty-seat-crowded-japanese-train-10-years-gaijin-seat-still-grates/

(66) https://www.japantimes.co.jp/news/2017/03/31/national/japans-foreign-residents-sound-off-in-unprecedented-survey-on-discrimination/

(67) 批判を招いたこのスピーチで、石原は「三国人」という言葉を用いた。この言葉は第二次世界大戦終結から間もない時期に、日本在住の朝鮮人や台湾人を指す際に侮蔑的な意味合

いで使われるようになったものだ。'Mr. Ishihara's insensitivity', *The Japan Times*, 15 April 2000, https://www.japantimes.co.jp/opinion/2000/04/15/editorials/mr-ishiharas-insensitivity/

(68) Jonathan Watts, 'Governor sparks Tokyo race row', *The Guardian*, 12 April 2000, https://www.theguardian.com/world/2000/apr/13/jonathanwatts. 以下も参照。Howard W. French, 'Disdainful of Foreigners, the Japanese Blame Them for Crime', *New York Times*, 30 September 1999.

(69) Debito Arudou, 'Sapporo Consadole player and former England Team soccer striker Jay Bothroyd refused entry to Hokkaido Classic golf course for being "not Japanese" ', *Debito.org*, 30 May 2018, http://www.debito.org/?p=15013. 以下も参照。Paul Withers, 'Former England striker turned away from golf club in Japan 'because he is foreign', *Express*, 30 May 2018, https://www.express.co.uk/news/uk/967171/england-football-player-jay-bothroyd-cardiff-japan-golf-course-racism-twitter

(70) 'Michelin-star sushi house rejects foreign bookings', *news.com.au*, 6 May 2015, https://www.news.com.au/lifestyle/food/restaurants-bars/michelinstar-sushi-house-rejects-foreign-bookings/news-story/218ef7c689794fb5d78a3754 9ef459ea

(71) Afsha Khan, Tapasya Mitra Mazumder, ''Only Japanese, no Indian people, ma'am'', *Bangalore Mirror*, 24 June 2014, https://bangaloremirror.indiatimes.com/bangalore/cover-story/uno-in-hotel-bars-langford-cross-road-japanese-nationals-nic-u-iqbal-japanese-food-bruhat-bangalore-mahanagara-palike-/articleshow/37097278.cms

(72) Tomohiri Osaki, 'Japan's first-ever hate speech probe finds rallies are fewer but still a problem', *The Japan Times*, 30 May 2016, https://www.japantimes.co.jp/news/2016/03/30/national/japans-first-ever-hate-speech-probe-finds-rallies-are-fewer-but-still-a-problem/#.XYvxViWLkxc

(73) 'Uyoku Dantai: Japan's Growing Far-Right Movement', *Vice.com*, https://www.vice.com/en_us/article/3b7b7b/uyoku-dentai-japans-growing-far-right-movement

(74) 2001年、明仁天皇は皇室のルーツの一つが朝鮮半島にあるとの発言を公の場で行った〔訳注：同年の誕生日の際の発言。「桓武天皇の生母が百済の武寧王の子孫であると、続日本紀に記されていることに、韓国とのゆかりを感じています」と述べた〕。この発言は韓国メディアでは大きく取り上げられたが、日本のメディアでは、朝日新聞など一部を除き、詳しく取り上げられることがなかった。Jonathan Watts, 'The Emperor's New Roots', *The Guardian*, 28 December 2001, https://www.theguardian.com/world/2001/dec/28/japan. worlddispatch

(75) 例外は清朝およびオランダで、長崎の港で交易が行われていた。

(76) A.L. Sadler, *Shogun: The Life of Tokugawa Ieyasu* (Tuttle Publishing, 2009 first published, 1977).

(77) Michael Auslin, *Negotiating with Imperialism: The Unequal Treaties and the Culture of Japanese Diplomacy* (Cambridge: Harvard University Press, 2006).

(78) https://www.jstage.jst.go.jp/article/ase1911/98/3/98_3_247/_pdf

(79) Emiko Jozuka, 'Japan's "vanishing" Ainu will finally be recognized as indigenous people', *CNN*, 22 April 2019, https://www.cnn.com/2019/04/20/asia/japan-ainu-indigenous-peoples-bill-intl/index.html

(80) Philip Brasor, 'Japan's resident Koreans endure a climate of hate', *The Japan Times*, 7 May 2016, https://www.japantimes.co.jp/news/2016/05/07/national/media-national/japans-resident-koreans-endure-climate-hate/#. XZ_KniWLkxc

(81) Mina Pollmann, 'Japan's Xenophobia Problem', *The Diplomat*, 24 July 2015, https://thediplomat.com/2015/07/japans-xenophobia-problem/. 以下も参照。'JCP urges Tokyo governor to send eulogy to memorial for Koreans massacred in 1923 earthquake', *Japan Press Weekly*,

30 August 2017, http://www.japan-press.co.jp/s/news/?id=10903

（82） Philip Brasor, 'Social media aids rehashing of historical hate', *The Japan Times*, 13 September 2014, https://www.japantimes.co.jp/news/2014/09/13/national/media-national/social-media-aids-rehashing-historical-hate/

（83） Tomohiro Osaki, 'Different disaster, same story: Osaka quake prompts online hate speech targeting foreigners', *The Japan Times*, 19 June 2018, https://www.japantimes.co.jp/news/2018/06/19/national/different-disaster-story-osaka-quake-prompts-online-hate-speech-targeting-foreigners/#.XZ_RGSWLkxc

（84） Min Jin Lee, *Pachinko* (New York: Grand Central Publishing, 2017)

（85） 'Japan's hidden caste of untouchables', *BBC*, 23 Oct 2015. Source: https://www.bbc.com/news/world-asia-34615972. 以下も参照。Katelyn Coyle, 'A History of the Untouchables: The Buraku and the Dalit,' *Agora* 15, no. 15 (2006), https://digitalshowcase.lynchburg.edu/agora/vol15/iss2006/15

（86） 部落解放同盟のウェブサイトを参照。http://www.bll.gr.jp/en/index.html

（87） Leslie D. Alldritt, 'The Burakumin: The Complicity of Japanese Buddhism in Oppression and an Opportunity for Liberation', *Journal of Buddhist Ethics* 7 (2000), https://web.archive.org/web/20051125094650/http://jbe.gold.ac.uk/7/alldritt001.html

（88） Tomohiro Osaki, 'New law to fight bias against "burakumin" seen falling short', *The Japan Times*, 19 December, 2016, https://www.japantimes.co.jp/news/2016/12/19/reference/new-toothless-law-fight-bias-burakumin-seen-falling-short/#.XaPOmSWLkxc. 以下も参照。Alex K.T. Martin, 'Embracing a buraku heritage: Examining changing attitudes toward a social minority', *The Japan Times*, 16 February 2019, https://www.japantimes.co.jp/news/2019/02/16/national/social-issues/embracing-buraku-heritage-examining-changing-attitudes-toward-social-minority/#.XaPSsSWLkxc

（89） Ruth Ozeki, *A Tale for the Time Being* (Edinburgh: Canongate Books Ltd, 2013)

（90） Donna T Fujimoto, 'Kikoku Shijo, (Japanese Returnees): Trends and Awarenesses', International University of Japan, 1997, Working Papers, vol. 8. Source: https://www.iuj.ac.jp/language/pdf/research/LP-8-1.pdf

（91） Osawa, C, *Tatta Hitotsuno Aoi Sora: Kaigai Kikokushijo wa Gendai no Sutego ka?* (Tokyo: Bungei Shunju Publishing, 1986).〔大沢周子『たったひとつの青い空――海外帰国子女は現代の棄て児か』文藝春秋、1986年〕

（92） Stephen Wade, 'Japan's rugby team shows off the changing face of the nation', *Japan Today*, 14 October 2019, https://japantoday.com/category/rugby-world-cup-2019/japan%27s-rugby-team-shows-off-changing-face-of-the-nation

（93） 'Miss Japan won by half Indian Priyanka Yoshikawa', *BBC*, 8 September 2016, https://www.bbc.com/news/world-asia-37283518

（94） Pallavi Aiyar, 'Indian fury at foreign racist attacks hides shameful truth', *Nikkei Asian Review*, 6 April 2017, https://asia.nikkei.com/Opinion/Indian-fury-at-foreign-racist-attacks-hides-shameful-truth2

（95） Population Projections for Japan (2017): 2016 to 2065, National Institute of Population and Social Security Research. Source: https://fpcj.jp/wp/wp-content/uploads/2017/04/1db9de3ea4ade06c3023d3ba54dd980f.pdf

（96） 'Japan eases immigration rules for workers', *BBC*, 8 December 2018, https://www.bbc.com/news/world-asia-46492216. 以下も参照。Mit Suru Obe, 'Five things to know about Japan's revised immigration law', Nikkei Asia, 1 April 2019, https://asia.nikkei.com/Spotlight/Japan-

immigration/Five-things-to-know-about-Japan-s-revised-immigration-law

(97) Pallavi Aiyar, 'The Poison of Choice in Japan', *The Hindu*, 16 March 2019, https://www.thehindu.com/news/international/the-poison-of-choice-for-many-japanese/article26555489.ece

(98) Joseph Coleman, 'Possibility of Death Contributes to Allure Of Eating Puffer Fish', *The Washington Post*, 4 February 2001, https://www.washingtonpost.com/archive/politics/2001/02/04/possibility-of-death-contributes-to-allure-of-eating-puffer-fish/64d3e6b4-e4e1-49e3-9f30-26637060d529/

(99) Pallavi Aiyar, 'Far Short of the Potential', *The Hindu*, 15 March 2018, https://www.thehindu.com/opinion/op-ed/far-short-of-the-potential/article23247078.ece

(100) Aoyama Reijiro, 'Japan's Craftsmanship Goes Global: A Japanese Sushi Chef, a Bartender and a Hair Stylist Abroad', *nippon.com*, 28 March 2019. Source: https://www.nippon.com/en/japan-topics/g00660/japan%E2%80%99s-craftsmanship-goes-global-a-japanese-sushi-chef-a-bartender-and-a-hair-stylist-a.html

(101) Ryusei Takahashi, 'Tokyo holds on to coveted spot as city with most stars in 2019 Michelin Guide', *The Japan Times*, 27 November 2018, https://www.japantimes.co.jp/life/2018/11/27/food/tokyo-holds-coveted-spot-city-stars-2019-michelin-guide/#.XcijhL-Lkxc. 以下も参照。https://guide. michelin.co.jp/

(102) Craig Mod, 'Tokyo Neapolitan: The New Wave of Japanese Pizza', *Eater*, 21 February 2017, https://www.eater. com/2017/2/21/14670944/best-pizza-tokyo-guide

(103) Source: https://www.pizzanapoletana.org/en/

(104) Emiko,'10 Golden Rules for Japanese Chopstick Manners', *Japan Talk*, https://www.japan-talk.com/jt/new/10-golden-rules-for-japanese-chopstick-manners

(105) https://www.japantimes.co.jp/life/2016/03/25/food/brief-sweet-history-strawberries-japan/

(106) Justin McCurry, 'Looks good enough to eat: inside the home of Japan's fake food industry', *The Guardian*, 3 March 2018, https://www.theguardian.com/world/2018/mar/03/looks-good-enough-to-eat-inside-the-home-of-japans-fake-food-industry and Jay Reed and Abby Narishkin, 'How hyper-realistic plastic food became a $90 million industry in Japan', Business Insider India, 16 January 2019, https://www.businessinsider.com/how-fake-food-became-90-million-dollar-industry-japan-2019-1

(107) Stephen Earle, *Heaven's Wind: The Life and Teachings of Nakamura Tempu-A Mind-Body Integration Pioneer* (North Atlantic Books, 2017).

(108) Ramachandra Guha, 'The other Bose: The Bengali revolutionary who patented a curry in Tokyo', *The Telegraph*, 13 June 2015, https://www.telegraphindia.com/opinion/the-other-bose/cid/1441267

(109) Takeshi Nakajima, *Bose of Nakamuraya: An Indian Revolutionary in Japan* (Promilla & Co. Publishers, 2009).

(110) Source: https://www.youtube.com/embed/O_ CSLU28hCI?fbclid=IwAR25rQi_IuTcguCzWxyZmUsaY-BWrhdOegsFkX1ZMEJRnLmyOjX_cWxF_sw

(111) Lisa Wallin, 'Two New Vending Machines: High-tech Cashless Versus Old-school Origami', *Tokyo Weekender*, 20 April 2017, https://www.tokyoweekender.com/2017/04/two-new-vending-machines-high-tech-cashless-versus-old-school-origami/

(112) Pallavi Aiyar, 'Japan's Vending Marvels', *The Mint*, 6 April 2018, https://www.livemint.com/Leisure/PEnTFuPI1MfLutDSEnB4pN/Japans-vending-marvels.html

(113) Pallavi Aiyar, 'In the men's room, China leaves India standing', *Asia Times Online*, 5 December 2005. 以下も参照。Pallavi Aiyar, 'Indonesia's Toilet Trojans', The Hindu, 2 De-

cember 2013, https://www.thehindu.com/opinion/op-ed/indonesias-toilet-trojans/article5411221.ece

(114) 実は、1964 年の東京オリンピックに伴い外国人が多数訪れたことが、和式便所から今日のような快適なトイレへの急速な移行が進んだ理由の一つである。

(115) Justin McCurry, 'Japan to end tourists' toilet trouble with standardised buttons', *The Guardian*, 18 January 2017, https://www.theguardian.com/world/2017/jan/18/japan-to-end-tourists-toilet-trouble-with-standardised-buttons-olympics

(116) Jun'ichirō Tanazaki, *In Praise of Shadows* (Tuttle Publishing, 1977), p. 10.

(117) 2018 年現在、TOTO は世界で累計 4000 万台のウォッシュレットを販売し、日本のトイレ市場でも 60 パーセント以上のシェアを誇っている。

(118) Mark Schreiber, 'Toto rolls out droll toilet humor with a whiff of class', T*he Japan Times*, 13 March 2017, https://www.japantimes.co.jp/life/2017/03/13/language/poetic-praise-for-japanese-toilets/#.Xdzjm7-Lkxc. 以下も参照。https://jp.toto.com/senryu/

(119) Anna Fifield, 'How Japan's toilet obsession produced some of the world's best bathrooms', *The Washington Post*, 15 December 2015, https://www.washingtonpost.com/news/worldviews/wp/2015/12/15/how-japans-toilet-obsession-produced-some-of-the-worlds-best-bathrooms/

(120) Shoukei Matsumoto, *A Monk's Guide to a Clean House and Mind* (Penguin Books, 2018).〔松本圭介『お坊さんが教えるこころが整う掃除の本』ディスカヴァー・トゥエンティワン、2011 年〕

(121) Noriko Iwai, 'Measuring religion in Japan: ISM, NHK and JGSS', Pew Research Center, https://www.pewresearch.org/wp-content/uploads/sites/7/2017/11/Religion20171117.pdf

(122) Matthew Coslett, 'Japan: The Most Religious Atheist Country', *Gaijinpot Blog*, 8 February 2015, https://blog. gaijinpot.com/japan-religious-atheist-country/

(123) John Grace, 'A Monk's Guide to a Clean House and Mind by Shoukei Matsumoto – digested read', *The Guardian*, 7 January 2018, https://www.theguardian.com/books/2018/jan/07/a-monks-guide-to-a-clean-house-and-mind-by-shoukei-matsumoto-digested-read

(124) Norio Tomii, 'How the punctuality of the Shinkansen has been achieved', 2010, https://www.witpress.com/Secure/elibrary/papers/CR10/CR10011FU1.pdf

(125) Ethan Bernstein and Ryan W Buell. 'Trouble at Tessei', Harvard Business School Case 615-044, January 2015 (revised, October 2015).

(126) 'Hot-spring resorts debate allowing tattooed tourists ahead of Rugby World Cup', *The Japan Times*, 7 July 2019, https://www.japantimes.co.jp/news/2019/07/07/national/hot-spring-resorts-debate-allowing-tattooed-tourists-ahead-rugby-world-cup/

(127) Shirley MacGregor, *Quilting with Manhole Covers - A Treasure Trove of Unique Designs from the Streets of Japan* (Carriage Trade Press, 1999).

(128) Mizuho Aoki, 'Lifting the lid on Japan's growing crowd of manhole cover spotters', *The Japan Times*, 28 August 2016, https://www.japantimes.co.jp/news/2016/08/28/national/lifting-the-lid-on-japans-growing-crowd-of-manhole-cover-spotters/#.XhfACeuLn6Y

(129) 'Collectible manhole cards detailing Japan's intricate designs top 1 million issued', *The Japan Times*, 7 October 2017, https://www.japantimes.co.jp/news/2017/10/07/national/number-manhole-cards-handed-collectors-18-months-exceeds-1-million/#.Xhe_s-uLn6Y

(130) 菩提達磨に関する史料は実質的に存在していない。現代で唱えられている二つのごく簡素な見方では、彼がどこの国の人だったかについて見解が分かれている（ペルシャ人とするものと南インド人とするものがある）。

(131) Upendra Thakur, *India and Japan, a Study in Interaction during 5th Cent.-14th Cent. A.D.* (Abhinav Publications, 1992).

(132) Hisho Saito, *A History of Japan*, translated by Elizabeth Lee (Wentworth Press, 2016).〔訳注：初版は 1912 年〕

(133) Tsukamoto Zenryū and Hirano Umeyo, 'Buddhism in the Asuka-Nara Period', *The Eastern Buddhist* 7 (1974) pp. 19-36.

(134) Benoy K Behl, *Hindu Deities Worshipped in Japan* (The Hindu Group, 2019).

(135) James Sanford, 'Literary Aspects of Japan's dual-Ganesa cult', in *Ganesh: Studies of an Asian God*, Ed. Robert L Brown, SUNY Press, 1991.

(136) Source: http://www.matsuchiyama.jp/english.html

(137) Noriko Inagaki, 'More Rajni please, we are Japanese', *Hindustan Times*, 10 October 2010, https://www.hindustantimes.com/entertainment/more-rajni-please-we-are-japanese/story-2K7DFCcDc7IxA6KrZFgsZN.html

(138) 「日本人についての自分の考えは、一通の短い手紙で書き切れるものではありません。わが国の若者は日本と中国を毎年訪れるべきと望むのみです。（中略）わたしが思うに、わが国の富裕で教育を受けた者がみな日本を実際に見に行けば、目を瞠ることでしょう。日本では知識が見事に消化されており、インドのように消化不良を起こしているのではないことに気づくはずです。彼らはあらゆるものをヨーロッパ人から取り入れながらも、日本人であることをまったく失っておらず、欧化していないのです。ところがわが国では、西洋のようになりたいという度を越した熱狂がペストのように蔓延しているのです」。*The Complete Works of Swami Vivekananda*, vol. 5, 'Conversations and Dialogues' (Calcutta: Advaita Ashrama, 2001).

(139) Andrew B Liu, 'On the comparisons of India and China in the works of Kang Youwei and Zhang Taiyan', paper presented at the Fall 2007 Graduate Seminar on Modern Chinese Literature, Colombia University, New York, USA.

(140) 『東洋の理想』(1903 年）は、アジアには精神的な共通性があり、西洋とは異なることを指摘した、以下の有名な出だしで知られている。「アジアは一つである。ヒマラヤ山脈は、二つの偉大な文明――孔子の共産主義をもつ中国文明と『ヴェーダ』の個人主義をもつインド文明を、ただきわだたせるためにのみ、分かっている。しかし、雪をいただくこの障壁でさえも、究極と普遍をもとめるあの愛のひろがりを一瞬といえどもさえぎることはできない。この愛こそは、アジアのすべての民族の共通の思想的遺産であり、彼らに世界のすべての大宗教をうみだすことを可能にさせ、また彼らを、地中海やバルト海の沿海諸民族――特殊的なものに執着し、人生の目的ではなく手段をさがしもとめることを好む民族――から区別しているものである」

(141) 「各州の自立によるインド亡国について梁啓超ら学生諸氏と論じる書」。康有為は 1902 年 5 月にインドのダージリンに滞在していた際、この手紙を愛弟子でもあり同志でもあり、著名な知識人でもあった梁啓超に対し書き上げた。そこでは、インドは侵略者によって収奪され、国内の脆さゆえに道徳的にも心理的にも恥ずべきで、政治的にも経済的にも破滅的な隷属状態に置かれることになった国として位置づけられている。

(142) 1942 年 8 月 1 日、ラーシュ・ビハーリー・ボースは孫文と初めて会ったときのことについて次のように回想した文書を記している。「孫逸仙博士との個人的なやりとりから、イギリスを一掃しない限りアジアが自由になることはないという彼が固く信じていることがわかっていた。彼はまた、インドがイギリスの支配下であり続ける限り、大英帝国が崩壊することはないという固い信念も抱いていた」。*Rash Behari Basu: His Struggle for India's Independence*, ed. Radhanath Rath, Sabitri Prasanna Chatterjee (Calcutta: Biplabi Mahanayak Rashbehari Basu Smarak Samiti, 1963), p. 185.

(143) Sven Saaler and Christopher W.A. Szpilman, ed., *Pan Asianism: A Documentary History 1850–1926* (Rowan and Littlefield, 2011), pp. 234-235.

(144) Rabindranath Tagore, 'The Spirit of Japan: A Lecture' delivered to the students of the private colleges of Tokyo and the members of the Indo-Japanese Association at the Keio Gijuku University, Tokyo, Japan, (Indo-Japanese Association, 1916).〔タゴール「日本の精神」高良とみ訳、『タゴール著作集　第 8 巻　人生論・社会論集』第三文明社、1981 年〕

(145) Rabindranath Tagore, *Stray Birds* (Wilder Publications, 2008).

(146) インドのマンモーハン・シン首相が 2005 年の訪日時に行った演説より。

(147) Ministry of Foreign Affairs, Japan. Source: https://www.mofa.go.jp/region/asia-paci/india/relation/relation.html

(148) Norimitsu Onishi, 'Decades After War Trials, Japan Still Honors a Dissenting Judge', *New York Times*, 31 August 2007

(149) Nakajima Takeshi, 'The Tokyo Tribunal, Justice Pal and the Revisionist Distortion of History', *The Asia-Pacific Journal* 9, no. 3 (2011), https://apjjf.org/2011/9/44/Nakajima-Takeshi/3627/article.html

(150) Frederick S. Litten, 'Starving the Elephants: The Slaughter of Animals in Wartime Tokyo's Ueno Zoo', *The Asia-Pacific Journal* 7, no. 3 (2009), https://apjjf.org/-Frederick-S.-Litten/3225/article.html

(151) 'An elephant named Indira', *The Tropicalist*, https://www.thetropicalist.press/2017/05/an-elephant-named-indira/

(152) M. Itoh, *Japanese Wartime Zoo Policy: The Silent Victims of World War II* (Palgrave MacMillan, 2010).

(153) 'Nehru arrives in Japan on goodwill visit', *Stars and Stripes*, 12 August 1976, https://www.stripes.com/news/nehru-arrives-in-japan-on-goodwill-visit-1.41661

(154) 'Indira, a female elephant presented to Japan by the...', UPI, https://www.upi.com/Archives/1983/08/11/Indira-a-female-elephant-presented-to-Japan-by-the/9968429422400/

(155) 'Abe, Modi become Twitter pals', *The Japan Times*, 22 May 2014, https://www.japantimes.co.jp/news/2014/05/22/national/online-connection-links-indian-japanese-leaders/#.XkS3D-uLmt8

(156) Pallavi Aiyar, 'The arc to Tokyo', *The Hindu*, 10 June 2017, https://www.thehindu.com/opinion/op-ed/the-arc-to-tokyo/article18951487.ece

(157) 'India's railway project with Japan faces $4.5 bil. budget shortfall', *Kyodo News*, 8 February 2020, https://english.kyodonews.net/news/2020/02/297b586def24-indias-railway-project-with-japan-faces-45-bil-budget-shortfall. html

(158) 2020 年半ば、インドネシア政府は日本が担当する準高速鉄道化計画を中国が受注した高速鉄道建設計画と一体化させる案に前向きな姿勢を示したが、これは作業の遅延やコスト増が伝えられる後者の計画のスピードアップを促進したいというねらいがあると見られる。Koya Jibiki, 'Indonesia woos Japan as China-led high-speed-rail project stalls', *Nikkei Asia*, 8 June 2020, https://asia.nikkei.com/Business/Transportation/Indonesia-woos-Japan-as-China-led-high-speed-rail-project-stalls

(159) Shang Su-Wu, 'Is Japan's rail diplomacy on the right track in S.E. Asia?', *The Japan Times*, 12 February 2020, https://www.japantimes.co.jp/news/2019/10/28/business/japans-rail-diplomacy-right-track-s-e-asia/#.XkXvYeuLn6Y

(160) 公共交通システム建設のマネジメントを手がける日本のコンサルタント会社、オリエンタル・コンサルタンツは、デリーメトロの建設に際し、現場の安全管理や効率性確保でインド側チームに協力した。三菱電機は車両の推進システムを供給し、三井物産は線路の調達を担った。

(161) Figures for 2018-19; KJM Varma, 'India-China trade dips by nearly $3 billion in 2019', *Mint*, 14 January 2020, https://www.livemint.com/news/india/india-china-trade-dips-by-nearly-3-billion-in-2019-11579011500398.html

(162) 'Daikin India aims to be a Rs 5,000-crore firm in FY20, looks for 20% growth', The *Economic Times*, 14 April 2019, Press Trust of India, https://economictimes.indiatimes.com/industry/cons-products/durables/daikin-india-aims-to-be-a-rs-5000-crore-firm-in-fy20-looks-for-20-growth/articleshow/68875720.cms?from=mdr

(163) Amiti Sen, 'CAB effect: Japanese PM puts off India visit', *The Hindu Business Line*, 13 December 2019, https://www.thehindubusinessline.com/news/world/japans-pm-shinzo-abe-says-he-is-still-planning-to-visit-india-next-week/article30294451.ece

(164) これには、第4世代型戦車、ライセンス生産によるアパッチヘリコプター、最新の偵察ドローンが含まれている。自衛隊は、海からの攻撃を想定した部隊の配備も行っている。また、ヘリ護衛艦「いずも」は、F-35B戦闘機を搭載する空母化が進められている。

(165) Tomohiro Osaki, 'Thousands protest Abe, security bills at Diet rally', *The Japan Times*, 30 August 2015, https://www.japantimes.co.jp/news/2015/08/30/national/thousands-protest-abe-security-bills-diet-rally/

(166) 'Pollshows56%ofJapaneseopposeamendingConstitution under Abe government', *The Japan Times*, 24 July 2019, https://www.japantimes.co.jp/news/2019/07/24/national/politics-diplomacy/56-japanese-oppose-amending-constitution-abe-government-poll-shows/#.Xlc1ZxczbR1

(167) Jared Genser and Michelle Brignone, 'Shinzo Abe and the Japanese Constitution', *The Diplomat*, 20 July 2015, https://thediplomat.com/2015/07/shinzo-abe-and-the-japanese-constitution/. 以下も参照。Tomomi Yamaguchi, 'The "Japan Is Great!" Boom, Historical Revisionism, and the Government', *Asia Pacific Journal* 15, no. 3 (2017)

(168) Ruchir Sharma, *Democracy on The Road: A 25 Year journey Through India* (Penguin, 2019)

(169) だが、現在のモディ政権は数十年にわたる「反現職」傾向を食い止めているように見える。以下を参照。Richard Rossow, 'The quiet decline of anti-incumbency', *Gateway House*, 24 February 2015, https://www.gatewayhouse.in/the-quiet-decline-of-anti-incumbency/

(170) 'Abe faces 3 big questions over vet school scandal', *Nikkei Asia*, 19 July 2017, https://asia.nikkei.com/Politics/Abe-faces-3-big-questions-over-vet-school-scandal. 以下も参照。Shoko Oda, 'Everything You Need to Know About the School Scandal Haunting Abe', *Bloomberg*, 12 March 2018, https://www.bloomberg.com/news/articles/2018-03-12/the-school-scandal-haunting-japan-prime-minister-abe-quicktake Pallavi Aiyar, 'Shinzō Abe's difficult year', *The Hindu*, 24 April 2018, https://www.thehindu.com/opinion/op-ed/shinz-abes-difficult-year/article23650516.ece

(171) Pallavi Aiyar, 'When Ministers quit for bribing voters with melons and mangoes', *The Hindu*, 10 November 2019, https://www.thehindu.com/news/international/when-ministers-quit-for-bribing-voters-with-melons-and-mangoes/article29932342.ece

(172) 'Isshu Sugawara: Minister quits after gifting melons and crabs to constituents', *BBC*, 25 October 2019, https://www.bbc.com/news/world-asia-50178408

(173) 'Second minister in a week resigns from Japan cabinet', *Reuters*, 31 October 2019, https://www.reuters.com/article/us-japan-politics-kawai/second-minister-in-a-week-resigns-from-japan-cabinet-idUSKBN1X92RL

(174) 'Japan's cherry blossom scandal starts to drag down Prime Minister Shinzo Abe's support', *The Straits Times*, 2 December 2019, https://www.straitstimes.com/asia/east-asia/japans-cherry-blossom-scandal-starts-to-drag-down-prime-minister-shinzo-abes-support

(175) 'Japan's Kobe Steel indicted over quality scandal', *BBC*, 20 July 2018, https://www.bbc.com/news/business-44895564

(176) Makiko Yamazaki, 'Toshiba shareholders sue in Tokyo for $2.45 million after stock plunge', *Reuters*, 7 December 2015, https://www.reuters.com/article/us-toshiba-accounting-idUSKBN0TQ0D020151207

(177) 'Olympus scandal: Former bosses to pay $529m over fraud', *BBC*, 28 April 2017, https://www.bbc.com/news/business-39741921

(178) 'Olympus scandal: Former bosses to pay $529m over fraud', *BBC*, 28 April 2017, https://www.bbc.com/news/business-39741921

(179) Cesare M. Scartozzi, 'Hereditary Politics in Japan: A Family Business', *The Diplomat*, 9 February 2017, https://thediplomat.com/2017/02/hereditary-politics-in-japan-a-family-business/

(180) 'Pocket money for Japan's salarymen continues to shrink', *Nikkei Asia*, 3 July 2017, https://asia.nikkei.com/Economy/Pocket-money-for-Japan-s-salarymen-continues-to-shrink

(181) Source: https://www.brookings.edu/research/lessons-from-the-rise-of-womens-labor-force-participation-in-japan/

(182) Tatsuhiro Yuki, 'Japan women hold 8% of manager jobs, far from 2020 goal of 30%', *Nikkei Asian Review*, 19 August 2020.

(183) Daichi Mishima, 'Japan sees record number of women working, but challenges remain', *Nikkei Asia*, 30 July 2019, https://asia.nikkei.com/Economy/Japan-sees-record-number-of-women-working-but-challenges-remain

(184) Eric Johnston, 'Japan ranks at bottom of G20, and in lowest quarter globally, for percentage of female MPs', *The Japan Times*, 6 March 2019, https://www.japantimes.co.jp/news/2019/03/06/national/japan-ranks-bottom-g20-lowest-quarter-globally-percentage-female-mps/

(185) Justin McCurry, 'Shinzo Abe reshuffle leaves just one woman in Japanese cabinet', *The Guardian*, 3 October 2018, https://www.theguardian.com/world/2018/oct/03/shinzo-abe-reshuffle-leaves-just-one-woman-in-japanese-cabinet-satsuki-katayama

(186) Pallavi Aiyar, 'Men remain the lords of Sumo ring', *The Hindu*, 21 April 2018, https://www.thehindu.com/news/international/men-remain-the-lords-of-sumo-rings/article23630258.ece

(187) 'Clear Gender Gap for Japan's Doctors', *nippon.com*, 18 March 2020, https://www.nippon.com/en/japan-data/h00652/clear-gender-gap-for-japan%E2%80%99s-doctors. html

(188) Pallavi Aiyar, 'Working Overtime to Death in Japan', *The Hindu*, 19 February 2017, https://www.thehindu.com/news/international/Working-overtime-to-death-in-Japan/article17327183.ece

(189) 'Labor productivity per hour in Japan 2000-2018', *statista.com*, 13 October 2020, https://www.statista.com/statistics/878174/japan-labor-productivity-per-hour/

(190) https://www.thehindu.com/opinion/op-ed/a-tale-of-outbreaks-both-in-china/article30823771.ece

(191) Lauren Smiley, '27Days in Tokyo Bay: What Happened on the Diamond Princess,' *Wired*, 30 April 2020, https://www.wired.com/story/diamond-princess-coronavirus-covid-19-tokyo-bay/

(192) Rupakjyoti Borah, 'Why Japan Hesitated Before Postponing the 2020 Olympics', *The Diplomat*, 27 March 2020, https://thediplomat.com/2020/03/why-japan-hesitated-before-postponing-the-2020-olympics/

(193) 'Abe denies wife attended cherry blossom party in defiance of coronavirus calls to abstain', *The Japan Times*, 27 March 2020, https://www.japantimes.co.jp/news/2020/03/27/national/politics-diplomacy/abe-denies-wife-attended-cherry-blossom-party-defiance-coronavirus-calls-

abstain/

(194) Lucy Dayman, 'Small, Stained and, Actually, Expensive: Why "Abenomask" Is An Epic Fail', *Tokyo Weekender*, 27 April 2020, https://www.tokyoweekender.com/2020/04/why-abenomask-is-a-failure/

(195) Emiko Jozuka, 'Japan leader Shinzo Abe's video at home with pet dog prompts social media backlash', *CNN*, 13 April 2020, https://edition.cnn.com/2020/04/13/asia/japan-coronavirus-pm-video-backlash-dp-intl-hnk-scli/index.html

(196) 'Osaka mayor sets Twitter abuzz with claim that women dawdle at shops', *The Japan Times*, 24 April 2020, https://www.japantimes.co.jp/news/2020/04/24/national/osaka-mayor-ichiro-matsui-women-shopping/

(197) 'Japan's cyber-security minister has "never used a computer" ', *BBC*, 15 November 2018, https://www.bbc. com/news/technology-46222026

(198) Leo Lewis, 'How coronavirus exposed Japan's low-tech blind spot', *Financial Times*, 15 April 2020, https://www.ft.com/content/7992a88a-7dde-11ea-82f6-150830b3b99a

(199) Isabel Reynolds, 'Coronavirus Is Forcing Japan to Rethink Its Custom of Stamping Documents by Hand', *Time*, 28 April 2020, https://time.com/5828326/japan-coronavirus-hanko-office-traditions/

(200) Mitsuru Obe, 'Screen-shunning doctors open up to telehealth in pandemic era', *Nikkei Asian Review*, 7 April 2020, https://asia.nikkei.com/Spotlight/Coronavirus/Screen-shunning-doctors-open-up-to-telehealth-in-pandemic-era

(201) 下痢で命を落とす子どもは世界で毎年50万人にのぼる。Source: https://ourworldindata.org/childhood-diarrheal-diseases

(202) Rabindranath Tagore, 'The Spirit of Japan: A Lecture' delivered to the students of the private colleges of Tokyo and the members of the Indo-Japanese Association at the Keio Gijuku University, Tokyo, Japan (Indo-Japanese Association, Tokyo, 1916).